KB067446

계속 팔리는 브랜드 경험의 법칙

계속 팔리는 브랜드 경험의 법칙

Creating Brand Story from Archetype of Landscape

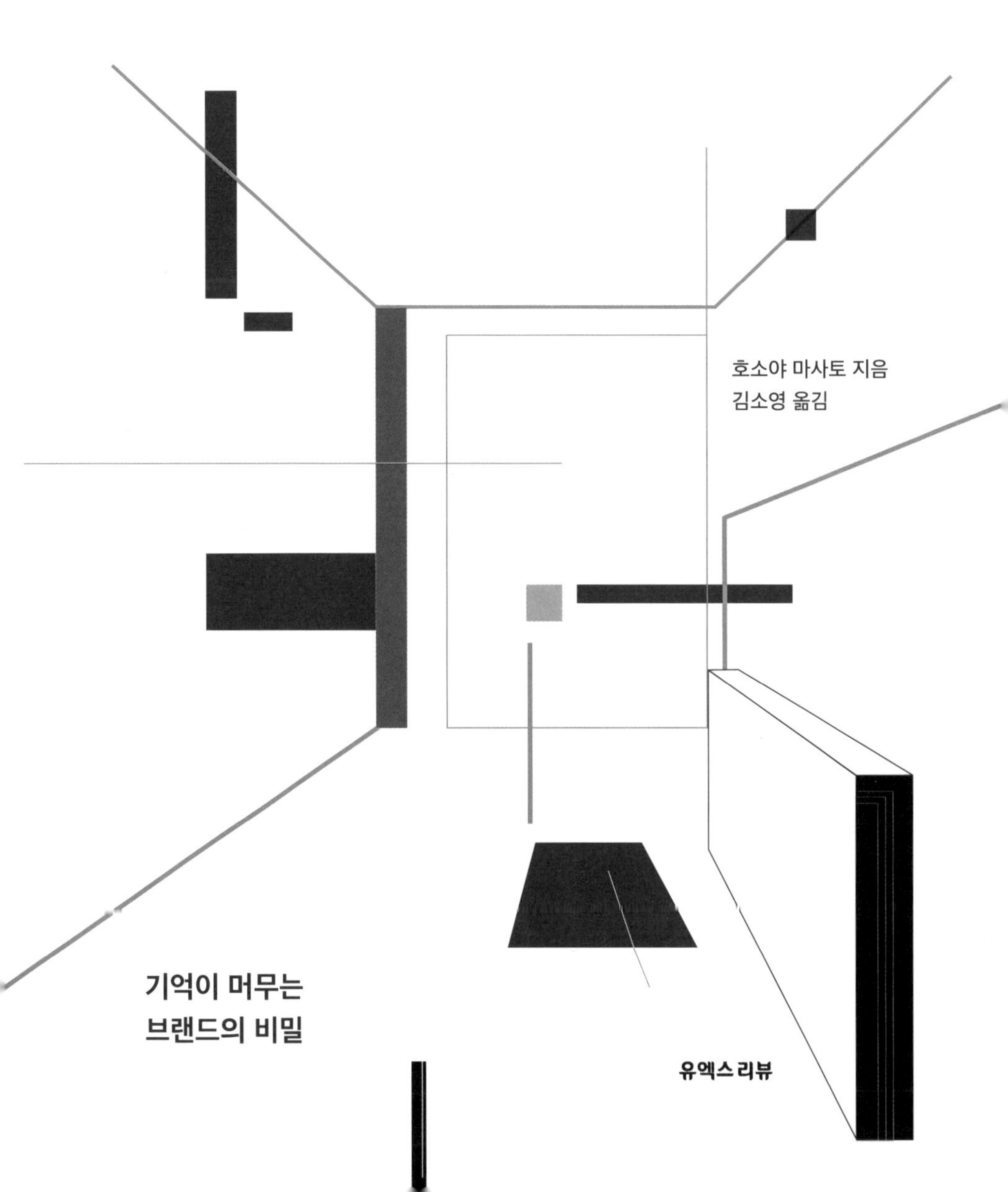

호소야 마사토 지음
김소영 옮김

기억이 머무는
브랜드의 비밀

유엑스 리뷰

머리말

"인간은 필연적으로 저마다 '원풍경'을 갖고 있다. 그것은 대부분 자기 형성 공간과 환경에서 비롯된 선천적인 것이다."

– 오쿠노 다케오奥野健男, 《문학의 원풍경: 들판과 동굴의 환상文学における原風景－原っぱ: 洞窟の幻想》

나는 분명히 몇 년쯤 전에 '아마존Amazon'에서 첫 구매를 했을 텐데, '마이 퍼스트 아마존'이 무엇이었는지 전혀 기억이 나지 않는다. 누가 나에게 아마존이라는 브랜드에 애착이 있는지 묻는다면, '애착이라기보다는 그냥 편리하니까….'라고 답할 것이다. 자신에 대해 많은 말을 하지 않고, 항상 사고 있는 '그것'으로 데려다주는 우수한 서비스이기 때문이다. 주문한 다음 날이면 현관 앞까지 상품을 배달해 주니 슈퍼나 드러그스토어에 갈 기회가 눈에 띄게 줄었다. 아무런 고민 없이 일상적으로 구입하는 상품은 짐을 끙끙거리며 들고 오는 체력적인 고생 없이 가까이 있는 컴퓨터나 스마트폰으로도 손쉽게 주문할 수 있다.

그와 달리 '마이 퍼스트 소니'는 똑똑히 기억한다. 약 35년 전 이야기다. '마이 퍼스트 소니'는 초등학교 고학년 때였다. 나와 나이 차이가 좀 나던 사촌 누나는 도쿄 스미다 구에 살고 니혼바시에 있는 다카시마야 백화점에서 일했다. 때는 바야흐로 1980년대, 버블 절정기였다. 친척들 사이에서도 제일 월급이 많았던 누나의 방은 명품 옷이나 가방으로 가득 채워져 있었다. 그 당시 커리어우먼처럼 긴 머리 스타일에 새빨간 스카이라인(닛산의 중형차 종류-역자)을 뽑아 타고 다녔던 기억이 있다.

누나는 나를 무척 예뻐했다. 그런 누나가 어느 날 자동차 영업을 하던 우리 아버지를 찾아왔다. 아버지가 차를 구입할 때 도와줘서 그런지, 우리 집이 있는 사이타마까지 온 것이다. 그때 누나는 내가 음악을 아주 좋아한다는 걸 잘 알고 생일 선물을 줬다. 다카시마야의 장미 포장지에 들어 있던 선물은 그때 장안의 화제였던 소니 워크맨이었다. 펄쩍 뛰어오를 정도로 기뻤다. 그런데 하필 색깔은 실버 핑크. '아, 핑크라니….' 이제 사춘기에 막 접어들던 소년으로서 조금 실망한 기억이 난다. 지금 생각해 보면 그 색깔을 고른 건 누나의 센스였다. 새빨간 스카이라인을 타던 누나가 고른 실버 핑크색 워크맨.

그 워크맨은 매우 얇고, 크기는 카세트테이프보다 살짝 컸다. 나는 핑크색에 대한 실망보다 워크맨을 갖게 됐다는 기쁨이 더 컸다. 그 당시 초등학생의 용돈이나 세뱃돈으로는 턱없이 부족할 정도로 비싼 제품이었기 때문이다.

이렇게 작은 걸로 카세트테이프의 음악을 들을 수 있냐며 부모님도 입을 다물지 못했다. 그때부터 나는 집에 있을 때도 헤드폰을 쓰고 거실에서도, 이불 속에서도 좋아하는 음악을 들었다. 여담이지만 그때는 부모님이 카세트테이프에 녹음한 FM 라디오 프로그램 〈제트스트림〉을 자주 들었다. DJ를 맡았던 조 다쓰야가 "저 멀리 지평선이 사라지고, 깊디깊은 밤의 어둠 속에 마음이 잠잘 수 있을 때…"라며 늘 읊조렸던 유명한 문구를 고작 초등학교 고학년생이 술술 따라 했으니, 약간은 애늙은이 같은 소년이었다. 이것이 소니 워크맨에 대한 나의 자전적 기억Autobiographical memory이다.

자전적 기억이란 '자신의 인생에 일어난 사건에 관한 개인적 기억'으로 정의한다.

전작인 《브랜드 스토리 디자인ブランドストーリーの創り方》(비엠케이, 2019.) 에서는 브랜드를 주춧돌과 기둥으로 나눠서 브랜드 스토리를 만드는 법에 관해 이야기했다. 이 책에서는 한층 더 깊이 파고 들어서 강력한 브랜드 스토리는 도대체 어느 때를 기점으로 창출해야 하는지 설명하려고 한다. 그리고 또 한 가지, 일본에서는 기업 브랜드의 장기 육성에 성공한 기업은 많은 반면 제품 브랜드를 장기 육성하는 문제에서는 골치를 앓는 기업이 많다. 또한 디지털 채널이나 PB(Private Brand, 유통업체에서 직접 만든 자체브랜드 상품) 대두되면서 가격 경쟁이 심해지고, 다양한 산업에서 범용화가 이루어지고 있다. 게다가 신종 코로나19의 영향으로 예측 불가능한 사태가 일어나는 등 많은 기업에게 장기적인 브랜드 에퀴티brand equity(제품이 갖는 기본적인 가치 위에 상표로 부가되는 이익)를 구축하는 일이 매우 중요해졌다.

2장에서는 브랜드 경영 전문가인 켈러Keller 교수를 소개할 것이다. 그는 브랜드 에퀴티를 구축하려면 브랜드 인지를 높이고 이미지를 향상시키는 것이 필요하다고 했다. 그러나 디지털화가 점점 빨라지고 정보가 넘쳐나는 환경에서 소비자의 브랜드 인지를 높이고 브랜드 이미지를 향상시키는 일은 그리 만만치 않다. 이런 상황에서 강력한 브랜드를 단기간에 구축하기란 상당히 버거운 일이다.

나는 브랜드 이미지 등의 정량 조사, 포커스 그룹 인터뷰나 방문 조사 등의 정성 조사, 그리고 스테디셀러 브랜드의 디자인 전략이나 커뮤니케이션 전략 등을 보면서 문제의식을 느꼈다. 그래서 2016년부터 소비자의 자전적 기억이 브랜드의 장기 육성에 어떤 영향을 주는지에 관한 연구를 시작했다.

연구에서는 물성적 가치에 따른 차별성뿐 아니라, 정서적 기억이나 공간적 기억 등의 자전적 기억이 현재의 브랜드 선택이나 구매 행동에 어떤 식으로 영향을 주는지에 주목했다. 그리고 실무를 통해 소비자의 유소년기나 청소년기의 개인적인 기억이 브랜드를 선택하는 이유로 작용하는 경우가 많다는 가설을 갖게 됐다. 특히 롱셀러로 자리 잡게 된 브랜드의 경우, 소비자 인사이트를 조사해 보면 십중팔구 유소년기나 청소년기에 가족이나 친구 등 어떠한 외부 영향 때문에 브랜드를 접했던 적이 있고, 그러한 장기적인 기억이 브랜드 선택에 크게 관여한다는 사실을 알게 되었다.

나아가 이 책에서는 2018년 4월부터 2020년 10월까지 〈닛케이 크로스 트렌드〉(일본경제신문의 자회사인 닛케이BP에서 발간하는 온라인 매거진-역자)에서 총 33회 연재했던 사례 가운데 9개를 뽑아 6장에 걸쳐 소개할 예정이다. 그리고 그 브랜딩 시책의 본질적인 뜻을 풀어보려고 한다.

먼저 1장에서는 '원풍경'에 초점을 맞춘 이유와 일본 브랜드의 장기 육성 상황, 그리고 브랜드 에쿼티의 변화에 대해 설명한다. 2장에서는 브랜드를 장기 육성하려면 브랜드 스토리가 왜 중요한지, 그리고 브랜드 에쿼티와 브랜드 지식에는 어떤 것이 있는지를 브랜드 연구 관점에서 서술한다. 3장에서는 기억 연구 관점에서 자전적 기억을 고찰하고, 뇌과학이나 문화인류학까지 범위를 넓혀 이야기하려고 한다.

4장에서는 자전적 기억에 관한 독자적인 인터뷰 조사와 그 결과에 관해 설명하고, 5장에서는 이 책의 개념 모델을 제시하려고 한다. 6장에서는 구체적인 9개의 브랜딩 사례를 3개의 자전적 기억으로 나눠서 해설한다. 그리고 7장에서는 브랜드를 거점으로 활동하고 있는 건축가 다네 쓰요시 씨와 영국 크리에이티브 팀 TOMATO의 하세가와 도타 씨가 '기억에서 미래를 만들다'라는 주제로 만난다.

이 책은 나날이 복잡해지는 채널 구조 속에서 효과적으로 브랜드를 장기 육성하기 위한 구체적인 접근법으로써 소비자의 자전적 기억이 구매 행동에 어떤 영향을 끼치는지 고찰하고, 그 메커니즘을 검토하는 데 목적이 있다. 그럼 여러분도 함께 브랜드와 인생을 무대로 기억 여행을 떠나 보자.

차례

3장 원풍경은 자전적 기억

4장 자전적 기억과 브랜드의 소비자 인터뷰 조사

5장 자전적 기억으로 보는 브랜드의 장기 육성 모델

6장 새롭게 원풍경으로 만드는 브랜딩 사례

7장 대담 - 기억으로 미래를 만들다

1장 브랜드에서 말하는 원풍경

원풍경이란 무엇인가

오쿠노 다케오奥野健男가 1972년에 쓴 저서, 《문학의 원풍경: 들판과 동굴의 환상文学における原風景—原っぱ·洞窟の幻想》으로 이야기를 시작하려 한다.

특히나 건축계에서도 명작으로 꼽히는 이 책에서 저자가 말하는 '원풍경原風景'이란 '들[原]'을 의미한다. 오쿠노는 문학가들이 떠올리는 이미지나 모티브를 받쳐주는 기반으로써 자기 형성 공간이 작품에 짙게 투영되어 있다고 논했다. 이는 문학에서 어떤 의미가 있는가에 대한 관점인데, 문학 그 자체를 종합적으로 받아들이기 위해 '원풍경'을 해석했다. 시마자키 도손의 신슈 마고메주쿠, 다자이 오사무의 쓰가루, 이노우에 야스시의 이즈 유가시마, 오에 겐자부로의 에히메 두메산골…. 작가들은 저마다 문학의 경쾌한 모티브라고도 할 수 있는, 선명하고 강렬하면서도 심도 있는 '원풍경'을 갖고 있었다고 오쿠노는 서술했다. 이는 단순히 지나가던 여행자가 바라보는 풍토나 풍경이 아닌, 자기 형성과 어우러져 작가의 피와 살이 된 심층 의식이라고도 할 수 있는 풍경이다. 독자는 그 땅을 몰라도 자신이 마음속에 있는 풍경의 이미지에 비추어 그 정경을 상상하며 문학을 읽는다.

'원풍경'이라는 말은 오쿠노가 처음으로 쓰고 그 후에 정착되었다. 이 말은 '그리운 풍경'이나 '향수鄕愁' 등의 의미로도 사용된다. 《다이지린》(일본의 국어사전-역자)에서 '원풍경'이란 "원체험에서 생기는 다양한 이미지 중에서 풍경의 형태를 취한 것. 변화하기 전의 그리운 풍경"이라고 설명했다. 하지만 오쿠노가 《문학의 원풍경: 들판과 동굴의 환상》에서 서술한 '원풍경'의 의미는 경험적 대상이 아니라는 사실을 알 수 있다.

이 장편 평론에서 오쿠노는 도쿄의 중심부에서 자랐던 자신의 어린 시절을 돌아보면, '원풍경'(자기 형성 공간)으로 '들'과 '모퉁이'가 떠오른다고 했다. '들'과 '모퉁이'는 타임머신을 타고 수렵 채집을 하던 조몬 시대로 거슬러 올라갈 수도 있고 가까운 미래로 날아가기도 하면서, 마치 SF 영화처럼 어린아이의 공상 속에서 상상력을 자극하는 장소다. 오쿠노가 그 장소를 '원풍경'이라 보고 일본 문화와 문예의 본질을 찾아내려 했다는 점이 매우 흥미롭다. 오쿠노는 작가 고유의 자기 형성 공간으로써 '원풍경'이 존재한다는 사실을 언급했으며, 이렇게 문학의 모태이기도 한 '원풍경'은 유소년기와 사춘기에 형성된다고 했다. 이후에 3장에서도 얘기하겠지만, 기억 연구를 할 때도 '원풍경'은 그야말로 개인의 자전적인 기억으로, 주로 유소년기부터 사춘기에 걸쳐 형성된다. 오쿠노의 책에서는 '들'의 풍경을 이와 같이 표현했다.

> 올챙이며 잔 물고기는 건져 올리고 돌이나 진흙을 연못에 투척한다. 개미나 두더지의 집을 파내고 돌을 뒤집어 그 밑에 있던 돈벌레를 벌벌 떨리는 손으로 죽인다.
>
> – 오쿠노 다케오, 《문학의 원풍경: 들판과 동굴의 환상》

1930년경의 '들'이니 당연히 현대와는 매우 다르다. 어쩌면 지금 10대나 20대 중에는 '들' 과 관련된 기억이나 체험이 없는 사람도 있을지 모른다. 오쿠노가 말하는 '원풍경'은 '들'이다. '들'은 자기 형성 공간이라고 했다. 그렇다면 앞으로 우리에게 '들'이란 대체 어디에 존재할까? 라인LINE이나 트위터Twitter 같은 SNS? 쇼핑몰이나 편의점? 아니면 현대의 '들'은 완전히 다른 모습으로 탈바꿈했을까?

> 문학가는, 나아가 인간은 필연적으로 저마다 '원풍경'을 갖고 있다. 그것은 대부분 자기 형성 공간, 즉 환경에서 비롯된 선천적인 것이다. 문학과 예술은 그 '원풍경'에서 벗어날 수 없다. 거역하려 해도 '원풍경'은 그 내면에서부터 영향을 주기 때문에 복수를 해 온다. 그렇다면 우리는 그 '원풍경'을 어떤 식으로 인식하고 이해해야 할까? 그리고 자신의 '원풍경'을

현실에 어떤 식으로 가져와서 어우러지게 할까? 현실 안에, 그리고 자기 안에 살릴 수 있을까? 그 답에 따라 예술이나 문학의 성립 여부와 작품의 가치가 결정된다. 그리고 여기에 미래의 문학이나 예술의 가능성이 달려 있다.

– 오쿠노 다케오, 《문학의 원풍경: 들판과 동굴의 환상》

문학을 읽는 독자와 마찬가지로, 브랜드도 심층 의식이라고도 할 수 있는 '들'과 같은 풍경을 생활자의 머릿속에 만들어 낼 수 있지 않을까? 나아가 '브랜드 스토리'는 오쿠노가 말하는 문학 속의 '원풍경'처럼 생활자의 자기 형성과 어우러질 수 있는 것 아닐까? 그리고 그 안에 브랜드의 가능성이 달려 있는 것은 아닐까? 이 책에서는 이렇게 세 가지 질문에 대해 검증하려고 한다.

앞으로 디지털의 발전 속도가 점점 더 가속화되면서 생활자와의 접점이 무한으로 확장되고, 유형 가치뿐만 아니라 무형 가치도 동시에 제공될 것이다. 이러한 상황 속에서 브랜드의 '들'은 대체 어디에서 찾을 수 있을까? 우리가 그 미래의 '들'을 찾아내고 그것들을 다자이 오사무의 《쓰가루》처럼 브랜드 가치로서 그릴 수 있다면, 소비자를 대상으로 한 브랜드의 장기 육성이 가능하지 않을까.

원풍경에 초점을 맞추는 이유

브랜드의 '원풍경'에 초점을 맞추는 이유는 두 가지가 있다. 디지털에서 접점이 늘어나 정보가 흘러넘치는 현재의 상황에서 장기적 브랜드 육성에 공헌하는 브랜드 재생이나 재인식의 근원적인 요소를 밝혀내고 싶은 것이 첫 번째 이유다. 그리고 두 번째로는 기업이나 제품 브랜드에서 시각화된 브랜드 식별자(아이덴티파이어) 등 브랜드 요소가 어떤 식으로 생활자의 자기 형성에 작용해서 기억을 재생하고 재인식을 부추기는지 그 메커니즘을 파악하고자 했다. 브랜드를 인지하고 브랜드 이미지가 향상되는 것, 그리고 브랜드에 대한 애착을 만들어 내는 것은 아무리 디지털이 가속화되어도 보편적이며 지속적인 브랜드 에쿼티의 구축으로 이어지기 때문이다.

흔히들 DX(Digital Transformation, 디지털 전환) 시대가 도래했다고 말한다. 앞으로는 디지털 기기를 통해 데이터를 공유하고, 생활자의 개인적인 기억을 그림이나 영상 등으로 아카이브할 수 있을 것이다. AI(인공지능)가 해석한 생활자의 '원풍경'을 활용하면 미래에 사람들이 어떻게 행동할지 지금보다 훨씬 더 정밀하게 예측할 수 있다. 그렇게 되면 개인의 기억을 활용한 브랜드 전략을 세우는 데 유용하게 사용할 수 있다.

3장에서 더 자세히 설명하겠지만, 기억의 선행 연구에서 의미하는 자전적 기억이란 "인생에서 일어난 사건에 대한 개인적인 기억"이다. 이때 이 기억은 반드시 사실을 기반으로 인상에 남는 기억만 있는 것이 아니라 대충 개괄적으로 기억하는 경우가 많고, 주관이 덧붙여진 경우도 있다. 오히려 어렴풋한 기억들이 몇 번이나 반복되면서 무의식중에 점점 자신의 자전적 기억으로 변해간다. 만약 오쿠노가 말한 것처럼 '원풍경'이 문학이나 예술의 가치를 결정한다면, 자전적 기억의 생성과 브랜드 에쿼티로 이어질 것이다.

요컨대 브랜드를 장기적으로 육성할 때 큰 테마가 될 가능성이 있다.

이어서 4장에서는 자체적으로 조사한 결과를 설명할 생각이다. 장기적인 브랜드를 육성하는 데 유효한 영향을 주는 자전적 기억에는 여러 유사한 경험들로 이루어진 개괄적인 기억이 많다. 그 기억이 꼭 단 한 번 겪은 선명한 기억일 필요는 없다. 브랜드 오너는 지금까지 인상 깊은 광고나 매장으로 생활자의 기억에 자극을 주어 브랜드 인지도를 높이고 이해시키려 해 왔다. 광고 제작에 종사하는 사람 중에는 인상 깊은 메시지를 생활자에게 던져야 인지도를 높일 수 있다고 말하는 사람이 여전히 있을지 모른다. 하지만 그것은 잘못된 생각이다. 생활자의 소비 행동 프로세스는 자전적 기억을 효과적으로 활용함으로써 지금보다 더 나은 인지 사이클을 만들 가능성을 갖고 있다.

2014년에《브랜드 스토리 디자인》을 출판한 후로 브랜드 스토리 전략의 중요성이 점점 주목받게 되었다. 스토리 전략이 소비자가 브랜드를 이해하고, 구입하고, 애착을 가질 수 있게끔 선순환을 구축한다는 점에서 기대감이 높아졌기 때문이다. 하지만 아쉽게도 브랜드의 스토리 전략은 결국 무엇을 해야 하는지 두루뭉술해서 실천하기 어려운 경우가 많다. 또한 브랜드 충성도나 장기적인 브랜드 육성과의 연관성도 추상적이다. 브랜드 스토리는 사람의 기억 속에 브랜드의 유무형 가치가 융합되어 만들어지는 총체적인 것이기 때문에 그것들을 명확히 파악하기란 쉽지 않다. 이 책에서는 브랜드 스토리를 생각하기 전에 그 시초를 명확히 하고 싶다.

일본 브랜드의 장기 육성

사실 일본에는 노포라 불리는 장기 존속 기업이 많다. 여기서부터는 다른 나라보다 뛰어난 일본의 장기 브랜드 상황에 관해 이야기하려고 한다.

'닛케이 BP 컨설팅'이 창업한 지 100년 내지 200년 이상 된 기업 수를 나라별로 조사한 '세계 장수 기업 랭킹'에서 일본이 모두 1위를 차지했다. 그 뒤를 미국, 스웨덴, 독일이 잇는다. 비율로 따지면 전 세계의 50퍼센트 정도가 일본 기업으로, 압도적이라 할 수 있다. 100년 이상된 기업을 기준으로 했을 때 업종은 제조업이 가장 많았고, 이어서 2위는 소매업, 3위는 도매업이었다. 하지만 전체 비율로 봤을 때는 서비스업처럼 100년 기업의 비율이 낮은 업종도 있다(21페이지 〈도표 1〉).

또한 데이코쿠 데이터뱅크가 2019년에 실시했던 조사에 따르면, 창업한 지 100년이 넘은 노포 기업은 3만 5,259개가 존재하고, 그 비율은 일본의 전체 기업 중 2.27퍼센트를 차지한다. 반면, 개별 제품 브랜드는 기업 브랜드와 제품 브랜드가 일치하는 경우가 많기 때문에 제품 브랜드에 따른 개별 브랜드의 장기 육성 사례는 서양에 비해 적었다.

주요인으로 두 가지를 생각할 수 있다. 첫째로 고도경제성장(제2차 세계대전 이후 1955부터 1973년까지 일본 경제가 계속해서 빠른 속도로 성장한 시기-역자) 아래에서 많은 일본 기업들은 기술력이나 영업력만으로 충분히 사업을 확대할 수 있었기 때문에 제품 브랜드 구축에 대해서는 관심이 생기기 어려운 상황이었다. 둘째로는 동족 기업에서 창업자가 브랜드를 육성하는 역할을 맡는 경우도 많았던 탓에 브랜드 육성에 전문적인 능력을 갖춘 인재가 성장하기 힘든 환경이었을 가능성도 있다.

〈도표 2〉(23페이지)는 일본의 대표적인 롱셀러 브랜드 리스트로, 기업명과 제품 브랜드를 기재했다. 예를 들어 가장 오래된 제품 브랜드로 요메이슈 제조사의 '요메이슈'를 들 수 있다. 요메이슈는 1602년에 발매해서 약 420년에 이르는 장수 브랜드이다. 요우칸(우리나라에서 양갱이라고 부르는 과자 -역자)을 만드는 '도라야'는 무로마치시대 후기에 교토에서 창업되어 고요제이 덴노(1586년~1611년) 천황이 재위했을 때부터 궁궐의 용무를 맡았다. 하지만 '도라야'는 기업 브랜드라서 제품 브랜드와는 동일하지 않기 때문에 리스트에서 제외했다. 기타 브랜드를 보면, 롱셀러 브랜드의 대부분은 제품 브랜드와 기업명이 일치한다. 또한 롱셀러는 기술 혁신이 필요한 내구소비재가 아니라, 대부분 식품이나 음료, 일용 잡화 등의 비내구 소비재이다. 유일하게 의약품만 예외라고 할 수 있다.

다음으로 청량음료, 조미료, 화장품·세면용품이라는 제품 카테고리에서 일본과 해외의 롱스테디셀러 브랜드 발매 연도를 비교한 결과가 〈도표 3〉(24페이지)이다. 먼저 청량음료 분야에서 일본의 가장 오래된 브랜드는 1907년에 발매한 '미쓰야 사이다'이다. 한편, 해외에서는 독일의 '슈웹스'가 1783년, 미국의 '코카콜라'가 1886년, '펩시콜라'가 1893년에 발매되었다.

조미료 분야에서는 일본 브랜드 중에 '가고메 토마토케첩'이 1908년에 발매되어 가장 오래됐다. 한편, 미국에서는 1868년에 '타바스코'가 발매되었다. 화장품·세면용품 분야에서도 항상 미국의 제품 브랜드가 앞선 경향이 있다. 비누와 치약도 미국에서 발매된 후 10~20년 후에 일본 브랜드가 그 뒤를 따랐다. 이처럼 비내구 소비재에서는 일본이 해외의 롱셀러 브랜드에 살짝 뒤처졌지만, 제품 브랜드 육성에 실패했다고는 할 수 없다.

일본에 롱셀러 브랜드가 많이 존재하는 이유 중 브랜드 식별자의 기원인 일본의 독특한 '노렌'(가게 입구에 친 가림막 커튼-역자)이라는 수단이 유력했다. 브랜드의 기원 중에서 소를 식별하기 위해 소인을 찍었다는 일화가 유

| 〈도표 1〉 창업한 지 100년 이상 된 업종별 비율

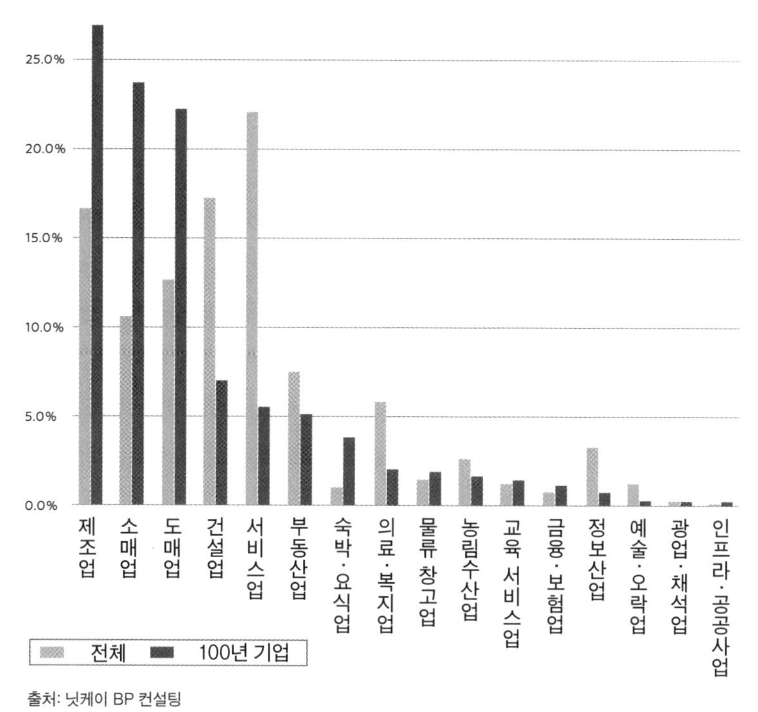

출처: 닛케이 BP 컨설팅

명하다. 그러나 유럽이나 중국에서 볼 수 없는, 일본 특유의 천으로 된 간판인 '노렌'도 그 기원 중 하나라고 할 수 있다.

왜냐하면 발상은 확실하지 않지만, 가장 오래된 '노렌'의 존재는 헤이안시대(794년~1185년)에 확인되었기 때문이다. 4대 두루마리 그림 중 하나로, 서민의 생활을 그려 1951년에 국보로 지정된 헤이안시대 말기의 《시기산엔기에마키信貴山縁起絵巻 尼公の巻》에 방의 구획을 나누거나 비바람을 막기 위해 '노렌'이 걸려 있는 모습이 그려져 있다(22페이지 〈사진 1〉).

그리고 현대로 이어지면서 사용법이 점점 변화하기 시작했을 때가 무로마치시대(1336~1573년)였다. 원하는 부분을 제외하고 염색하는 기법을 쓸 수 있게 되었던 점이 큰 영향을 준 것으로 보인다. 그 결과, 서민이 쓰던 일용품에서 가게의 장식품으로 활용할 수 있는 장사 도구로 진화했다. 당시에는 문맹률이 높았기 때문에 상호나 가문의 문장 등 도형화된 그림을 찍었다. 에도시대(1603~1868년) 이후에는 문맹률이 낮아지면서 '노렌'에 글자 모양을 남기고 염색하게 됐다. 특히 간에이~엔포시대(1624~1681년)에는 이 '노렌'이 간판이나 광고 매체 역할도 하게 되었다.

또한 '노렌'의 색깔은 전통적으로 업종에 따라 디자인 원칙에 맞게 정해서 썼다. 예를 들어 견실함을 중시하는 상점은 감색이나 남색, 과자점이나 찻집은 흰색, 가친소메(먹물로 염색하는 기법 중 하나-역자)라고 불리는 기술로 만든 적갈색은 최고위의 유곽이나 고급 술집에만 허용되던 색이었다. 지금도 '노렌을 지킨다', '노렌을 나눈다'라는 말이 존재하듯이, 일본은 신뢰를 나타내는 증표로서 상호나 가문의 문장을 소중히 여겨 왔다. 이처럼 일본에서는 예로부터 '노렌'이라는 도구를 통해 가게를 검증하는 독특한 방법으로 브랜드의 장기 육성을 위한 전략을 깊이 다져왔다는 사실을 알 수 있다.

〈사진 1〉《시기산엔기에마키信貴山縁起絵巻 尼公の巻》
사진 협력: 信貴山 朝護孫子寺, 사진 제공: 奈良国立博物館, 촬영: 佐々木香輔

| 〈도표 2〉 일본의 롱셀러 브랜드

발매	현재의 브랜드 이름	현재의 회사 이름	종류	분야
1602	요메이슈	요메이슈 제조 주식회사	자양강장제	의약품
1747	하쿠쯔루	하쿠쯔루 주조 주식회사	니혼슈(일본술)	알코올음료
1804	미즈칸 식초	주식회사 미즈칸 홀딩스	식초	조미료
1871	류카쿠산	주식회사 류카쿠산	목 약	의약품
1879	오타이산	주식회사 오타이산	위장약	의약품
1884	오제키	오제키 주식회사	니혼슈	알코올음료
1890	카오 비누	카오 주식회사	비누	토일레트리
1899	모리나가 밀크캐러멜	모리나가 제과 주식회사	캐러멜	과자
1900	후쿠스케 버선	후쿠스케 주식회사	버선	의류
1900	분메이도 카스테라	주식회사 분메이도 총본점	카스테라	과자
1902	킨초 소용돌이	다이니혼조추기쿠 주식회사	모기향	일용품
1906	시카롤	와코도 주식회사	파우더	토일레트리
1907	미츠야 사이다	아사히 음료 주식회사	청량음료	음료
1907	카메노코 수세미	주식회사 카메노코 수세미 니시오 상점	수세미	일용품
1908	가고메 토마토케첩	가고메 주식회사	케첩	조미료
1908	사쿠마식 드롭스	사쿠마 제과 주식회사	사탕	과자
1909	아지노모토	아지노모토 주식회사	감칠맛 조미료	조미료
1917	기꼬만 간장	기꼬만 주식회사	간장	식품
1918	모리나가 밀크 초콜릿	모리나가 제과 주식회사	초콜릿	과자
1919	칼피스	아사히 음료 주식회사	청량음료	음료
1920	모모야의 꽃 락교	주식회사 모모야	절임	식품
1926	글리코	에자키 글리코 주식회사	캐러멜	과자
1922	오밴드	주식회사 교와	고무줄	문구
1923	큐피 마요네즈	큐피 주식회사	마요네즈	조미료
1926	메이지 밀크 초콜릿	주식회사 메이지	초콜릿	과자
1926	불독 소스	불독 소스 주식회사	소스	조미료
1927	톰보 연필	주식회사 톰보 연필	연필	문구
1928	우유 비누	우유 비누 교신샤 주식회사	비누	토일레트리

| 〈도표 3〉 일본과 해외의 롱셀러 브랜드 발매 연도 비교

(1) 청량음료

나라	발매 연도	현재 브랜드 이름	현재 회사 이름
독일	1783	슈웹스	Dr Peer Snale Group Inc.
미국	1886	코카콜라	The Coca-Cola Company
미국	1893	펩시콜라	PepsiCo, Inc.
일본	1907	미쓰야 사이다	아사히 음료 주식회사
일본	1919	칼피스	아사히 음료 주식회사
일본	1935	야쿠르트	주식회사 야쿠르트 본사

(2) 조미료

나라	발매 연도	현재 브랜드 이름	현재 회사 이름
미국	1868	타바스코	McIlhenny Company
미국	1876	하인즈 토마토케첩	The Kraft Heinz Company
일본	1908	카고메 토마토케첩	카고메 주식회사
일본	1909	아지노모토	아지노모토 주식회사
미국	1913	베스트푸드 마요네즈	Unilever PLC
일본	1925	큐피 마요네즈	큐피 주식회사

(3) 일용품·토일레트리

나라	발매 연도	현재 브랜드 이름	현재 회사 이름
미국	1873	콜게이트(치약)	The Colgate-Palmolive COmpany
미국	1879	아이보리(비누)	The Procter&Gamble Company
일본	1890	카오 비누	카오 주식회사
일본	1896	라이온 칫솔	라이온 주식회사
미국	1961	헤드앤숄더(샴푸)	The Procter&Gamble Company
일본	1970	메리트(샴푸)	카오 주식회사

브랜드 에쿼티의 변화

여기서는 브랜딩 실무와 직결되는 이야기를 하려고 한다. 이 책은 〈닛케이 크로스 트렌드〉에서 약 2년 반 동안 총 33번 연재했던 'C2C 시대의 브랜딩 디자인'(2018년 4월~2020년 10월) 내용을 포함하고 있다. 연재에서는 다양한 업계를 넘나들며 생활자와 함께 새로운 가치를 창조하는 브랜딩의 최신 사례를 소개해 왔다. AI나 IoT(Internet of Things, 정보통신기술 기반으로 현실에 존재하는 사물을 디지털 공간으로 연동시키는 기술) 등이 가속화되면서 본격적인 디지털 시대로 돌입하는 지금, 다시 한번 브랜드를 놓고 사람과 애착이 어떻게 변하는지 생각해 보고 싶은 마음에 이 연재를 시작했다. 그런데 2년 반 동안 한창 연재를 하던 중에 코로나19감염증(이하, 코로나19)이 전 세계를 강타하면서 혼란에 빠지게 되었고, 고작 몇 개월 만에 우리는 본격적으로 디지털이 중심인 생활로 접어들게 되었다.

이 책을 펼친 독자 중에는 브랜드 매니지먼트, 디자인, 신규 사업 개발 등 다양한 업무에 종사하는 분들도 있을 것이다. 머지않아 과제가 더 복잡해지고 디지털화도 급격하게 진행될 것이다. 대체 무엇부터 손을 대고 어떤 순서로 해결해야 좋을지, 평소에 업무를 보다가 당황하는 일이 늘어나지는 않았는가.

브랜드 전략으로 말하자면 조직 편성, 인재 육성, 브랜드 이념, 브랜드 전략 구축 프로세스, 그리고 실제 제품 개발이나 디자인 정하기, 디지털뿐만 아니라 리얼 채널 전략과도 관련이 있는 UX(사용자 경험), CX(고객 경험)의 관점으로 새로운 생활자와 접점 만들기 등…. 할 일이 여러 갈래로 뻗어나가 머리를 쥐어짜고 있는 분들도 적지 않을 것이다.

일본 기업뿐 아니라 글로벌 기업에서 브랜드 전략을 전개하는 방법이나 브랜드 체제, 브랜드 관리 방법까지 폭넓게 그 사례들을 접해 왔던 나의 관점에서 말하자면, 일본의 기업 조직은 과거의 성공 경험에 따른 방법론자의 생각이 여전히 강해서 발목을 잡고 있다. 그런 것들이 기업 문화로 뿌리 깊게 자리 잡은 결과, 브랜드에 대한 의식이 암묵지(경험과 학습을 통하여 개인에게 체화되어 있지만 명료하게 공식화되거나 언어로 표현할 수 없는 지식-역자)처럼 되고 말았다.

또한 앞 페이지에서 설명했듯이, 일본 기업은 같은 업계에서 같은 사업을 몇십 년, 몇백 년이나 계속해 왔기 때문에 100년이 넘는 노포 기업이 약 3만 5000개 존재한다. 이는 브랜드의 장기 육성에 있어서 좋은 점이긴 하지만, 반대로 혁신이 생기지 않는 원인이 되기도 한다. 게다가 일본에는 장수 기업이 이렇게 많이 있는데도 유럽에 존재하는 전통적이면서도 장인 정신을 투철하게 지키는 에르메스나 메르세데스 같은 파워 브랜드 또는 LVMH나 리치몬트 등 이익률 높고 명망 있는 사업을 다수 보유한 복합 기업 같은 브랜드 소유자는 적다. 과연 일본 브랜드 중에서 전 세계에 통하는 브랜드를 몇 개나 들 수 있을까? 이는 단일적인 의식과 문화 속에서 브랜드를 만들고, 그것을 좋다고 여겨 온 '암묵지'가 그 원인이다.

그러니까 '노렌을 지킨다'라는 입장 때문에 전 세계에서 경쟁할 수 있는 브랜드 매니지먼트를 갈라파고스로 만들어버린 것인지도 모른다. 노포 브랜드에는 전통과 혁신이 필요하다고 하는데, 일반적으로는 '전통'이 이기는 경우가 많은 것이 현실이다. 왜 기업에서는 브랜드의 '혁신'을 이루려고 하지 않을까? 브랜드의 '암묵지'가 존재하는 이유는 크게 두 가지가 있다.

일본 기업의 브랜드 장기 육성 이유에서도 언급했지만, 첫째로는 기술력이나 영업력만으로 사업을 확대할 수 있었던 경제 상황을 들 수 있다. 고도경제성장이나 버블 시대의 분위기를 타고 성장했던 경험이 아직 잔상으로 남아 있어, 브랜드 전략은 영업력 강화의 수단이라는 '암묵지'를 씻어내지 못하고 있는 것이다.

둘째로 일본에서는 동족 기업에서 창업자가 브랜드를 육성하는 역할을 하는 경우도 많고, 브랜드 육성이라는 전문적인 능력을 갖춘 인재가 자라는 환경을 만들기 어려웠다는 점을 들 수 있다. 팀 단위의 브랜드 매니지먼트가 아니라, 카리스마 능력에 따라 특정 인물이 업무를 도맡아 하는 '암묵지'가 존재하기 때문이다.

과거의 성공 경험이나 카리스마에 따른 브랜드 매니지먼트는 종식되어야 한다. 일본 기업이 한층 더 속도를 올리고 경쟁력 있는 브랜드 매니지먼트를 하려면 결코 특정 인물에 맡겨서는 안 된다. 사내외에서 공유할 수 있는 '형식지'로 변화시킨 다음에 팀에서 공유하기 위한 '암묵지'로 돌아가야 한다(〈도표 4〉).

〈도표 4〉 브랜딩 능력과 방법

브랜딩 능력	브랜딩 방법
누가 생각하는가	팀 ↔ 카리스마
무엇이 동기가(추진 요인이) 되는가	정서성 ↔ 기능성
크리에이티브의 이해도	비전 ↔ 색깔, 형태, 질감
사용자에 대한 접근	탐색 ↔ 검증
전략의 지속성	제너럴리스트 ↔ 스페셜리스트

한편, 최근 거론되고 있는 '브랜드'라는 말의 정의도 두루뭉술해졌다. 요즘 들어 부쩍 '브랜드'라는 말이 마구잡이로 쓰이면서 의미 자체가 다양해졌다. 동시에 브랜드 에쿼티와 이어지는 브랜드 인지나 이미지 논쟁은 객관화하기가 어려워서 기업 내 조직의 의식을 한데 묶느라 애쓰는 현직자들도 많을 것이다. 이러한 사실로 봤을 때, 브랜드 에쿼티의 변화에 기

본적으로 두 가지 문제가 있다. 그것은 브랜딩을 마구잡이로 쓴다는 점, 그리고 소위 말하는 STP가 복잡해졌다는 점이다.

먼저 마구잡이로 쓰이는 브랜딩에 대해 살펴보자. 특히 요 몇 년 사이에 브랜딩의 의미가 변화하고 있다. 브랜드 활동을 뜻하는 브랜딩의 내용을 정리하면, 〈도표 5〉와 같이 나타낼 수 있다.

좁은 의미의 브랜딩에는 브랜드의 정체성인 네이밍, 로고, UI(사용자 인터페이스) 등 시각을 중심으로 한 요소가, 넓은 의미의 브랜딩에는 UX나 CX처럼 사용자 경험을 위한 프로세스 제공이 있다. 경영 면의 브랜딩으로는 순환형 비즈니스 모델 구축이나 이노베이션 개발 등 가치 창조를 위한 활동이 요구되고, 사회 면의 브랜딩으로는 사회적 책임을 명확히 내세운 지속 가능한 활동이 요구된다.

| 〈도표 5〉 브랜딩이라는 의미의 변화

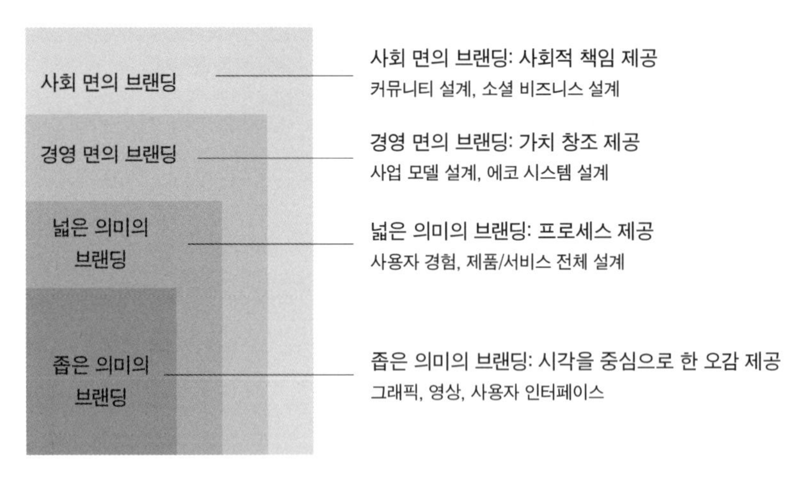

출처: 경제산업성 〈제4차 산업혁명 크리에이티브 연구회〉 보고서를 바탕으로 필자 재구성

브랜딩을 정의한다면, '자신들의 브랜드 가치를 재발견하고, 그것들을 생활자의 가치로 변환한 다음, 최종적으로는 생활자들의 충성도를 높이는 활동'이라고 할 수 있다. 〈도표 5〉(28페이지)처럼 앞으로 '브랜딩'이 다양한 과제에 폭넓게 공헌할 수 있다는 점은 명백하다. 단, 가장 중요한 것은 '브랜딩'이 어떤 의미이며 어떤 범위를 나타내고 있는지를 각자 이해하고, 기업 조직 속에서 다시금 서로 확인하는 것이다. 왜냐하면 이 4가지 범위의 브랜딩은 서로 밀접하게 연계되어 있지만, 좁은 의미의 브랜딩과 사회 면의 브랜딩은 시간축이나 평가 지표가 다르기 때문이다.

2번째 과제는 STP를 복잡하게 만드는 것이다. 애초에 생활자 관점에서 브랜드를 구현하려면 시장을 세분화Segmentation하고 타깃을 명확Targeting히 정한 다음, 경쟁에서 우위성이 있는 위치Positioning를 설정할 필요가 있다. 하지만 사회 면의 브랜딩으로 넘어오게 되면 이제 어디부터 어디까지가 경쟁인지, 그 경계조차 잘 보이지 않는다. 게다가 그것은 생활자도 마찬가지다. 사회 면의 브랜딩에 공감하는 생활자, 그리고 넓은 의미의 브랜딩으로서 편리성이나 조작성 등의 UX나 UI에 공감하는 생활자는 다른 의식을 갖고 있다. UX가 나쁘더라도 사회 활동에 공감하는 생활자가 있는가 하면, 사회 공헌을 느끼지 않더라도 압도적인 편리성에 공감하는 생활자 또한 존재하기 때문이다.

생활자가 어떤 부분에서 브랜드에 애착을 갖게 되는지는 중요하지 않다. 4가지 브랜딩을 종합적으로 보고 판단한 결과, 유형·무형의 가치를 모두 합쳐 브랜드 에쿼티가 양성된다는 것이 올바른 설명일 것이다. 그렇게 되면 지속 가능한 친환경 브랜드를 강화할 것인지, 생활자의 편리성을 추구하는 브랜드로 만들 것인지, 상반될 가능성이 있는 가치 설정을 하나의 브랜드 안에서 어떻게 타협할 것인지가 필요하다. 그러려면 우선 순위가 중요하다.

지속적으로 애착을 형성하는 브랜딩 활동은 항상 생활자의 욕구를 더 깊이 이해하고, 반걸음 앞서 필요한 가치를 끊임없이 제공한다. 그러려면 브랜드의 '전후좌우'를 바라보고 활동할 필요가 있다. 브랜드의 '전후좌우'에 대해서는 전작인 《브랜드 스토리 디자인》에서 원풍경, 지효성, 깊은 배움이라는 세 가지 부분을 브랜드 스토리의 주춧돌로서 주목해 왔다.

순간적으로 확 늘어난 팔로워 수나 전환율CVR 등의 지표는 인지나 호의, 이해 정도를 파악하는 기준으로 삼기에는 좋지만, 브랜드에 대한 애착을 도모한다는 관점에서는 결정타가 부족하다. 즉, 수치로만 따지는 논리가 아니라 무형 가치를 어떤 식으로 창조하고, 계속하고, 검증하여, 결국에는 형식지로 변화시켜 사내에서 공유화할 수 있는가가 브랜드 에쿼티의 열쇠가 된다. 그러려면 브랜드 주변에 흩어져 있는 시간축이나 사정을 전체적으로 내려다보는 것이 중요하다.

프레임워크를 이용한 브랜드 전략만으로는 계속해서 독자성을 만들어내지 못한다. 게다가 탁상에 앉아서 만들어낸 브랜드로는 생활자의 마음을 움직이지 못한다. 누구나 인터넷을 검색해서 올바른 정보를 찾아낼 수 있기 때문에 이제 생활자는 언제든지 브랜드의 진실을 알아낼 수 있다. 좁은 의미의 브랜딩에 맞게 표면적으로 과제를 해결했다 하더라도, 진실을 아는 생활자 입장에서 봤을 때 본질적인 가치에는 아무런 변화가 없다면, 오히려 표면적인 해결은 브랜드에 부정적인 이미지를 갖게 한다.

이제 브랜드는 거짓으로 꾸미거나 속일 수 없다고 생각하는 편이 좋다. 브랜드는 생활자 사이에서뿐만 아니라 다양한 이해관계자에게 항상 감시받는다고 생각해야 한다. 애착은 결국 '신뢰'에서 온다. 나아가 신뢰받는 브랜드가 성실하고 행복이 넘쳐흐르며 아주 조금의 독특한 여유가 가미되어 미래에 활력을 꾸준히 주는 존재라면 금상첨화다.

인간적 행동의 집합 휴먼 스케일

브랜드에 대한 애착을 형성하기 위해서는 생활자와 브랜드 사이에 강력한 감정적 유대감이 필요하다. 호감과 신뢰는 지극히 중요하다. 그러나 그 브랜드에 호감을 느끼고 신뢰를 쌓아 올리려면, 브랜드로서 어느 정도의 본질을 갖춰야 한다. 브랜드에 애착을 갖게 하려면 정신적으로 가까운 관계성을 유지하면서 생활자가 그 브랜드의 무언가로부터 보호받고 있다는 안도감이 필요하다.

그것이 바로 성실하고 거짓 없으며 올곧은 브랜드의 모습 아닐까? 그렇게 흔들림 없이 정체성을 유지하고, 요구에 부응하고, 생활자의 모습을 살피며 무의식적으로 심리적 거리감을 좁혔을 때 브랜드 에쿼티가 조금씩 형성되는 것 아닐까? 이 책에서는 이러한 생각을 브랜드의 '휴먼 스케일'이라고 부르고자 한다. 휴먼 스케일은 원래 건축 용어이다. 말 그대로 인간적인 척도라고 정의할 수 있는데, 건축이나 외부 공간 등 인간이 활동하기에 걸맞은 공간의 규모를 뜻한다.

나아가 자사의 제품이나 서비스 브랜드를 생활자에게 상기시키려면 브랜드 이미지가 반드시 필요하다. 그중에서도 브랜드 개성personality은 아주 중요하다. 브랜드 개성에 관해 아커Aaker의 정의를 인용한다면, "어떤 소정의 브랜드에서 연상되는 인간적인 특성의 집합"이다. 다시 말해 브랜드를 인격이나 삶에 비유하면 어떤 사람이고, 그 사람이 어떻게 말하고, 어떤 옷을 입는지 그 행동을 떠올리게 하는 것이다.

브랜드 에쿼티를 소비자에게 전달하려면 온갖 접점에서 브랜드 개성을 통해 브랜드 에쿼티를 제공할 필요가 있다. 맥도날드나 디즈니랜드를 예로 들자면, 카운터에서 무료 스마일을 파는 것도, 직원이 공원에서 아이의 눈높이에 맞춰 웅크리고 앉아 대화하는 것도 모두 브랜드 개성을 이해한 후에 행동을 변화시켜 브랜드의 가치를 고객에게 제공한다는 증거다.

아커가 말했듯이, 인간적 특성의 집합인 브랜드 개성은 두말할 것 없이 가장 중요한 역할을 한다. 나아가 브랜드 개성을 수행한 후, 그 결과 인간적 행동에 따른 활동으로 변환된 정서적 혜택의 집합 요소인 휴먼 스케일에 주목할 필요가 있다. 이러한 브랜드 활동이 브랜드 애착으로 이어지는 호감과 신뢰를 얻을 가능성을 높여준다.

여기서 그 '사람 냄새 나는' 정서적 혜택 사례를 소개하려고 한다. 첫 번째는 아마존Amazon으로 물리적인 접점을 만들어서 생기는 휴먼 스케일의 사례다. 웹이나 스마트폰뿐만 아니라 '아마존 에코(Amazon Echo, 아마존 닷컴이 개발한 스피커)', '아마존 고(Amazon Go, 아마존이 운영하는 세계 최초의 무인 매장)'로 실감나게 경험할 수 있는 접점을 겸비하고 있다. 실제로 생활자의 생활공간 속에는 여러 가지 기기가 존재한다. 아마존은 브랜드 개성의 영역을 뛰어넘어 기기에 인간적 행동이 느껴지는 기능을 더해 습관화되는 상태를 의도적으로 마련해 접점을 만든다.

우리 집에서는 아침에 커피를 내리면서 뉴스나 라디오를 듣기 위해 부엌에 아마존 에코를 뒀다. 그래서 매일 아침 "알렉사!" 하고 말을 걸면서 하루가 시작된다. 그야말로 주거 공간에 전속 집사 역할을 하는 '아마존'을 만들어낸 것이다. 이러한 사례는 생활자가 습관적인 행동을 반복하게 만들어 아마존에 대한 심리적 거리를 줄여준다(33페이지 〈사진 2〉).

| 〈사진 2〉 자택 부엌에 있는 '아마존 에코 도트Amazon Echo Dot'

| 〈사진 3〉 '북유럽 생활소품점'의 콘텐츠

두 번째로 '북유럽 생활소품점'이라는 EC(Electronic Commerce, 전자상거래) 브랜드도 좋은 사례 중 하나다. 직원들의 정성 가득한 생활을 구체적으로 전함으로써 생활자에게 친근감을 느끼게 하는 휴먼 스케일이 존재한다(〈사진 3〉).

'북유럽 생활소품점'은 인스타그램 팔로워가 100만 명에 이르고, 페이스북이나 유튜브 등에서도 20~40만의 '좋아요' 수나 구독자 수를 얻고 있다(2020년 8월 기준). 직접 검색과 SNS 채널을 주축으로 한 마케팅 전략을 통해 높은 빈도로 재구매하는 여성 고객을 확보하고 있다. SNS를 활용하여 독자와 긴밀한 관계를 유지해 나가는 좋은 사례다. 또한 '맞춤형 생활을 만들자.'가 브랜드 미션이다. 맞춤 제작한 라이프스타일을 원하는 고객들에게 자신들의 기준에 '부합한다'고 생각할 수 있는 생활을 조성할 수 있도록 하는 것이다.

'북유럽 생활소품점'은 많은 고객들이 점포로 인식하지, 결코 EC 미디어라고 인식하지 않는 커뮤니케이션이 특징이다. 구체적으로 말하자면, 판매 목적의 객관적인 정보만 제공하는 것이 아니라 점장이나 직원 추천 등 EC 사이트 내에서 주관적이면서도 주체적인 정보를 직원이 직접 제공한다. 상품 설명이나 칼럼, 직원의 가족사진과 영상, 새집 사진까지 공개하는 등 직원들의 개성이나 생생한 생각을 허물없이 고객에게 전한다. 그래서 마치 친한 친구에게 시시콜콜한 이야기를 하듯이, 진정성 있는 콘텐츠로 직원들의 실생활이나 꾸밈없는 생활을 엿볼 수 있다. 인간적 행동을 바탕으로 두 활동에서 변환된 휴먼 스케일 덕분에 재구매를 하는 탄탄한 고객층이 생기고 있다.

광고 기사에서도 브랜드의 세계관을 무너뜨리지 않도록 직원들의 실제 경험 등을 활용하여 편집했고, 모든 것이 '맞춤형 생활'에 걸맞게 사원들이 스스로 실천하고 있다. 타깃을 '우리(직원들) 같은 사람'으로 설정한 것도 매우 독특하다. 나이나 수입 등 마케팅적인 속성에서 생각하는 것이 아니라, '북유럽 생활소품점'의 가치관이나 세계관에 공감하는 감성을 가진 사람을 고객으로 설정했다. 사회 면의 브랜딩으로 이어지는 커뮤니티 조성과 비슷한 구석이 있다.

아마존처럼 브랜드 개성을 초월해 물리적인 접점을 늘려서 생활자의 행동 변화를 촉진하는 방법이 있는가 하면, '북유럽 생활소품점'처럼 직원들이 스스로 납득하고, 구체적인 행동을 실천하여 생활자에게 거짓 없는 진심을 전하는 방법도 있다. 모두 생활자의 감성을 자극해서 행동 변화를 촉진하는 방법이다. 이러한 활동을 통해 호감이나 신뢰를 얻기 위한 휴먼 스케일 만들기는 이미 시작되었다.

앞으로 브랜드 에쿼티를 높이려면 브랜드 개성을 정의 내릴 뿐만 아니라, 어떻게 하면 생활자의 감성을 자극하여 깊게 각인시킬 수 있는지, 그 결과 어떤 식으로 행동을 변화시킬 수 있는지 생각해야 한다. 디지털 중심의 고객 리뷰나 커뮤니케이션이 다양해질수록 이제 거짓으로 브랜드를 꾸밀 수 없는 시대로 흘러갈 것이다. 새로운 브랜드를 만들어내기에 어려운 국면에 접어든 것이다. 이 책에서는 브랜드의 휴먼 스케일을 '인간적 행동에 따른 접점이나 활동을 통해 진의가 전달되고 심리적 거리가 좁혀지는 요소'로 정의하고자 한다.

브랜드가 시대의 사회의식 변화에 맞춰가는 것인 이상, 항상 브랜드 에쿼티를 갱신하고 생활자와 새로운 관계를 형성할 필요가 있다. 그 결과 브랜드와 소비자 사이의 시간 속에 자전적 기억이 흘러 나온다. 그 기억은 하루아침에 생기는 것이 아닐뿐더러, 누군가가 일방적으로 주는 것도 아니다.

좁은 의미에서 넓은 의미까지, 경영에서 사회까지의 브랜딩을 반복하면서 브랜드가 크나큰 진동을 생활자와 함께 시행착오를 겪으면서 즐길 수 있는지 시험받고 있는 듯하다. 브랜드 에쿼티와 사업의 크기는 상관이 없다. '브랜드 스토리는 원풍경으로 만든다.'란 대체 무슨 말일까? 이 책에서는 브랜드 연구뿐만 아니라 기억, 뇌과학, 문화 인류학 등 다양한 영역에서 접근해 보려고 한다.

과거에 미국 애플Ale의 창업자였던 스티브 잡스는 '창조성'에 대해 이런 말을 했다. "창조성이란 연결하는 것이다. 창의적인 사람들은 경험을 많이 했거나 혹은 자신의 경험을 바탕으로 많은 생각을 하기 때문에 창조적인 것이다." 잡스는 자신의 개인적인 경험이나 기억을 바탕으로 창조를 하고, 마지막에는 모든 것을 연결해야 한다고 말했다. 사고란 '자신이 고객이라면 어떻게 하고 싶은가'라는 자기중심적인 척도에서 출발한다.

한편, 미국 아이디오IDEO의 창설자인 데이빗 켈리는 "사용자의 행동을 관찰할 때 우리는 더 나은 쇼핑백 디자인 방법을 배운다"라고 했다. 자신의 경험이 아니라 사용자를 관찰할 때 새로운 발상이 생겨난다는 관점이다. 켈리는 사고의 원점이 '고객의 행동이나 마음'에 있다며 잡스와 정반대의 척도를 중시했다. 기점이 자신인가 고객인가 하는 출발점은 다르지만, 인간의 사고 속에 있는 감정, 경험, 기억이 주춧돌이라는 사실은 양쪽 다 강조하고 있으며, 인간의 근원적인 요소를 다시금 살펴보고 창조성을 발휘해야 한다고 설명했다.

2장 브랜드 에쿼티와 장기 육성

브랜드 이론의 변천

제일 먼저 이 책에서 의미하는 브랜드의 개념을 정의하고자 한다. 미국마케팅협회는 '브랜드'란 "어느 판매업자의 제품이나 서비스를 경쟁업자의 제품과 차별화할 목적으로 사용하는 이름, 용어, 디자인, 상징 등의 특징"이라고 정의했다. 또한 제품에 붙여진 제품 이름, 로고, 패키지 디자인, 그 밖의 제품 식별 요소를 브랜드 요소라 칭한다.

1950년대에는 광고의 표현이 곧 브랜드라고 받아들이는 생각이 지배적이었다. 그래서 인상 깊은 광고 문구나 사진이 곧 브랜드 이미지를 만든다고 여겼다. 또한 패키지 디자인 등도 단독으로 보고 디자인을 평가하는 것이 아니라, 슈퍼마켓의 진열대에서 경쟁 상품의 패키지 디자인과 비교한 다음에 소비자 관점에서 디자인을 구축하는 방법도 이때 등장했다.

그 후 1980년대에 미국 캘리포니아대학교 버클리 캠퍼스의 아커Aaker 등이 브랜드 에쿼티의 개념을 제창함으로써 브랜드를 매니지먼트 개념으로 여기게 되었다. 즉, 기업은 유형·무형의 자산으로서 어떻게 브랜드를 관리해 나가야 하는가에 대한 문제의식을 논하게 되었다. 마케팅, 광고, 회계, 경영 등의 경영 전략 관점에서 공론을 시작하게 된 것이다. 브랜드 에쿼티의 개념이 생기면서 개별 브랜드마다 그 자산적 가치를 파악하는 여러 가지 방법이 등장했고, 그것을 유지하고 관리하는 것의 중요성을 강조하게 됐다. 특히 아커의 저서가 출판된 후로 브랜드와 그 자산적 가치의 문제는 많은 실무자나 연구자의 관심을 모아 왔다.

그러나 1990년대에 들어서면서 기업에만 브랜드 에쿼티가 자산이나 가치로서 축적되는 것은 아니라는 견해가 생겨났다. 이때 켈러는 고객을 중심으로 한 브랜드 에쿼티의 개념을 제안했다. 나아가 브랜드 에쿼티의 개념 안에 있는 브랜드 지식에 대해 '다양한 연상과 연결 지어진 기억 속의 브랜드 노드로 이루어진 것'으로 받아들였다. 고객의 기억에 축적된 브랜드는 구매를 결정하는 시점에 되살아나서 어떤 형태로든 구매를 부추기며, 장기적으로 축적되는 특징을 갖고 있다. 다시 말해 브랜드는 소비자의 기억 속에도 축적되는 것이다.

게다가 현재는 브랜드에 자산적인 가치가 있다는 사실을 충분히 인식한 상태에서, 그 가치를 유지하고 강화하기 위한 구체적인 방법론이나 인재 육성이나 디지털 변혁을 거쳐 그 조직을 만들기까지 새로운 과제의 등장은 끝이 없다. 거기에 ESG(환경·사회·지배 구조) 경영을 기반으로 한 사회 문제 해결에도 활용하려는 움직임까지 있다.

한편, 소비자 행동 연구에서 브랜드 관계의 개념에 주목하고, 그것을 이론적으로 구축한 사람이 푸르니에Fournier였다. 소비자가 계속 구매하고 있는지 여부를 밝히는 것이 지금까지 생각했던 개념이었던 것과 달리, 푸르니에는 브랜드 관계 개념이 소비자가 어떻게 충성도를 쌓아가는지에 대해 밝히는 것이라고 했다. 푸르니에는 라이프 히스토리 사례 연구를 통해 브랜드 관계의 질을 측정하는 6가지 구성 요소를 제시했다. 그것은 바로 상호 의존, 사랑·책임commitment, 파트너의 질, 자신과 연결 짓기, 소비자가 브랜드에 느끼는 친밀성, 브랜드가 소비자에 느끼는 친밀성이다.

브랜드 기억의 구성 요소는 유형의 브랜드 아이덴티티뿐만 아니라 무형의 브랜드 아이덴티티로서도 존재한다. 소비자의 지식은 기업이 발언하는 정보뿐만 아니라 입소문이나 사용 경험 등에 따라서도 형성된다. 브랜드의 장기 육성, 다시 말해 롱셀러를 추구하려면 소비자의 생활 속에서 브랜드와의 연결고리가 어떤 식으로 생기는지에 대해 깊은 통찰이 있어야 한다. 그렇지 않으면 관계성의 본질을 파악할 수 없다. 왜냐하면 브랜드는 때때로 소비자의 생활을 돕고, 삶에 의미를 주며, 정체성의 중요한 일부가 되어 분리할 수 없는 존재가 될 때가 있기 때문이다.

브랜드 에퀴티의 공동 가치 창조

현재 제품이나 서비스의 범용화가 진행되면서 기업은 직접 만들어낸 가치를 계속해서 획득하는 것, 다시 말해 이익을 꾸준히 창출하기가 어려워졌다. 소비자가 단순한 물건의 가치를 넘어서 다양한 가치(경험 가치)를 추구하는 경향으로 바뀌는 추세 속에서 D2C(Direct to Consumer, 제조업체가 가격 경쟁력을 높이기 위해 유통 단계를 제거하고 온라인몰 등에서 소비자에게 직접 제품을 판매하는 방식)에 따른 기존 채널의 변화는 물론이고, 적절한 형태로 가치를 전달하고 실현하는 것의 중요성이 급속도로 높아지고 있다. 게다가 소비자와의 관계성 구축 자체가 브랜드 입장에서는 경쟁 우위성을 가져오는데도 불확실한 부분이 많은 사회 상황이나 경제 환경, 최근에 갑자기 터진 코로나19나 기후 변동 때문에 지금까지 해 왔던 것처럼 안정적이면서도 장기적인 이익을 낼 수 있다는 예상을 하기도 어려워졌다. 그런 외부 환경 속에서 브랜드를 장기육성하기 힘든 상황은 생산성, 효율성, 속도를 떨어뜨리기 때문에 기업 입장에서는 중요한 과제다.

디지털로 전환되는 과정에서 브랜드의 장기 육성은 하나의 이상이다. 1990년대에 브랜드는 '어떻게 해야 강력한 브랜드를 구축하는가'라는 아커의 이론을 발단으로, 강력한 브랜드를 만들어내기 위한 방법론으로 실천적인 의견을 따르게 되었다. 그와 더불어 슈미트Schmitt가 제안한 '경험 가치 마케팅'은 '경험 가치'의 중요성에 주목해서 오감을 통한 감각적인 경험

sensory experience이 얼마나 중요한지 지적했다. 고객 여정, UX, CX에 주목하는 현재의 상황은 이러한 관점이 바탕에 깔려 있다고 할 수 있다. 특히 물질의 성질이나 기능만으로는 차별화하기가 어려운 범용화된 시장에서는 감각적인 경험을 전략적으로 활용하여 고객과 탄탄한 유대감을 형성해야 한다. 흥미롭게도 슈미트의 경험 가치는 단순히 감각적인 경험 가치뿐만 아니라 정서적·인지적·행동적·관계적인 것을 포함한 5가지 유형의 경험 가치 영역까지 포함한다. 그 후 경험 가치 영역은 고객과 브랜드 사이의 감성을 자극하는 유대감을 형성하기 위해 고객 여정, UX, UI 등의 사고법으로 소비자와의 인터페이스를 구축하기에 이르렀다.

2000년대에 들어서면서 브랜드 연구는 새로운 브랜드 관점을 확립하기 위해 기업에서 고객에게 일방적으로 가치를 제공하던 것에서 발전하여, 기업과 고객 사이의 쌍방 가치를 공동 창조하는 프로세스에 주목하기 시작했다. 앨런Allen, 푸르니에Fournier, 밀레르Miller는 기존 브랜드 관점을 '정보 기반의 브랜드 관점information-based view of branding'이라 이름 붙이고, 새로운 브랜드 관점을 '의미 기반의 브랜드 관점meaning-based view of branding'으로 제시했다. 그 특징을 정리하면 〈도표 6〉(42페이지)과 같다.

| 〈도표 6〉 2가지 브랜드 관점의 대비

구분	기존 브랜드 관점	새로운 브랜드 관점
브랜드 관점	정보 기반	의미 기반
브랜드의 역할	선택을 지원하는 정보 전달 수단	생활을 지원하고 인생에 의미를 부여하는 수단
맥락의 역할	맥락은 잡음	맥락이 전부
중심적 구성 개념	지식을 구성하는 인지나 태도	소비의 경험적·상징적 요소
연구의 대상 영역	구매(교환 가치)	소비(사용 가치, 맥락 가치)
마케터의 역할	브랜드 자산을 만들어 소유한다(가치 제공)	브랜드의 의미를 만드는 사람
소비자의 역할	정보(브랜드)를 수동적으로 받는 사람	의미(브랜드)를 능동적으로 만드는 사람
소비자의 활동	기능적, 정동적인 편익의 실현	의미부여

출처: 앨런, 푸르니에, 밀레르(2008)를 바탕으로 필자 재구성

기존 브랜드 관점에서 브랜드란 정보를 제공한 후에 소비자가 선택하는 프로세스를 지원하고 리스크를 줄여 의사 결정을 간결하게 만들기 위한 수단이었다. 소비자는 정보(브랜드)에 대해 수동적이라서 편익을 실현하기 위한 교환 가치를 원했다. 그와 달리 새롭게 생긴 의미 기반의 브랜드 관점에서 브랜드란 생활자의 생활을 도와주고 개개인의 인생에 의미를 부여하기 위한 수단이다. 맥락이 중요하기 때문에 이를 위한 경험적 요소나 브랜드의 상징적 의미가 꼭 필요하다. 또한 소비자 자신이 브랜드의 의미를 능동적으로 창조해내는 쪽이 되기도 하므로 기업은 브랜드의 의미를 창조하는 주체 중 하나일 뿐이다.

강력한 브랜드는 소비자에게 적당히 공감을 받거나 타사와 경쟁하는 것과는 다른 압도적인 독자성을 겸비한다. 그러한 브랜드를 만들어내려면 앞으로 더 빨라질 디지털 커뮤니케이션 시대에 소비자와 만나는 채널이나 접점이 더 다양해진다는 사실을 전제로 할 필요가 있다. 기회가 다양해질수록 강력한 맥락의 존재를 다시금 인식하는 것이 지극히 중요하다. 또한 그보다 더 중요한 것은 사내의 실무자들 역시 공통된 인식을 갖고 있어야

하며, 그것이 바로 브랜드를 창조하는 원동력이 된다.

한편, 저관여 상품(값이 싸고 중요도가 낮아 품질을 잘 따지지 않는 제품)의 대부분은 범용화되어 오픈된 채널에서 판매되고 있는 것이 현실이다. 게다가 디지털상의 채널에서는 주어진 정보를 보고 소비자가 구매 의사를 결정하며, 강력한 브랜드일수록 구매를 결정하는 속도도 중요시해야 한다. 특히 범용화된 저관여 상품의 대부분은 일상의 기억 속에서 구입했던 경험을 바탕으로 재구입하고, 그 제품에 관한 소비자의 정보는 장기 기억에 내재되는 경우가 많다. 예를 들어 간장이나 케첩, 세탁 세제, 의약품 등의 일용품은 구입 결정에 이르기까지 많은 시간이 걸리지 않는다. 그것은 우리 기억 속에 간장이나 세탁 세제에 대한 의미 기반의 브랜드 관점이 내재되어 있기 때문이다.

이러한 사실을 염두에 두고, 3장부터는 소비자의 자전적 기억에 주목하여 브랜드 구입을 결정할 때 자전적 기억이 어떤 식으로 영향을 주는지 검증하려고 한다.

브랜드 스토리의 중요성

이 책에서는 브랜드 스토리에 대해서도 정의를 내리고자 한다. 사실 브랜드 스토리의 정의를 명확히 제시한 사람은 많지 않다. 아커가 정의했던 내용을 일부 인용하자면, 스토리란 "현실 또는 가상 속의 사건이나 경험을 서론, 본론, 결론으로 나눠서 쓴 이야기(내러티브)"라고 했다. 그리고 시그니

처 스토리(마음을 움직이는 스토리)의 개념에 대해서는 "전술적인 스토리는 필시 광고나 웹상에서 단기적인 커뮤니케이션의 목적을 달성하기 위해 사용된다. 목표를 달성한 후에도 스토리가 계속 살아서 이어지는 것을 기대하지는 않는다."라고 설명했다. 전작인 《브랜드 스토리 디자인》(닛케이 BP)에서도 브랜드 스토리는 자극을 만드는 것이 아니라 소비자의 경험을 읽어내는 것이라고 했고, 그것들은 스토리가 들어간 광고 캠페인도 아닐뿐더러 노포 브랜드에서 단순히 역사를 직접 이야기해서 들려주는 것도 아니라고 했다.

기업 측에서 제시하는 사실은 단순히 기업 측의 사실일 뿐이라서 소비자의 마음을 움직이기는 어렵지만, 스토리라는 기법을 쓰면 소비자의 감정을 움직일 수 있다. 사실은 사건 그 자체이기 때문에 반드시 소비자의 행동 변화를 일으키는 것은 아니다. 따라서 브랜드가 이야기의 주인공이 아니라, 소비자가 주인공이 되어 행동하고 싶어지는 이야기로 스토리를 구성해야 한다. 그것들을 '이야기'라는 뜻의 '내러티브'라는 단어로 표현한다. 진심이 담긴 '내러티브'를 장착하고, 행동이 따라오는 라이프 스토리가 있다면 듣는 이의 감정은 움직인다. 예컨대 예전부터 환경 보호를 호소하고 스스로 독자적인 행동규범을 가지며 고객에게도 행동 변화를 꾸준히 재촉해 온 미국의 아웃도어 브랜드 '파타고니아'는 '내러티브'가 있는 브랜드의 대표 사례다. 이 책에서는 이러한 브랜드가 지닌 '내러티브'의 의미도 브랜드 스토리에 포함해서 생각하려고 한다.

그런데 실제로 브랜드 스토리를 생각하라고 하면 첫 단추도 끼우지 못하는 경우가 태반이다. 소비자와 브랜드 사이에 있는 브랜드 스토리는 정의하기가 어렵다. 기능성이나 편리성 등의 편익, 채널과의 접점, 사용 장면, 시간, 라이프스타일, 비전, 조직의 가치관이나 사업 전략 등이 막대한 플롯으로 구성되어 있어서 결과적으로는 스토리가 점점 장대해져 본질적인 핵심이 가려지기 때문이다.

이 책에서는 '사람과 브랜드 사이에 얽혀 있어 끊이지 않는 유대감'이라고 브랜드 스토리를 정의 내리려 한다. 브랜드는 시대, 사회, 사람들의 의식 변화에 맞춰서 가치나 행동을 끊임없이 갱신하고 새로운 관계를 다시 형성한다. 그 결과, 브랜드와 팬들 사이에서 만들어진 궤적에서만 존재하는 폐쇄적이면서도 개인적이고 유일무이한 이야기, 그것이 브랜드 스토리다(46페이지 〈도표 7〉).

브랜드 스토리는 하루아침에 만들어지지 않으며 브랜드 측에서 일방적으로 줄 수 있는 것도 아니다. 그 대신 한 번 태어난 브랜드 스토리에는 사람의 원체험과 그 브랜드에 대한 기억과 다양한 감정이나 오감이 깃들어 있다. 이는 브랜드와 사람 사이를 정서적으로 끈끈하게 묶어 준다. 이를테면 아무리 세월이 흘러도 소년 시절의 여름 정경을 떠오르게 하는 '칼피스 워터(일본에서 파는 밀키스와 비슷한 음료수-역자)', 냄새만 맡아도 엄마와의 추억이 떠오르는 '오로나인 H 연고' 등은 강력한 브랜드 스토리가 존재하는 사례다.

그리고 그와 같은 관계성을 형성하려면 인간에 대한 깊은 흥미와 욕구에 대한 이해가 반드시 선행되어야 하며, 소비자 한 사람 한 사람의 내면에 깊이 파고들어 접근해야 한다. 마음속 깊이 공감을 나눈 브랜드에는 감정이 싹트고 체온이 깃들어 있으며, 한 치의 거짓 없는 유일무이한 브랜드 스토리가 탄생한다.

사람과 브랜드 사이에 얽혀 있어 끊이지 않는 유대감, 즉 브랜드 스토리에는 ① 브랜드의 잠재적 성장력인 독자성과 적절성, ② 브랜드의 능력인 지식과 신뢰성이라는 두 가지 요소가 내포되어 있다. '칼피스 워터'나 '오로나인 H 연고'는 이 두 가지 요소를 오랜 세월에 걸쳐 꾸준히 엮어 왔기 때문에 유일무이한 브랜드 스토리가 존재하는 것이다(〈도표 7〉).

| 〈도표 7〉 브랜드 스토리

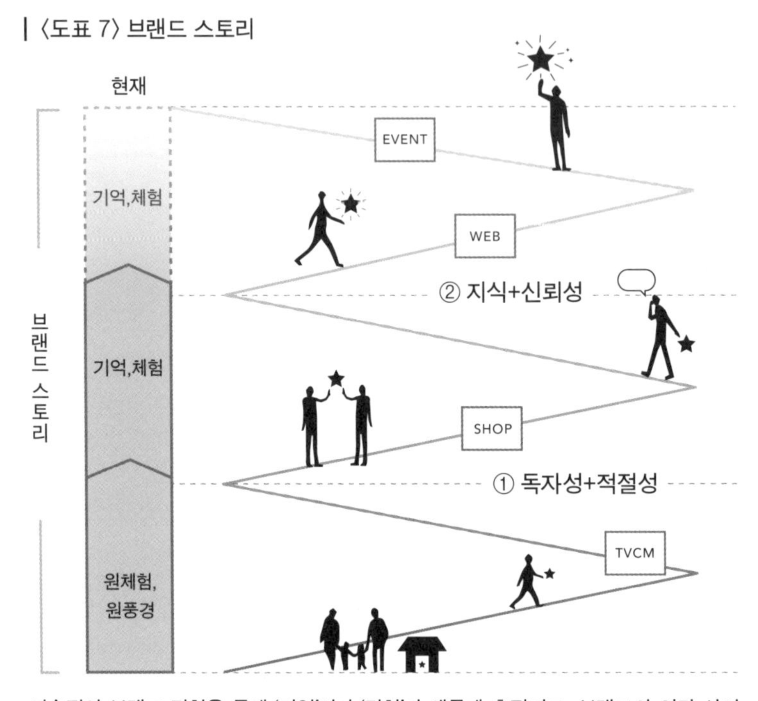

지속적인 브랜드 경험을 통해 '기억'이나 '경험'이 새롭게 축적되고, 브랜드와 인간 사이에 유일무이한 스토리가 만들어진다. 브랜드 스토리가 내포하는 요소는 ① 독자성+적절성=브랜드의 잠재적인 성장력, ② 지식+신뢰성=브랜드의 능력이다.

출처: 바니스터 작성

브랜드 에쿼티와 브랜드 지식

이 책에서는 브랜드 에쿼티를 논하면서 켈러Keller에 주목하고자 한다. 켈러가 이야기했던 고객 기반의 브랜드 에쿼티는 "온갖 브랜드 마케팅에 대응하는 소비자의 반응에 브랜드 지식이 끼치는 효과의 차이"로 정의되어 있다. 고객 기반의 브랜드 에쿼티는 소비자 관점이라는 틀에서 브랜드 에쿼티에 접근한다. 켈러는 고객 기반의 브랜드 에쿼티를 정의할 때 3가지 중요한 구성 요소가 포함된다고 설명했다. 그것은 ① 효과의 차이, ② 브랜드 지식, ③ 마케팅에 대한 소비자의 반응이다.

켈러에 따르면 브랜드 에쿼티는 첫 번째로 소비자 반응의 차이에 따라 생긴다. 제아무리 이름이 있는 브랜드 제품이라고 해도 소비자의 반응에 별반 차이가 없다면 범용화된 제품이나 노브랜드 제품과 다를 바 없다. 두 번째로 이러한 소비자의 반응 차이는 브랜드에 관한 소비자의 지식에서 비롯된다. 즉, 브랜드 에쿼티는 기업의 마케팅 활동에 큰 영향을 받는데, 최종적으로는 소비자의 마음속에 무엇이 존재하느냐에 따라 결정된다. 세 번째로 브랜드 에쿼티를 구성하는 소비자의 반응 차이는 브랜드의 온갖 마케팅 국면과 연결된 지각, 선호, 행동 중에 나타난다. 이렇게 고객 기반 브랜드 에쿼티의 틀에서 보면, 브랜드에 관한 소비자의 지식이 가치를 구축하기 위한 열쇠라고 할 수 있다. 따라서 브랜드 에쿼티를 구축하는 브랜드 지식이 소비자의 마음속, 그러니까 기억 속에 어떤 식으로 존재하는지를 이해할 필요가 있다.

켈러는 기억 속을 이해하는 데 심리학자 존 앤더슨John R. Anderson이 개발한 연상 네트워크형 기억 모델이 유용하다고 했다. 정보의 상기나 탐색은 확산적 활성화라 불리는 개념을 통해 생긴다. 활성화의 원천이 될 수 있는 것은 정보 노드이다. 정보 노드는 축적된 정보를 말한다. 제시된 외부 정보이기도 하고 현재 처리되고 있는 내부 검색 정보이기도 하다. 노드가 활성화되면 노드와 연결된 다른 노드로 활성화가 확산된다. 확산적 활성화의 결과로써 브랜드 연상의 세기와 그 구조는 브랜드에 관한 정보가 상기되기 위한 중요한 결정 요소가 되고, 소비자의 반응이나 브랜드에 관한 결정에 영향을 미친다.

한편, 브랜드 에쿼티를 구축하는 브랜드 인지는 2가지 구성 요소로 특징 지어진다. 그것은 바로 브랜드 인지와 브랜드 이미지다. 브랜드 인지는 기억 속에 있는 브랜드의 노드나 흔적이 얼마나 강한지와 연관되며, 다양한 상황에서 브랜드를 식별하는 소비자의 능력을 반영한 것이다.

〈도표 8〉(50페이지)은 켈러가 정리한 브랜드 지식의 체계이다. 브랜드 지식은 브랜드 인지와 브랜드 이미지로 크게 나뉘는데, 브랜드 인지는 브랜드 재인再認과 브랜드 재생으로 구성된다. 브랜드 재인이란 제품 카테고리에 따라 충족되는 수요 혹은 다른 유형의 단서가 주어졌을 때 과거에 그 브랜드와 접했는지 기억할 수 있는 소비자의 능력이다. 또한 브랜드 재생이란 비슷한 단서가 주어지지 않았을 때 해당 브랜드를 탐색할 수 있는 소비자 자신의 능력이다.

브랜드 인지가 소비자의 의사 결정에 중요한 역할을 하는 경우는 주로 3가지가 있다. 첫째, 브랜드의 인지가 높아지면 구매를 염두에 두고 검토할 대상들을 모은 고려 집합에 들어갈 확률이 높아지는 경우다. 둘째, 비록 브랜드에서 연상되는 것이 없는 상황 속에서도, 브랜드 인지가 고려 집합 안에서 브랜드 선택을 할 때 영향을 끼칠 수 있는 경우다. 예를 들어 저관여 상품을 구매할지 결정해야 하는 상황에서 명확한 태도가 형성되어 있지 않더라도, 앞서 이야기한 간장이나 세탁 세제처럼 최소한의 브랜드 인지만 있으면 제품 선택에는 충분한 사례가 이에 해당한다. 셋째, 브랜드 인지가 브랜드 이미지를 형성하는 브랜드 연상의 구조와 세기를 좌우하는 경우다. 브랜드 이미지를 형성하려면 브랜드 노드가 기억 속에 미리 확립되어 있어야 한다는 조건이 필요하다. 게다가 그 브랜드 노드 특성에 따라 다양한 정보가 브랜드를 떠올리게 만들면서 브랜드와 연관될 가능성이 있다. 브랜드 이미지란 어떤 브랜드에 대해 소비자가 지각하는 것이며, 소비자의 기억 속에 있는 브랜드 연상을 반영하는 것으로 정의된다. 또한 브랜드 연상이란 기억 속의 브랜드 노드와 연결된 다른 정보의 노드군이며, 소비자 관점에서 봤을 때의 브랜드 의미를 포함하고 있다고 할 수 있다.

브랜드 인지가 형성되는 과정에서 개괄적인 기억이 몇 번이나 반복되면 브랜드가 기억 속에 강하게 자리 잡을 가능성도 커진다. 따라서 브랜드 이름, 로고, 캐릭터, 패키지, 광고, 판촉 활동, PR 등 온갖 것들이 브랜드 인지를 높일 가능성을 내포하고 있다. 단, 브랜드 반복은 브랜드 재인을 증가시키지만, 브랜드 재생 확률을 향상시키려면 기억 안에서 소비의 단서를 연결할 필요가 있다.

즉, 브랜드 인지는 경험의 깊이와 폭에 따라서도 특징 지을 수 있다. 브랜드 인지의 깊이는 브랜드 요소를 떠올릴 가능성과 브랜드 요소를 떠올리기가 얼마나 쉬운지와 관련 있다. 한편으로 브랜드 인지의 폭은 구입 횟수나 사용 빈도와 관계가 있다. 이처럼 브랜드 인지와 브랜드 재생에서는 개괄적인 기억이 몇 번이나 반복됨으로써 브랜드가 기억에 강하게 남는 것이 학술적으로도 검증되었다.

나아가 브랜드에 관해 소비자가 지각하는 브랜드 이미지에 대해서 더 깊이 이해하고자 한다. 그리고 그 브랜드 연상의 유형도 확인하려고 한다.

브랜드 에퀴티를 구축하려면 브랜드 인지가 필요하지만, 그것만으로는 충분하지 않다. 그중에서도 〈도표 8〉과 같이 브랜드 이미지는 중요한 역할을 한다. 브랜드 이미지란 "어떤 브랜드에 대한 소비자의 시각이며, 소비자의 기억 속에 있는 브랜드 연상을 반영하는 것"으로 정의 내릴 수 있다. 또

| 〈도표 8〉 브랜드 지식의 체계

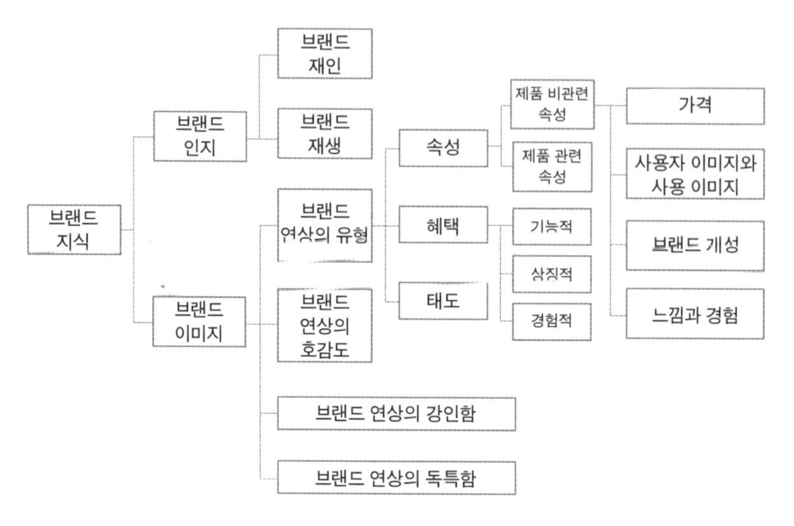

출처: 켈러(1998, 2000)를 바탕으로 그림은 필자가 작성

한 브랜드 연상이란 브랜드 에쿼티의 구성 요소이다. 브랜드 연상은 "기억 속에서 브랜드와 연결되는 모든 것", "소비자가 브랜드를 보고 떠올리는 모든 기억이나 지식"이라는 지적이 있듯이, 기억 속에 보존되어 있다가 브랜드에 자극을 받아 생각나는 것이다.

브랜드 연상의 유형에는 다음 3가지가 있다. 바로 속성, 혜택, 태도다. 이 책에서는 그중에서도 브랜드 연상의 유형 중 하나인 '혜택'에 주목하려고 한다. 혜택이란 '기업·제품·서비스의 속성에 소비자가 부여하는 개인적인 가치나 의미'를 말한다. 혜택은 동기를 기본으로 다시 3가지 범주로 분류된다. 그것은 ① 기능적 혜택, ② 상징적 혜택, ③ 경험적 혜택이다.

① 기능적 혜택은 제품이나 서비스 소비의 내재적 편리성을 말하는데, 보통은 제품 관련 속성과 대응한다. 이들 혜택은 생리적 수요나 안전 수요 등 기본적인 동기와 관련된 경우가 많다. 편리성이나 조작성 등 디지털 영역에서도 필요하다. ② 상징적 혜택은 제품이나 서비스 소비의 외재적 편리

성을 말하는데, 보통은 제품 비관련 속성, 특히 사용자 이미지와 대응한다. 상징적 혜택은 사회적 승인, 자기표현, 외부 지향의 자존심 등 기본적 수요와 관련이 있다. 그 제품을 소유했을 때 느끼는 우월감 등은 여기에 해당한다. ③ 경험적 혜택은 제품이나 서비스를 사용하면서 느끼는 것으로 사용자 이미지 등의 제품 비관련 속성은 물론 제품 관련 속성에도 대응한다. 이 혜택이 만족시키는 것은 경험적 수요이다. 예를 들어 보고, 맛보고, 듣고, 냄새를 맡고, 느끼는 감각적인 기쁨 또는 다양성, 인지적 자극 등이 있다.

따라서 브랜드를 연상할 때는 기능적 혜택뿐만 아니라 상징적 혜택이나 경험적 혜택이 필요하다는 사실을 알 수 있다. 혜택은 소비자가 갖는 개인의 가치나 의미를 말한다. 특히 상징적 혜택이나 경험적 혜택은 소비자의 개인적 의미가 포함된다. 하지만 실무에서는 기능적 혜택에 너무 투자한 나머지 상징적·경험적 혜택을 구축하기가 어려워지는 경우를 볼 수 있다.

켈러에 따르면 소비자가 어떤 정보를 생각해내는 것은 브랜드 연상의 세기와 브랜드 선택에 영향을 미친다. 브랜드의 속성이나 혜택에 관한 소비자의 신념은 다음의 3가지 방법으로 형성된다. 즉, ① 브랜드의 직접적인 경험, ② 기업이나 외부의 제삼자가 언급하는 브랜드에 관한 커뮤니케이션, ③ 다른 브랜드 관련 정보를 바탕으로 하는 가설이나 추측이다. 이 중에서 가장 강한 브랜드 연상을 야기하는 정보원은 ①의 직접적인 경험이다.

이상으로 선행 연구에 관한 고찰을 해 보았다. 이를 통해 브랜드 에쿼티는 여러 가지 유형으로 브랜드를 연상하면서 구축된다는 사실을 알 수 있다. 그리고 그 연상의 기저에는 소비자의 상징적 혜택이나 경험적 혜택으로 이어지는 개인적 가치나 의미가 깔려 있다. 즉, 개인의 기억인 자전적 기억이 영향을 줄 가능성이 보인다.

3장에서는 자전적 기억에 관해 더 깊이 이해해 보사.

3장 원풍경은 자전적 기억

마들렌 향은 원풍경

이 장에서는 자전적 기억이란 무엇인지를 학술적으로 정리하고 기억 연구 관점에서 파헤쳐 보려고 한다.

일상생활에서 바닷바람이나 불꽃놀이 할 때의 냄새를 맡고 여름날의 추억을 떠올리거나, 여름의 풀숲 향을 맡고 곤충을 잡으러 다녔던 어린 시절이 떠오를 때가 있다. 작가 마르셀 프루스트의 《잃어버린 시간을 찾아서》에서는 "나는 무의식중에 홍차에 적셔 부드러워진 마들렌 한 조각을 티 한 스푼에 떠서 통째로 입에 가져갔다."라는 구절이 나온다. 홍차에 적신 마들렌 향을 맡고 어린 시절의 기억이 불현듯 떠올랐다는 이야기가 시작되는 대목이다. 이렇게 마들렌 한 조각처럼 특정한 향기 또는 냄새에 자극받아 과거의 기억이 선명히 되살아나는 심리 현상을 '프루스트 현상 Proust phenomenon'이라고 부른다.

기억 연구 결과에서도 냄새가 단서가 되어 떠오른 자전적 기억은 다른 단서로 떠오른 기억보다 정동성이 높고 선명하며, 추체험 감각을 동반한다고 보고되었다. 또한 단어 대신 카레나 레몬 등 일상의 냄새를 단서로 이용해서, 그것들로 떠오른 자전적 기억의 특징을 평가치 등으로 분석하는 실험도 이루어지고 있다. 단서가 된 냄새는 식품과 관련된 것이 많았다. 그리고 떠오른 자전적 기억은 요리나 식사에 관한 사건이 많다는 사실이 밝혀지기도 했다.

게다가 프루스트 현상은 주체적인 체험으로, 플래시백이나 기시체험과 유사성이 있다는 사실을 비롯해, 비언어적이고, 압도적이며, 개인의 중심이 흔들릴 만한 체험이라는 사실도 논해진 바 있다. 또한 냄새가 단서가 됐을 경우에는 초등학생 때 친구와 사이좋게 놀던 기억이 떠올라 그 친구가 보고 싶은 마음에 연락한 사례도 있다. 이처럼 회상적인 사고에만 머무르지 않고 추가적인 행동을 일으키는 경우가 많다. 즉, 홍차에 적신 마들렌의 향으로 어린 시절의 기억이 불현듯 떠오른 것처럼, 자전적 기억에 포함되는 프루스트 현상은 인간 행동에도 영향을 줄 수 있다.

자전적 기억이란 무엇인가

자전적 기억이란 "자신의 인생에 있었던 사건과 관련된 개인의 기억"을 의미한다.

기억 연구에 대해서는 넓게 공유된 틀이 있으며, 우선 기억이라는 것을 분류해서 정리해 둘 필요가 있다. 기억은 유지할 수 있는 양과 기간에 따라 단기 기억과 장기 기억으로 분류된다. '단기 기억'은 기억을 유지할 수 있는 양이 적고, 기간도 짧으며, 바로 망각되는 기억을 말한다. 이와 반대로 '장기 기억'은 유지할 수 있는 양이 많고 기간도 긴 기억으로, 자신의 과거 경험에 관한 상기 의식을 바탕으로 암묵 기억implicit memory과 외현 기억Explicit memory으로 분류된다. '암묵 기억'이란 자신의 과거 경험을 떠올린다는 의식이 따라오지 않는 기억이다. 한편, '외현 기억'이란 자신의 과거 경험을 떠올린다는 의식이 따라오는 기억을 가리킨다. 외현 기억은 4가지 기억 시스템으로 이루어지며, 서술 기억Declarative memory, 절차 기억procedural memory, 일화 기억episodic memory, 의미 기억semantic memory이 있다.

외현 기억 중에서 '서술 기억'이란 언어로 기술할 수 있는 사실에 대해 기억하는 것이다. 한편, '절차 기억'이란 사물의 절차에 대해 몸이 기억하는 것이다. 서술 기억은 다시 일화 기억과 의미 기억으로 나뉜다. '일화 기억'이란 인간의 과거 중에서도 날짜를 특정할 수 있는 독특하고 구체적이면서 개인적인 경험에 대한 기억이다. '의미 기억'이란 누구나 공통으로 갖고 있는 추상적이면서 시간적인 지식에 대한 기억이다. 〈도표 9〉(57페이지)에 보이는 것처럼 상술한 4가지 기억 시스템은 외현 기억이고, 그 밖에는 기억 전체의 기초적인 토대로서 작용하는 암묵 기억이라고 할 수 있다.

이 중에서 일화 기억은 다시 두 개의 범주로 나눌 수 있다. 하나는 부호화 요소이고, 다른 하나는 탐색 요소이다. 외부 환경에서 들어온 정보가 부호화된 결과, 뇌 안에 기억 흔적이 남는다. 이 부호화 과정에서 들어온 정보와 탐색 단서 사이의 정합성이 높을수록 기억은 떠오르기가 쉽다. 즉, 부호화된 맥락과 기억을 탐색하는 맥락이 일치할수록 기억의 재생은 더 효율적으로 이루어진다. 이것을 브랜드 매니지먼트 상황에 적용하면 어떤 맥락으로 그 브랜드 이름이나 기호를 기억하게 만드는지가 관건이 된다.

여기서 일화 기억과 자전적 기억은 비슷하지 않을까 하는 가설이 성립된다. '일화 기억'이란 소비자의 경험을 바탕으로 '언제', '어디서'라는 시간적·공간적 위치가 정해진 사건에 관한 기억이며, 개인적인 경험이나 깊은 감정까지도 모두 포함하는 자전적 기억이기도 하다. 한편, '자전적 기억'이란 자신의 인생에서 겪었던 사건에 관한 개인적 기억이다. 기억 연구 관점에서는 일화 기억과 자전적 기억이 반드시 같은 의미라고 볼 수는 없다.

왜냐하면 자율적으로 자기 인식을 한다는 것이 모든 일화 기억에서 꼭 필요한 상관관계가 있냐고 물었을 때, 일화 기억과 자전적 기억 사이에는 밀접한 관련이 있다는 사실을 발견했기 때문이다. 다시 말해 자전적 기억이란 재현성이 있는 경험이나 친밀함이 있는 과거와 주관적인 진리성으로 특징 지을 수 있다. 이것은 구체적으로 개인이 실제 날짜를 기억한다는 것을 뜻하는 것이 아니라, 그것이 독특한 시간이었기 때문에 기억하는

| 〈도표 9〉 기억의 체계

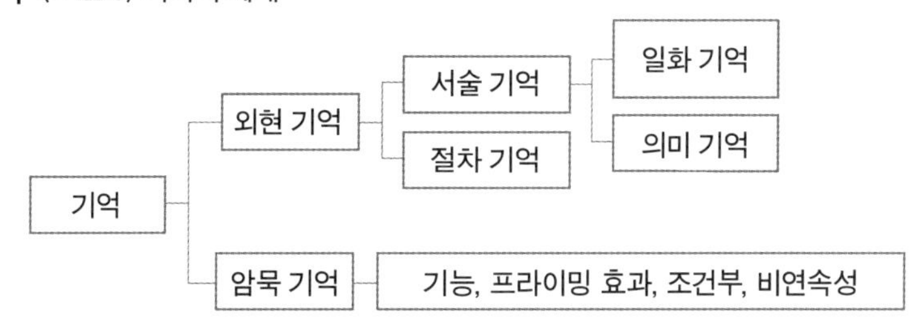

출처: 툴빙(1983)을 바탕으로 작성

것을 뜻한다. 다시 말하면, 자전적 기억이란 정확성이 아니라 그 경험에 주관적인 진리성이 포함되어 있는 것으로 생각할 수 있다. 단순히 위치가 정해진 사건에 관한 기억이 아니라, 자신의 인생에 영향을 주는 기억이 바로 자전적 기억이 된다. 즉, 자전적 기억이란 자신의 인생에 있었던 사건에 관한 개인적 기억을 말하는 것이다.

따라서 자전적 기억은 일화 기억처럼 의도적으로 외우려고 하지 않아도 어느새 다양한 기억이 형성된다는 특징이 있다. 이처럼 기억 연구에서는 자전적 기억과 일화 기억을 다른 것으로 인식한다는 사실을 알 수 있다. 그러나 다시 한번 생각해 보자. 자전적 기억이란 정확성이 아니라, 그 경험에 주관적인 진리성이 포함되어 있다는 말이 대체 무슨 뜻일까? 기억 연구 관점에서 더 깊게 생각해 보자.

니그로Nigro와 나이서Neisser는 인간이 자신의 기억을 더듬을 때 사건을 경험한 당사자의 시점에서 떠올린다고 생각할 때가 있지만, 사실은 대부분 외부 관찰자의 시점이라고 지적했다. 다시 말해 인간은 그 사건들을 관찰자 시점, 즉 제삼자 입장에서 내려다보고 있다는 뜻이다. 게다가 그 관찰자의 기억은 있었던 일 그대로가 아니라 재구성된 것이라고 한다. 최근 사건에 대한 기억은 경험했을 때와 똑같은 시점으로 다시 한번 경험한 듯이 복사된 기억인 경우가 대부분이었다. 이에 비해 먼 과거 사건에 대한 기억은 제삼자가 바라본 듯이 관찰자 시점으로 재구성된 기억인 경우가 많다고 보고되었다.

또한 브루어Brewer도 원래 있었던 사건을 그대로 복사한 것인지, 아니면 재구성한 것인지에 따라 기억의 내용이 달라진다고 주장했다. 개인적 기억 속에는 지극히 선명해서 세세한 부분까지 그대로 복사된 것이 있다. 반대로 원래의 경험과 사후의 해석이 섞인 애매한 개인적 기억도 존재한다. 그것들은 주관적으로 재구성된 기억이며, 이러한 자전적 기억은 점차 개인의 개념이나 인생과 깊게 연관된다. 이러한 사실을 바탕으로 자전적 기억은 인간의 시점으로 다시금 재구성된 경우가 많다는 것을 추측할 수 있다. 나아가 코헨Cohen은 특정한 개인적 기억은 문제를 해결할 때 중요한 역할을 한다고 시사했다. 즉, 자전적 기억은 매우 비슷한 문제에 처했을 때 특정 경험을 되돌아보는 데 도움이 되는 경우가 많다는 것이다.

이처럼 기억 연구에서 브루어는 자신에 관한 기억을 획득 조건과 표상 형태에 따라 4가지 유형으로 분류했다(59페이지〈도표 10〉). '획득 조건'이란 그 기억이 한 번 경험한 것에서 왔는지, 여러 번 비슷한 경험을 한 것에서 왔는지 그 차이를 의미한다. '표상 형태'란 그 정보를 시각적으로 상상할 수 있는지 아닌지를 의미한다.

타입I은 단 한 번의 이미지로 남은 개인적 기억이다. 예를 들어 '10년 전 프레젠테이션에서 포인터를 쓸 때 실수했다.'와 같은 단 한 번의 경험을 바탕으로 그 기억을 선명하게 떠올릴 수 있지만, 그때의 모습을 구체적으로 떠올리지 못하는 경우가 해당한다. 타입II는 여러 번 이미지로 남은 기억이며, 이는 개괄적인 개인의 기억이라고 부른다. 예를 들어 프레젠테이션을 하는 자신의 모습을 떠올릴 수 있을 만큼 여러 번 유사한 경험을 통해 구성된 자신의 이미지를 말한다.

타입Ⅲ는 이미지가 아닌 단 한 번의 기억이며, 자전적 사실이라고 한다. 예를 들어 '10년 전에 프레젠테이션을 처음으로 발표했다.'라는 식으로 어렴풋이 기억하지만 그때 모습을 구체적으로 떠올릴 수 없는 경우다. 마지막으로 타입Ⅳ는 이미지가 아닌 여러 번의 기억이며, 자기 도식self-schema이라고 한다. 자기 도식이란 '프레젠테이션을 할 때 늘 긴장하는 나'처럼 여러 번 경험을 통해 추상화된 자신에 관한 지식이다. 이처럼 자신에 관한 기억에도 여러 유형이 존재한다.

| 〈도표 10〉 자신에 관한 기억

구분		표상 형태	
		이미지	비 이미지
획득 조건	한 번	**타입I** 개인적 기억	**타입III** 자전적 사실
	여러 번	**타입II** 개괄적인 개인의 기억	**타입IV** 자기 도식

출처: 브루어(1986)를 바탕으로 작성

나아가 브루어는 자신과 관련된 기억뿐만 아니라, 자전적 기억의 구조를 〈도표 11〉(60페이지)처럼 세세하게 분류했다. 가로축은 자전적 기억이 입력되는 형태, 세로축은 기억을 취득한 상황과 설명 형태이다. 취득한 상황과 설명 형태는 기억 표현이 단독인가 여러 번인가, 그것들이 상상적인가 비상상적인가로 분류했다. 자전적 기억이 입력되는 형태는 자아·자기, 시각적·공간적, 시각적·시간적, 의미적이라는 4가지 항목으로 구성되어 있다.

자전적 기억의 기능에 관해서도 검토가 진행되어 근래의 자전적 기억 연구에서는 이야기론 입장에서 진행한 연구가 급속도로 지지를 얻고 있다. 그야말로 브랜드 스토리와 자전적 기억의 관계이다. 거기서 자전적 기억은 단순한 기억이 아니라 해석해서 의미가 부여된 자기 이야기로서 구조화되었다. 즉, 내러티브로서의 자전적 기억은 개인에 머무르지 않고 타인에게 한 이야기를 통해 타인의 해석과 평가를 받고 자유롭게 재구축된다. 나아가 가족이나 사회, 문화, 역사적 사상을 개인이 자신의 정체성 중 일부로 받아들인다. 즉, 이야기로서의 자전적 기억은 일화 기억보다 애매한 개념이며, 새로운 구성체로서 기능하는 가능성을 내포한다. 〈도표 11〉처럼 자전적 기억은 명확한 이미지가 있는 개인적 기억뿐만 아니라, 과거의 자신에 관한 정보의 기억 전체를 의미한다.

이 책에서는 이들의 선행 연구에서 내린 정의를 참조하여 자전적 기억을 다음과 같이 정의하고자 한다. 즉, 자전적 기억이란 '자신의 인생에 있었던 사건에 관한 기억의 총집합이며, 사실과 주관적인 진리성을 포함한 정서적·공간적으로 특정 가능한 기억'이다. 다음 항에서는 탄생부터 현재에 이르기까지 어떤 시간축 위에서 자전적 기억이 형성되는지, 자전적 기억의 분포에 관해 소개하겠다.

| 〈도표 11〉 자전적 기억의 분류

<table>
<tr><th colspan="3" rowspan="2">구 분</th><th colspan="4">자전적 기억이 입력되는 형태</th></tr>
<tr><th>자아·자기</th><th>시각적·공간적</th><th>시각적·시간적</th><th>의미적</th></tr>
<tr><td rowspan="4">기억을 취득한 상황과 설명의 형태</td><td rowspan="2">단독</td><td>상상적</td><td>개인적 기억</td><td>특정 이미지</td><td>특정 이미지?</td><td>양식 이미지</td></tr>
<tr><td>비상상적</td><td>자전적 사실</td><td>구체적인 구조나 정신적 모델로 설명</td><td>구체적 문장이나 계획으로 설명</td><td>사실을 설명</td></tr>
<tr><td rowspan="2">여러 번</td><td>상상적</td><td>개괄적인 개인의 기억</td><td>개괄적인 지각의 기억</td><td>개괄적인 지각의 기억</td><td>이미지는 없음</td></tr>
<tr><td>비상상적</td><td>자기 도식</td><td>도식</td><td>언어</td><td>지식</td></tr>
</table>

출처: 브루어(1986)를 바탕으로 필자 작성

자전적 기억과 시간 정보

'회고 절정reminiscence bump'이란 사람이 과거에 경험한 사건 중에서 10~30세 사이에 있었던 일을 가장 많이 떠올리는 현상이다. 특히 고령자에게서 두드러지게 볼 수 있다. '기억의 혹'이라는 뜻으로, 사람은 과거의 기억을 회상할 때 10~30세 사이에 있었던 일을 떠올리기 쉬운 경향이 있다.

〈도표 12〉(62페이지)처럼 떠올린 사건과 경험한 연령을 현재까지의 시간축 위에 나타내면 다음과 같이 3가지 특징이 있다. 첫 번째 '신근성 효과(막바지 효과)'란 비교적 최근의 일을 떠올린다는 뜻이다. 최근의 사건일수록 기억이 잘 나고 현재에서 시간이 멀어질수록 사건의 상기율이 떨어지는 경향을 볼 수 있다.

두 번째로 '아동기 기억 상실'이란 5세 이전에 일어난 사건 중 기억에서 떠올릴 수 있는 양이 극히 적은 현상으로, 너무 어릴 때의 일은 기억이 나지 않는다는 특징이 있다. 사람이 떠올릴 수 있는 가장 오래된 사건에 관한 기억이 바로 '생애 최초의 기억'이다. 떠올리는 양은 최초 기억 연령(3~4세)부터 급격히 증가해서 8세 이후에는 거의 일정해진다. 어느 정도는 단편적으로 과거를 떠올릴 수 있지만, 3세 이하의 기억은 거의 남아 있지 않다.

그리고 세 번째는 '회고 절정reminiscence bump'으로, 10~30세 사이에 있었던 사건을 가장 많이 기억하는 현상이다. 프랭클린과 홀딩이 처음으로 발견하고 이 시기가 혹처럼 볼록 튀어나왔다고 해서 '기억의 혹Reminiscence bump'이라고 이름 붙였다. 10~20대에 생기는 사건은 졸업, 취업, 결혼, 출산 등 신기성(新奇性, 새롭고 기이한 성질)이나 시차성(示差性, 확연히 다른 차이)이 높다. 이들은 다른 사건과 구분하기가 쉽기 때문에 상대적으로 흔들림 없이 장기간 기억이 유지되기 쉽다. 생물학적 설명에 따르면, 10~20대는 인지적 성과가 가장 뛰어난 시기이기 때문에 대부분의 기억이 각인되어 유지된다는 설도 있다.

보통 자전적 기억을 연구할 때는 과거에 경험한 에피소드를 떠올리고, 그 일이 발생한 시기, 선명한 정도, 감정 등을 듣는 경우가 많다. 자신의 역사를 기억하는 것이기 때문에 그 기억은 시간 순서에 따라 나열되어 있을지도 모르지만, 떠올리는 본인의 과거는 실제로 경험한 과거 그 자체가 아니라 현재 자신의 시섬에서 재구성된 것이다. 예를 들어 린턴Linton은 6년 동안 일기를 쓰고 자신을 대상으로 특정 에피소드를 떠올리기에 좋은 단서를 검토했는데, 시간 정보의 유효성은 가장 낮았다고 보고했다. 마찬가지로 바헤나르Wagenaar도 '언제', '어디서', '누가', '무엇을'이라는 정보 중 몇 가지를 단서로 꺼내 보이고 기타 정보가 떠오르는지 검토했다. 그 결과, 무언가를 떠올리는 단서로서 '언제'가 가장 유효하지 않았다고 밝혔다. 자전적 기억에서 시간 정보는 영향을 주지 않을 가능성이 높다는 사실을 알 수 있다.

| 〈도표 12〉 자전적 기억의 분포에서 볼 수 있는 3가지 특징

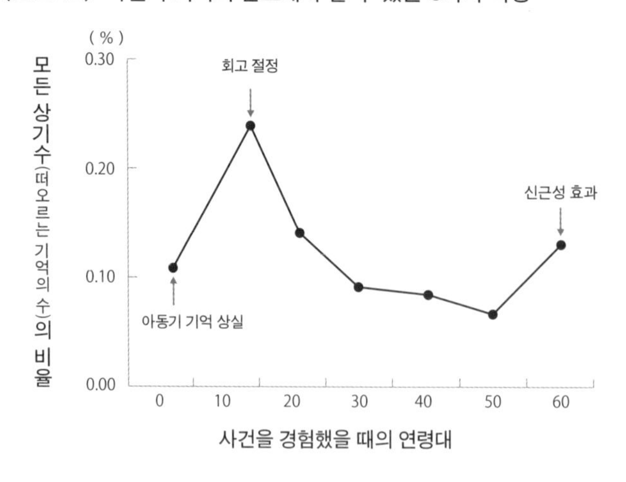

출처: 마키(2008)를 바탕으로 그림은 필자 작성

자전적 기억과 구매 행동

이번에는 기억 분야와 마케팅 분야를 함께 생각해 보려고 한다. 그 수는 적지만 자전적 기억과 구매 행동의 관계에 관한 선행 연구도 존재한다. 고객은 광고 등을 보고 제품 정보를 해석한 것들, 제품을 평가한 것들, 생활 속에서 느낀 것들 등을 제품을 선택하기 위한 사전 지식으로 갖고 있다. 기억은 그러한 지식의 축적이며, 소비자의 정보 처리에 큰 영향을 준다.

바헤나르는 구매 행동에 있어서 감정이 자전적 기억에 얼마나 중요한지 확인했다. 그의 연구에 따르면 개인적인 일화에서 정보가 유지되는 기간은 그 일화가 얼마나 두드러지는지, 감정이 얼마나 들어가 있는지에 달려있다. 자전적 일화는 긍정적이어도 좋고 부정적이어도 좋지만, 편안한 일화가 불쾌한 일화보다 떠올리기 쉬웠다.

한편, 자전적 기억에 따른 고객의 제품 및 사용 경험에 대한 영향도를 3가지 실험으로 검증한 결과, 고객은 제품 판정 및 광고 등 정보의 맥락이 자전적 기억에 영향을 미친다는 사실을 알아냈다. 실험에서는 자전적 기억이 재생되면 제품 정보 분석이나 정보 기억이 감소한다는 사실이 밝혀졌다. 즉, 자전적 기억이 재생되면 제품에 대한 분석 능력이나 다른 정보가 약해진다는 것이다. 또한 자전적 기억이 광고 평가에 영향을 준다는 사실도 검증했다. 게다가 자전적 기억이 브랜드 평가에도 영향을 주어서 광고에서 보이는 글자나 감정과도 관련 있다는 사실을 밝혀냈다. 고객의 자전적 기억에 다가가게 하는 것은 광고나 제품에 대한 기본적인 감정적 요소가 될 가능성이 있다고 주장했다.

그리고 그들의 주장에 따르면, 고객이 자전적 기억을 떠올릴 때 일관성 없는 두 가지 패턴이 생기는 경우가 있다. 첫 번째는 자전적 기억을 탐색하면 제품 그 자체에 대한 주의가 감소한다는 패턴이다. 다시 말해 자전적 기억이 존재하면 제품 브랜드에 대한 평가가 낮아진다는 것이다. 두 번째는 고객이 자전적 기억 때문에 현재의 제품과 관련된 감정이 생겨나는 패턴이다. 즉, 자전적 기억은 제품 브랜드를 평가할 때 현재의 제품 정보에 얼마나 주의를 기울이고 있는가, 현재 제품의 힘이 얼마나 대단한가, 기억의 정서적 질이 얼마나 되는가 등의 관계에 따라 긍정적인 평가에도, 부정적인 평가에도 영향을 줄 수 있다. 즉, 자전적 기억에 있는 감정이 현재의 제품 브랜드와 반응하고, 이에 따라 다른 평가가 내려진다는 것이다.

이처럼 긍정적인 평가, 부정적인 평가에 상관없이 자전적 기억과 구매 행동은 서로 밀접하게 관련있다는 사실을 알 수 있다. 실제로 나 역시 유소년기의 자전적 기억이 있는 '긴초의 모기향'은 매년 초여름이면 가게에 캔으로 된 패키지를 보기만 해도 자연스럽게 구입한다. 새삼스레 제품 정보를 분석하거나 효과, 효능, 성분을 찾아보지도 않는다. 모기향을 피운 후 뭐라 설명할 수 없는 그 냄새를 맡으면, 여름이 왔다는 사실을 깊이 실감한다. 이처럼 프루스트 현상으로 새로운 정보를 검색하지 않고도 제품을 구입한 경험은 누구에게나 있지 않을까?

자전적 기억과 뇌과학

뇌과학과 기억의 관계성에 관해서도 이야기해 보자. 뇌는 무수히 많은 신경세포로 구성되어 있지만, 기억은 신경세포 단위가 아니라 여러 개의 신경세포를 연결하는 시냅스 단위로 이루어진다. 신경세포 하나에는 약 1만

개나 되는 시냅스가 있어 매우 방대하다. 여러 개의 시냅스가 동시에 활동하고 분산되어 기억을 형성한다. 즉, 시냅스의 전체적인 활동을 읽어냄으로써 비로소 그 의미를 알 수 있다.

수많은 뇌의 부위 중에서도 특히 기억에 관계하는 것이 해마라는 사실은 잘 알려져 있다. 단기 기억은 해마와 전두연합야, 장기 기억은 해마가 중심으로 담당한다. 해마는 내측 측두엽의 일부인데, 일종의 기억이나 학습과 관련이 있다. 언제, 어디서, 무엇이 일어났는가 하는 맥락 정보에 반드시 필요한 뇌의 부위이다. 그중에서도 과거에 경험한 사건, 즉 일화 기억과 특히 연관이 깊다. 해마의 기능이 손상되면 다른 인지 기능에는 영향을 주지 않고 일화 기억만 손상되기 때문에 기억 장치로 적합한 구조와 성질을 갖고 있다고 해서 오랫동안 기억 연구의 대상으로 주목받아 왔다. 해마가 어떤 메커니즘으로 일화 기억을 담당하는가 하는 문제에 대해서는 수많은 가설이 존재하며, 현재도 명확하게 밝혀지지 않았다.

2017년에 이화학연구소 뇌과학종합연구센터와 리켄(이화학 연구소의 줄임말-역자) MIT 신경회로 유전학 연구센터의 공동 연구팀은 일상생활에 일어난 사건의 기억인 일화 기억이 해마에서 대뇌신피질로 전송되어 고정화되는 메커니즘의 일부를 실험용 쥐로 밝혀냈다. 원래 해마에 축적된 일화 기억이 대뇌피질로 전송되면 기억을 떠올릴 때 활용하는 뇌 영역이 몇 주 후에는 대뇌피질로 전환된다는 것이 연구로 발견된 것이다. 하지만 심리학자나 뇌과학자들에게 일반적인 기억 고정화를 위한 표준 모델에 대해서는 기억이 저장되는 세포를 구분할 방법이 없었다. 즉, 해마에서 대뇌피질로 기억이 전송될 때의 신경회로 메커니즘에 대해 자세히 알려진 바가 없었다.

또한 뇌 안에서 보존되기 위한 기억의 흔적을 포함하는 신경세포 집단을 '엔그램'이라고 하고, 기억의 흔적이 보존되는 세포를 엔그램 세포라고 한다. 이화학 연구소에 따르면, 그 엔그램 세포를 조작해서 학습한 시점에 대뇌피질의 전두전피질에서 엔그램 세포가 생성된다는 사실이 발견되었다. 그러니까 전두전피질의 엔그램 세포는 해마의 엔그램 세포 입력을 받아서 학습한 후에 구조적으로나 기능적으로 성숙하는 것이다. 한편, 해마의 엔그램 세포는 간이 시간이 경과함에 따라 활동을 쉬고 탈성숙한다는 사실도 밝혀졌다. 즉, 대뇌피질이 기억을 상기할 때 필요한 신경회로가 시간이 경과함에 따라 전환된다는 기존의 기억 전송 모델이 증명되었다는 실험 결과도 있다.

마찬가지로 2017년에 이화학연구소의 뇌과학종합연구센터와 도시샤 대학의 공동 연구팀이 발표한 연구 결과도 있다. 원래 해마에서 일화 기억이 어떤 구조로 사건 내용이나 순서를 기억하는지는 밝혀지지 않았다. 그래서 소리 정보와 냄새 정보를 순서대로 실험용 쥐에게 주고, 그 정보의 조합에 따라 오른쪽 레버인지 왼쪽 레버인지 선택하게 했다. 그리고 정답을 맞혔을 때 보상으로 물을 주는 '조합 변별 과제'라는 행동 과제를 학습시키고, 그때 해마의 신경세포 활동을 소형 고밀도 전극으로 기록했다.

그 결과, 해마의 신경세포 안에 소리나 냄새 등 각각의 사건 정보에 대해 선택적으로 활동하는 세포가 존재한다는 사실을 발견했다. 이를 이벤트 세포라고 이름 붙이고, 해마의 이벤트 세포는 사건의 내용 정보를 그 활동의 세기(발화율)로 표현한다는 사실을 알아냈다. 즉, 해마의 신경세포 하나하나는 그 활동의 세기에 따라 사건 내용을 표현하고, 그 활동의 타이밍에 따라 사건의 순서를 표현한다는 사실이 밝혀진 것이다. 다시 말해 기억 엔그램이 활동은 정보의 조합인 맥락의 정체성에 재빨리 반응한다. 해마에는 위치 정보를 보존하는 장소 세포와는 별개로 맥락 정보를 보존하는 기억 엔그램이 존재한다. 이는 해마가 기억 엔그램의 활동을 통해 일화 기억의 인덱스 기능을 갖고 있다는 사실을 나타낸다.

이처럼 엔그램 세포가 해마에서 대뇌피질로 기억을 전송해 주기도 하고 인덱스 같은 맥락 정보를 보존하는 구조가 해마에 있는 등 뇌과학 연구에 있어서 기억 일화를 담당하는 해마의 메커니즘은 지금도 여전히 신경과학의 큰 수수께끼로 남아 있다.

자전적 기억과 지각하는 거리

이번에는 기억 분야, 마케팅 분야, 뇌과학 분야뿐만 아니라 문화인류학 분야의 관점에서도 고찰해 보려고 한다. 2020년, 코로나19로 전 세계 사람들의 행동이 규제되어 생활양식이 바뀌었다. 예컨대 재택근무나 EC가 가속화되고 SNS를 비롯한 디지털 커뮤니케이션이 전보다 활발해졌다. 그 결과, 고객은 많은 정보와 연결되면서도 고독감을 느끼는 일이 늘어났다. 상대방과 실제로 만나서 같은 장소나 시간을 공유하는 것의 의미를 다시금 인식하게 된 사람도 많을 것이다.

그런 가운데에서도 사람들의 자전적 기억은 매일 많은 정보에 노출되고, 주관적인 진리성에 따라 새롭게 기억이 덧붙여진다. 앞 장의 선행 연구에서 확인했듯이, 기억과 감정은 연동된다. 인간의 생물학적 관점에서도 인간과 사물, 문화와의 관계성을 생각해 볼 필요가 있다. 또한 그 외부 환경인 공간적 개념까지 더하고 싶다.

인간의 진화는 원거리 감각기의 발달에 특징이 있다. 그중에서도 특히 중요한 것은 시각과 청각이다. 어떠한 감정을 가지면 얼굴이 붉어지거나 땀을 흘리는 등 육체적인 반응뿐 아니라, 정신적인 감정이 관여한다. 인간에게는 마음의 상태를 육체적인 반응으로 전환하는 장치가 내재되어 있다는 뜻이다. 특히 홀Hall은 문화인류학자이지만, 지각과 문화의 관계에 관심을 가졌던 학자 중 한 사람이다. 홀은 문화인류학의 한 분야인 '근접학'이라는 관점에서 공간 자체나 인간과 인간 사이의 거리감이 개인이나 문화에 어떤 영향을 주는지 고찰했다.

홀이 말하는 조어 중에 '프록세믹스proxemics'라는 말이 있다. 프록세믹스는 '지각 문화 거리'라고 할 수 있을까? 프록세믹스 이론이란 인간의 개인적 거리나 사회적 거리에 관한 이론이다. 그중에서 홀은 생물학적 관점에서 시각·청각·후각 등의 오감이 그 공간에서 어떻게 반응하는지에 대해 논했다. 예를 들어 사람은 만원 전철에 익숙해지기 어렵다. 이는 당연하다. 생판 처음 보는 사람과 일정한 거리를 두고 자신의 세력권을 지키고 싶은 인간의 의식이 나타난 것이다. 혼잡한 곳에서 스트레스 때문에 동족을 잡아먹거나 자살 행위를 하는 등 이상 행동을 하는 사슴이나 쥐의 사례를 보면, 공간이 생물에게 얼마나 중요한 의미가 있는지 알 수 있다. 홀은 인간도 동물적 본능에 뿌리를 내리고 있다는 사실을 전제로 했다.

홀은 인간을 둘러싼 '세력권'은 4개의 거리로서 ① 밀접 거리, ② 개체 거리, ③ 사회 거리, ④ 공중 거리로 구성되어 있다고 가정했다. 밀접 거리란 친밀·접촉·연인 구역으로 애무나 격투를 성립시키는 프록세믹스, 그리고 몸과 마음이 모두 닿을 수 있는 거리다. 여기서는 위로와 보호, 혹은 그 반대인 혐오와 배제라는 감정이 싹튼다. 홀은 이것을 '엘보 디스턴스'라고 부르고, 인간이 팔꿈치 거리에 해당하는 45센티미터 이내에서 감각이 생긴다고 했다.

② 개체 거리는 45~120센티미터인데, 인간이 개인을 느낄 수 있는 아슬아슬한 거리이자 대인對人·개인적·친구 영역으로서 손을 뻗으면 닿을 수

있는 거리다. 여기서는 자기와 타인의 사이를 떼어두고 구별한다. 코로나19로 인한 '사회적 거리두기'에서 말하는 2미터는 이 생각에 준거한다. ③ 사회 거리는 120~360센티미터로, 사회적·공식적·지인 영역, 즉 인간관계는 성립하지만 미세한 표정은 보이지 않는 거리다. 마지막으로 ④ 공중 거리는 360센티미터 이상의 공적·대중 구역으로 상대와 개인적 관계는 성립하지 않는 거리다.

홀의 '프록세믹스'는 브랜드와 소비자 사이의 거리를 인간의 '세력권'으로서 봤을 때, 브랜드를 장기 육성하기 위해서는 ① 밀접 거리 혹은 ② 개체 거리의 '프록세믹스'를 이해해 둘 필요가 있다는 사실을 시사한다. 인간의 '세력권'을 '애착'의 거리로 본다면 ① 밀접 거리는 충성도가 높은 거리가 된다.

심층 조사 등에서 대상자에게 현재 사용하는 브랜드와 소비자의 심리적 거리감을 확인하는 설문을 하면, 애착이 있는 브랜드와의 관계성을 마치 가족이나 친구처럼 친밀한 관계라고 표현하는 경우가 많다. 이때 그 브랜드는 다른 것으로 대체할 수 없는 존재다. 또한 브랜드에 대한 애착이야말로 브랜드와의 관계성을 만들어내는 강력한 촉진 요인이다. 애초에 애착attachment 개념에 관한 이론은 심리학자인 볼비Bowlby가 제창했다. 볼비는 애착을 "사람과 특정 대상 사이에서 감정이 들어간 마음의 유대감bond"이라고 정의했다. 또한 골드버그Goldberg는 자신이 누군가에게 보호를 받고 있다는 안전 기지로서의 신뢰감이 애착의 본질적 요소라고 했다.

유일무이한 가족, 절친, 연인처럼 대체할 수 없는 상태인 마음의 유대감이 브랜드 애착이라면, 브랜드와 소비자 사이에 존재하는 거리로서의 '프록세믹스'와 심리적 거리란 어떤 관계가 있는지 생각할 필요가 있다. 즉, 이러한 생각 자체가 고객과의 접점이 되는 고객 여정, UX, CX의 구축으로 진화하게 된다.

이처럼 사람과 사물 혹은 사람과 공간 사이에는 브랜드 아이덴티티나 제품력 등의 유형적 사실뿐만 아니라, 정서적·공간적인 무형적 요소가 존재한다는 가설이 성립한다. 생물학적 관점에서 보면 시각·청각·후각 등의 오감이나 시간이 그 공간에서 어떤 식으로 반응하는지가 '프록세믹스'나 심리적 거리에 영향을 주기 때문이다. 정서적·공간적인 요소에 관한 연구도 브랜드론에 인용할 수 있다.

'브랜드 스토리는 원풍경으로 만든다'란 대체 무슨 말인지, 전반 부분에서는 브랜드 연구부터 시작해서 기억, 뇌과학, 근접학 등 다양한 각도에서 선행 연구를 중심으로 설명해 왔다. 뇌과학에서 기억이 어떻게 장기 기억으로 저장되고 어떤 단서로 그 기억을 현재로 불러오는지, 그 명확한 메커니즘은 아직 베일에 싸여 있다.

그러나 소비자의 머릿속에는 기억이 존재하고, 그 기억이 브랜드 구매에 영향을 주는 것은 사실이다. 현재 프로덕트 아웃이 아니라 소비자 인사이트의 중요성이나 소비자 관점이라는 생각도 싹트기 시작했고, 그 방법론으로 D2C나 OMO(Online Merges with Offline, 온라인의 경험과 오프라인 매장의 장점을 통합한 서비스)에 대한 주목도 크다. 나아가 ESG 경영처럼 브랜드의 기본적인 의의를 다시 되돌아보고, 물건을 파는 일이 주목적이 아니라 사람의 행동 변화를 촉진하여 지속 가능한 새로운 커뮤니티를 탄생시키는 등 브랜드의 역할이 발전하고 있다. 더불어 자전적 기억의 연구나 데이터 수집은 앞으로 DX가 진화함에 따라 쉬워지고, 해마와 일화 기억도 더 깊은 연관이 생길 것이다.

그러한 상황 속에서 소비자의 자전적 기억 관찰은 앞으로 있을 채널 변혁이나 새로운 커뮤니티 구축에 있어서 미래를 향한 큰 발판이 되리라 생각한다. 다음 장에서는 실제로 소비자 인터뷰를 통해서 자전적 기억이 브랜드의 장기 육성에 어떤 영향을 주는지 소개하려고 한다.

4장 자전적 기억과 브랜드의 소비자 인터뷰

인터뷰 개요

지금까지 서술해 온 내용을 바탕으로 구매에 있어서 자전적 기억이 브랜드 장기 육성에 어떤 영향을 주는지, 소비자 대상으로 비구조화 심층 인터뷰를 독자적으로 진행했다. 조사 개요는 〈도표 13〉과 같다. 조사에서는 현재 구매하고 있는 제품 브랜드에 관한 사선석 기억에 대해 자유롭게 이야기를 들었다. 질문 항목으로는 다음 7가지 항목을 준비했다. ① 장기 구입, ② 기억의 획득 조건, ③ 기억의 이미지, ④ 최근의 구매 상황, ⑤ 자신과 브랜드의 관계성, ⑥ 지각된 제품력, ⑦ 브랜드 아이덴티티라는 7가지 항목이다(73페이지 〈도표 14〉).

| 〈도표 13〉 비구조화 심층 인터뷰 조사 개요

- 조사 기간: 2017년 8월 1일~12월 8일, 총 463분
- 참가자: 20~40대 남녀 19명 (남성 20대 4명, 30대 6명, 40대 4명, 총 14명 / 여성 20대 1명, 30대 2명, 40대 2명, 총 5명)
- 테마: 현재 구매하고 있는 제품 브랜드에 관한 자전적 기억

조사는 모두 녹음한 내용을 글로 옮겨 적은 다음, 자전적 기억으로 연상되는 상품·기업 브랜드나 사용 장면, 관련된 인물 등에 대한 키워드가 몇 번 나타났는지 측정했다(74페이지 〈도표 15〉). 그리고 〈도표 16〉(78페이지)에서는 19명의 대상자가 발언한 브랜드에 관한 기억에 대해 선행 연구를 참고로 자기의 기억 4가지(개인적 기억, 개괄적인 개인의 기억, 자전적 사실, 자기 도식)로 분류했다.

분석한 결과, 다음 3가지가 밝혀졌다. 첫째, 한 번의 경험에 기인한 개

인적 기억에서 그 장면을 선명히 기억하고 있다는 것. 둘째, 개괄적인 개인적 기억으로서 여러 비슷한 경험으로 구성된 자기 이미지로 공간이나 장면을 떠올릴 수 있다는 것. 셋째, 여러 경험에서 자기 도식으로 추상화된 자기에 관한 지식을 갖고 있다는 것이다.

〈도표 14〉 비구조화 심층 인터뷰 조사의 인터뷰 항목

질문	질문 내용
1. 장기 구입	현재 장기적으로 구입하는 상품 브랜드는? 처음으로 구입한 계기는?
2. 기억의 획득 조건	그 상품 브랜드에 어떤 추억이 있는가? 그 기억은 한 번인가, 여러 빈인가?
3. 기억의 이미지	그 기억은 어디서 일어난 일인가? 그 기억의 등장인물은 어떤 사람인가? 그 기억은 언제 일어났는가? 그 기억으로 어떤 정경이나 분위기가 떠오르는가? 그 기억으로 떠올릴 수 있는 향기, 소리, 맛, 시각, 감각 등은 있는가? 그 기억으로 어떤 감정을 떠올리는가? 그 기억으로 어떤 이미지를 떠올리는가?
4. 최근의 구매 상황	현재 어디서 그 브랜드의 상품을 사고 있는가? 구매 빈도는 어느 정도인가? 사용 상황은? 그 브랜드를 살 때 과거의 기억이 떠오르는가? 언제 그 브랜드의 제품을 구입하려고 하는가?
5. 자신과 브랜드의 관계성	현재 그 기억의 인상은 어느 정도 강한가?(총 10단계) 자신과 상품 브랜드의 거리감을 예로 들면? 그것은 자신과 어떤 관계가 있는가?
6. 지각된 제품력	제품 자체에 대한 정보는? 특징, 기능, 성분 등을 자세히 알려 주시오.
7. 브랜드 아이덴티티	상품 브랜드에서 가장 인상적인 요소는 무엇인가? 이름, 로고, 패키지, 형상 등의 요소 중에서 기억나는 것이 있는가?

| 〈도표 15〉 자전적 기억에 관한 대상자별 발언 내용

구분		연도	성별	카테고리	개수	브랜드	개수	등장인물	개수	공간·시간	개수	기타	개수
1	A	20	남	칫솔	3	나이키	5	가족	3	자취 생활	5	향기	2
				양념	3	소니	5	어머니	3	거실	2		
				칫솔	2	슈프림	3			음악	2		
						쇼다 간장	2						
						닌텐도	2						
						츠바키	2						
2	B	20	남	낚시	4	패밀리마트	9	할머니	5	고등학교	4		
				바구니	3	미니스톱	5	여자친구	3	동아리 활동	4		
				과자	3	시치킨	4			하굣길	3		
						시마노	3						
						패미치키(패밀리마트에서 파는 닭튀김)	3						
3	C	20	남	과자	5	자가리코(감자 과자)	13	여자친구	2	고등학교	2	샐러드	2
				짠맛	4			캐릭터	2	교실	2	행복	2
				공부	3	포테토칩	4			방과 후	1	믿음	1
						유니클로	2			복도	1	셰어	1
										동아리 활동	1		
4	D	20	남	지우개	7	MONO	5	선생님	3	고등학교	3	무음	2
				공부	5	무인양품	2			수험 공부	2	아등바등	1
				샤프펜슬	3					교실	2	희다	1
				필통	2							검다	1
				편의점	2								
5	E	20	여	의류	3	나이키	8	자매	2	대학생	2	기능	2
				그랜드 피아노	3	아디다스	2			초등학생	2		
				양복	2	야마하	2			음악교실	2		
										아울렛	3		
										전람회	2		
										야오야마	2		
										발표회	2		
6	F	30	남	감기	4	이소딘	8	표범	2	초등학교	3	동물 복지	3
				양치질	3	하나세레브	6	반 친구	2	농장	2	고독	2
				손 씻기	2			어머니	2	수업	2		
				자연	2					해외	2		
										기치조지(일본 도쿄에 있는 지명)	2		

구분		연도	성별	카테고리	개수	브랜드	개수	등장인물	개수	공간·시간	개수	기타	개수
7	G	30	남		10 7 5 3	슈퍼드라이 (아사히 맥주 이름) 애플 소니 워크맨	10 7 5 3	형 할아버지 아버지	4 3 2			광고	5
8	H	30	남	영양제 패키지	2 2	시소 가다랑어 마늘(마늘을 시소와 가다랑어로 버무린 술 안주) 가타야마 식품(위의 마늘 제품을 파는 회사 이름)	10 1	누나 가족	6 4	냉장고 밥 고등학생 새벽 부엌 전기 거실	3 3 2 2 2 1 1	어둡다 맛있다 희다	5 3 2
9	I	30	남	스포츠 NBA 카드 스파이크	9 3 3 2	나이키 아식스 슬램덩크 포테이토칩 에어조던	16 5 5 5 4	이종사촌 절친	4 2	육상(경기) 숍 농구 초등학교 방	7 5 4 3 3	멋있다 디자인 좋다 갖고 싶다	8 5 9 2
10	J	30	여	웨어 그랜드 피아노 양복	3 3 2	나이키 아디다스 야마하	8 2 2	자매	2	대학생 초등학생 음악교실 아울렛 전람회 야오야마 발표회	2 2 2 3 2 2 2	기능	2
11	K	30	남			금귤 무히(알러지약) 아지폰(소스) 마키론(소독약) 미즈칸	17 5 3 2 2	아내 할머니	2 2	벌레 물림 전당포 부상 이바라키현 헛간	2 2 2 2 1	아프다 갈색 지독한 냄새 강하다	5 3 1 1

구분		연도	성별	카테고리	개수	브랜드	개수	등장인물	개수	공간·시간	개수	기타	개수
14	N	40	남	간장 연한 맛 라면 스프	4 3 2 2	컵누들 히가시마루(우동 스프로 유명한 브랜드) 슈퍼드라이 아네스베(패션 브랜드 이름)	4 4 3 2	아버지	2	초등학교 슈퍼마켓 대학교 건널목 전철	3 3 2 2 2	패키지	3
15	O	40	남	노트 갱지 연필	8 6 6	무인양품 군제(속옷 브랜드) 점프 방송국	9 7 2	선생님	5	초등학교 CD 이야깃거리 감각 질감	3 2 2 2 2	무음 그리다 좋다	5 2 2
16	P	40	남	회사	5	컵누들 컵스타 그린라벨 라면 이름	14 5 4 4	아내	3	주먹밥 야근 알바 주말 와세다 현장 통풍관 담배	4 4 3 3 3 3 2 2	아련하다 냄새	5 2
17	Q	40	남	네트 요구르트 골프 지갑 가방	3 4 2 2 2	루망드(과자 브랜드) 알로에 요구르트 오로나인 칼피스 머더하우스(패션 브랜드) 불독소스	8 3 2 2 2 2	어머니	2	요코하마 초등학교 냉장고	3 3 2		

18	R	40	여	커피우유 망고 두유 바나나	4 4 2	기분 식품 (어묵으로 유명한 식품 브랜드) 유키지루시 (유제품으로 유명한식품 브랜드) 미야자키	4 4 2	가족	3	회사 아파트 단지 선물	3 3 2		
19	S	40	여	고기 세제 화장품	4 2 2	어택(세탁 세제 이름) 에바라 황금 소스	4 2	친정	2	바비큐 캠핑	3 2	편안한 마음	2

| 〈도표 16〉 대상자별 대상 브랜드와 자신의 기억 분류

구분	대상	연대	성별	제품 카테고리	분류	기업 브랜드	상품 브랜드	자신의 기억				
								첫 번째 개인적 기억	개괄적 개인의 기억	자전적 사실	자기 도식	모름
1	A	20	남	외투	의류	슈프림	슈프림	○				
1	A	20	남	샴푸 린스	일용품	시세이도	츠바키		○			
2	B	20	남	편의점	식품	패밀리마트	패미치키		○			
3	C	20	남	스낵 과자	과자	가루비	자가리고		○			
4	D	20	남	지우개	문구	톰보 연필	MONO	○	○			
5	E	20	여	스포츠용품	의류	나이키	나이키				○	
6	F	30	남	목약	의약품	먼디파마	이소딘				○	
7	G	30	남	주류	맥주	아사히 맥주	슈퍼드라이		○			
8	H	30	남	절임	식품	가타야마 식품	시소 가다랑어 마늘		○			
9	I	30	남	스포츠용품	의류	나이키	나이키	○	○			
10	J	30	남	허브 홍차	식품	엔허브	로즈힙 차				○	
11	K	30	남	피부용 약 의약품	킨칸도	킨칸			○			
12	L	30	여	초콜릿	과자	메이지	아몬드 초콜릿		○			
13	M	30	여	마스카라	화장품	랑콤	랑콤		○			
14	N	40	남	인스턴트 라면	식품	닛신 식품	컵 누들	○	○		○	
14	N	40	남	보더 셔츠	의류	아네스베	아네스베	○				
15	O	40	남	노트	문고	무인양품	낙서장				○	
16	P	40	남	인스턴트 라면	식품	닛신 식품	컵 누들		○			
17	Q	40	남	쿠키	과자	부르봉	루망드		○			
18	R	40	여	커피 우유	음료	유키지루시 메구 밀크	유키지루시 커피		○			
19	S	40	여	양념	조미료	에바라	황금의 맛		○			

한 번의 경험에 기인하는 개인적 기억

〈도표 16〉(78페이지)에서 자신의 기억 분류를 참고로 인터뷰 내의 자전적 기억을 자세히 소개하겠다. 먼저 한 번의 경험에 기인하는 개인적 기억이다. 그 장면을 선명하게 기억한다는 사항에서 대상자 중에 이런 발언이 있었다.

> "'슈프림'에서 처음으로 산 건 후드 점퍼였어요. 우리 동네 가나가와를 출발해 새벽 6시부터 하라주쿠 점포에 줄을 서서 기다리고 있으면 가게에서 인상이 험악한 점원이 나왔어요. 가게에 들어가도 '어서오세요'라는 인사도 제대로 하지 않고 태도가 정말 불량하고 무서웠어요. 그런데 그게 왠지 인상에 남더라고요. 제가 열여덟 살 때니까 2008년인가 2009년이었을 거예요." (대상자 A: 20대 남성)

이 대상자의 개인적 기억에 관한 내용을 한데 모은 것이 〈도표 17〉(80페이지)의 (1)이다. 기업 브랜드는 '슈프림', 등장인물은 험악한 점원이다. 18세 때 무서웠지만 마냥 두근거렸던 정서적인 기억도 존재한다. 그리고 새벽 6시부터 하라주쿠 점포에 줄을 서 있었더니 인상이 험악한 점원이 나왔다는 선명하고도 명확한 시간적·공간적 기억이 '슈프림'이라는 브랜드에 내포되어 있다.

마찬가지로 대상자 N인 40대 남성은 한 번의 경험에 기인하는 개인적 기억으로 '아네스베'의 추억을 이야기했다.

> "고등학생 때부터 '아네스베'의 두꺼운 보더 셔츠를 입었는데, 이제 벌써 4대째인가 5대째예요. 제가 구매한 건 보더 셔츠예요. 처음에 샀을 때 계속 '아네스비'라고 말했는데, 점원이 그걸 '아네스베'라고 고쳐줬던 게 선명하게 기억나요. 창피했죠. 그 당시에 이 옷을 입으면 왠지 프랑스 사람이 된 것 같은 느낌도 나고 멋있어 보였어요. 마침 이탈리아의 섹시한 옷

이 유행을 타기 시작한 시기였는데, 그건 제 스타일이랑 달라서 저한테는 '아네스베'가 더 잘 맞았죠." (대상자 N: 40대 남성)

〈도표 17〉 1회의 경험을 바탕으로 한 개인적 기억 사례

(1) 대상자 A

구분	대상	연대	성별	제품 카테고리	분류	기업 브랜드	상품 브랜드	자신의 기억				
								첫 번째 개인적 기억	개괄적 개인의 기억	자전적 사실	자기 도식	모름
1	A	20	남	외투	의류	슈프림	슈프림	○				

슈프림에 대한 자전적 기억	
등장인물	인사를 하지 않는 험상궂은 점원
감정 오감	무섭다, 남의 눈치 보지 않고 당당히 사는 사람에 대한 동경, 슈프림 특유의 향, 나그참파 향
공간	하라주쿠의 한 가게, 가게 앞에 줄서다
시간	18세, 새벽 6시
기타	고등학교 때부터 대학교 3학년까지 봄가을마다 아이템을 3개씩 샀다
자전적 기억의 인상 정도(10단계)	8
현재의 구매 행동과 지각	
구매 경로	공식 온라인몰, 야후 옥션, 1년에 한 번 살까 말까. 왜냐하면 다른 사람이 입게 돼서. 유명인이 입으니까 열정이 식었다.
고유의 특징	빨간 로고, 거칠거칠하다
지각 제품력	세련된 악동 옷, 양키 문화가 있는 옷, 스케이트보드용 옷
자신과 브랜드의 거리감	또 다른 나, 정반대의 나. 온갖 것들에 가운뎃손가락을 드는 반역적인 브랜드라서

81페이지의 〈도표 17〉 (2)에서 나타냈듯이, 등장인물은 가게 점원이다. 프랑스 느낌의 멋이 담긴 그 당시의 정서적인 기억도 남아 있다. 고등학교 2학년 때, 가게에서 점원이 브랜드 이름을 고쳐줬던 일이 개인적 기억으로 선명히 남아 있고, 대상자의 기억 속에서 시간적 및 공간적 요소가 존재한다. 고등학교 시절과 대학 시절은 '아네스베'를 구입했지만 지금

은 예전만큼 강한 유대감은 없다. 마치 만나면 사이좋게 지낼 수 있는 옛 친구 같은 중립적인 관계로 브랜드와의 거리감을 유지하고 있었다.

(2) 대상자 N

구분	대상	연대	성별	제품 카테고리	분류	기업 브랜드	상품 브랜드	자신의 기억				
								첫 번째 개인적 기억	개괄적 개인의 기억	자전적 사실	자기 도식	모름
14	N	40	남	보더 셔츠	의류	아네스베	아네스베		○			

아네스베에 대한 자전적 기억	
등장인물	점원
감정 오감	프랑스 느낌, 멋진 기분, 부끄러운 추억
공간	아네스베 점포, 고베 산노미야의 가게
시간	고등학교 2학년
기타	가게에서 아네스비라고 잘못 불렀던 일
자전적 기억의 인상 정도(10단계)	8
현재의 구매 행동과 지각	
구매 경로	아네스베 점포, 몇 년에 한 번, 후줄근해지면 집에서 입는다
고유의 특징	흰색과 검은색 보더
지각 제품력	중립적인 느낌이 있다, 지금은 보통, 외출복이라는 느낌도 들지 않는다
자신과 브랜드의 거리감	가끔 만나면 사이좋게 얘기할 수는 있지만 늘 연락하지는 않는 오랜 친구

이렇게 한 번의 경험에 기인한 개인적 기억에서 자신의 실패담이나 감정으로 그 장면을 선명히 기억하는 경우, 10단계 평가에서도 자전적 기억의 인상 정도로 강했다. 하지만 한편으로 지금은 자신과 브랜드의 거리감이 '정반대의 나', '오랜 친구'라고 하는 등 멀다고 했기 때문에 브랜드의 장기 육성에 공헌했다고는 할 수 없다. 인터뷰 중에서도 한 번의 경험에 기인하는 개인적 기억은 웬만한 사건이 없는 한 떠오르는 일은 없었다.

개괄적인 개인의 기억

다음으로 개괄적인 개인의 기억에서는 〈도표 16〉(78페이지)에 나온 대상자 4명의 사례를 순서대로 보겠다. 먼저 83페이지 〈도표 18〉 (1)의 대상자 A이다.

"'츠바키TSUBAKI' 샴푸가 발매됐을 때부터 사용하고 있어요. 거실에서 어머니가 드라이기로 머리를 말릴 때 나는 향이 좋았고, 가족이 모여 있을 때도 그 향이 났어요. 그 향을 맡으면 마음이 정말 편해졌던 기억이 나요. 지금도 '츠바키'에 대한 마음은 여전히 커요. 패션 같은 건 누가 입거나 하면 저 말고 다른 불확정 요소들 때문에 변동하기도 하잖아요. 그런데 샴푸는 제 추억이고, 개인적인 일이라서 변하지 않아요. 요즘에는 약국뿐만 아니라 아마존에서 살 때도 있어요. 샴푸 용기의 색깔은 빨강이나 흰색으로. 향이 좋으니까 써 보라고 친구에게 추천한 적도 있어요. '츠바키'는 저에게 엄마 같은 존재인 것 같아요." (대상자 A: 20대 남성)

이처럼 대상자 A에게는 정서적 기억이나 공간적 기억이 강하게 존재한다. '츠바키'의 향기는 어머니의 향기이며, 그 향기는 대상자 A의 기억 속에서 가족끼리 보냈던 좋은 시간을 떠올리게 한다. 브랜드 정체성에 색채 요소가 나오지 않는 것은 제품의 향이 중요시되었다는 증거이다. 대상자 A에게는 '츠바키'에 대해 프루스트 현상이 일어난 것이다. 대상자 A의 어머니는 이미 세상을 떠났다. '츠바키'의 정서적 기억이나 공간적 기억이 어머니에 대한 추억을 부르는 발단이 됐다는 것이 자신과 브랜드의 거리감에 나타나 있다.

❙ 〈도표 18〉 개괄적인 개인의 기억 사례

(1) 대상자 A

구분	대상	연대	성별	제품 카테고리	분류	기업 브랜드	상품 브랜드	자신의 기억				
								첫 번째 개인적 기억	개괄적 개인의 기억	자전적 사실	자기 도식	모름
1	A	20	남	샴푸 린스	일용품	시세이도	츠바키		○			

츠바키에 대한 자전적 기억	
등장인물	어머니
감정 오감	츠바키의 향기가 좋다. 목욕을 하고 나오면 거실에 퍼지는 향기, 마음이 편안한 추억
공간	식후, 거실에서 모인 가족, 어머니가 드라이기로 머리를 말린다
시간	취침 전
자전적 기억의 인상 정도(10단계)	7
현재의 구매 행동과 지각	
구매 경로	약국에서 구입, 최근에는 아마존이 더 저렴해서 거기서 구입
고유의 특징	향기, 병의 모양, 머리의 링, 광고
지각 제품력	향기가 정말 좋다
자신과 브랜드의 거리감	엄마 같은 존재

그리고 〈도표 18〉 (2)의 대상자 C도 개괄적인 개인의 기억 사례이다. 등장인물은 그 당시의 여자친구로, 정서성으로 따뜻한 마음을 느끼고 있다. 공간적인 기억으로는 방과 후 교실에서 '자가리코' 하나를 그녀와 나눠 먹었던 이미지가 선명히 남아 있다. 학교 교정에서는 스포츠 동아리 아이들이 연습하는 목소리가 들리고, 누군가 교실에 들어올지도 모르는 상황 속에 들리는 복도의 발소리가 교실에 둘뿐이라는 긴장감과 함께 공간적 기억으로 남아 있다. 현재 이 과자를 살 때 대상자 C에게 이 자전적 기억이 반드시 떠오르는 것은 아니지만, 일주일에 3번 '자가리코'를 구입하는 재구매자이다. 또한 어느새 곁에 있는 믿음직한 친구라는 자연스러운 관

계성이 '자가리코'와 구축되어 있다. '자가리코'는 타인과 나눠 먹는 음식이라는 인식이 휴먼 스케일이며, 정서적 기억과 공간적 기억으로 구축되어 있다는 사실을 엿볼 수 있다.

⑵ 대상자 C

구분	대상	연대	성별	제품 카테고리	분류	기업 브랜드	상품 브랜드	자신의 기억				
								첫 번째 개인적 기억	개괄적 개인의 기억	자전적 사실	지기 도식	모름
3	C	20	남	스낵 과자	과자	가루비	자가리코		○			

자가리코에 대한 자전적 기억	
등장인물	고등학교 시절의 여자친구
감정 오감	교정에서 들려오는 스포츠 동아리 아이들의 연습하는 목소리, 복도에서 들려오는 발소리, 따뜻한 마음
공간	둘만의 방과 후 교실, 자가리코 하나를 나눠 먹음
시간	고등학교 2학년, 공부하는 시간
자전적 기억의 인상 정도(10단계)	5
현재의 구매 행동과 지각	
구매 경로	근처 슈퍼에서 구입, 평균 주 3회
고유의 특징	컵의 모양, 녹색 패키지, 길다, 기린 일러스트
지각 제품력	감자를 갈아서 으깬 과자, 길고 바삭바삭하게 튀겼다
자신과 브랜드의 거리감	떨어져 있지만 필요할 때는 어느새 곁에 있는 믿음직스러운 친구

"'자가리코'는 초등학생 때부터 사 먹었어요. 가장 인상에 남는 추억은 고등학교 2학년 때예요. 방과 후 교실에서 당시에 사귀고 있던 여자친구와 '자가리코'를 나눠 먹으며 공부했어요. 항상 짠맛이 나는 과자랑 단맛이 나는 과자가 있었어요. 그때 밖에서 동아리 연습하는 아이들 목소리가 들리기도 했고 복도를 지나가는 발소리에 움찔하기도 했어요. 참 행복한 시간이었죠. 그 공간에 둘만 있었으니까요. 부정적인 느낌이 없는 행복한 이미지라고 할까요? 지금은 슈퍼에서 '자가리코'를 봐도 고등학교 시절의

추억이 떠오르지는 않지만, 가끔 누군가랑 같이 '자가리코'를 나눠 먹으면 그때가 떠올라요. '자가리코'는 저에게 믿음직스러운 친구 같은 관계예요. 멀리 떨어져 있지만 필요할 때는 어느새 곁에 있는 존재죠." (대상자 C: 20대 남성)

⑶ 대상자 C

구분	대상	연대	성별	제품 카테고리	분류	기업 브랜드	상품 브랜드	자신의 기억				
								첫 번째 개인적 기억	개괄적 개인의 기억	자전적 사실	자기 도식	모름
7	G	30	남	주류	맥주	아사히 맥주	슈퍼드라이		○			

아사히 슈퍼드라이에 대한 자전적 기억	
등장인물	할아버지, 아버지
감정 오감	일하고 들어오신 아버지 옆에 앉는다, 거품을 조금 받으면 기뻤다
공간	부엌과 연결된 다이닝룸, 애용하던 맥주잔
시간	연말연시나 오봉(우란분재, 음력 7월 15일-역자) 등 가족과 친척들이 모두 모일 때, 초등학생, 아버지가 일하고 오셨을 때
자전적 기억의 인상 정도(10단계)	5
현재의 구매 행동과 지각	
구매 경로	근처 편의점
고유의 특징	350밀리리터의 은색 캔, Asahi라고 적힌 알파벳
지각 제품력	당분이 적은 산뜻하고 진한 맥주 맛
자신과 브랜드의 거리감	선배처럼 절대적인 존재

마찬가지로 〈도표 18〉 (3)도 개괄적인 개인의 기억 사례이다. 대상자 A는 어머니의 존재감이 정서적 기억으로 구축되어 있었는데, 대상자 G의 경우는 아버지와 할아버지를 떠올렸다. 그 등장인물이 브랜드와의 거리감이나 지각된 제품력에도 나타났다. 자전적 기억의 인상 정도는 낮지만, 브랜드와의 거리감은 밀접하고 강한 관계성을 만들어냈다. 특히 인터뷰 중에 대상자 G는 '아사히 슈퍼드라이'에 대해 강인함뿐만 아니라 아버지처럼

안심이 되고 포용력을 느끼고 있다는 사실을 알 수 있었다.

"초등학생 때 아버지랑 할아버지가 마셔서 늘 냉장고에 '아사히 슈퍼드라이'가 들어 있었어요. 아버지가 맥주 거품을 조금씩 주시곤 했죠. 할아버지는 늘 병맥주를 드셔서 그런지 더 인상 깊은 기억으로 남아 있어요. 본가는 집이 오래돼서 부엌이랑 다이닝룸이 한 방에 있었어요. 아버지가 일을 마치고 집에 돌아오시면 전 바로 아버지 옆으로 갔어요. 아마 투명한 잔이었을 거예요. '아사히 슈퍼드라이'에는 놀러 갔을 때나 연말연시나 오봉 때, 집에 사람이 모였을 때의 이미지가 있어요. 지금도 특별한 날에 '아사히 슈퍼드라이'를 사요. 저에게 선배처럼 절대적인 존재예요. 중요한 순간이나 기분 전환이 필요할 때는 역시 이 브랜드를 골라요." (대상자 G: 30대 남성)

⑷ 대상자 L

구분	대상	연대	성별	제품 카테고리	분류	기업 브랜드	상품 브랜드	자신의 기억				
								첫 번째 개인적 기억	개괄적 개인의 기억	자전적 사실	자기 도식	모름
12	L	30	여	초콜릿	과자	메이지	아몬드 초콜릿		○			

메이지 아몬드 초콜릿에 대한 자전적 기억	
등장인물	할아버지, 할머니
감정 오감	상대해 주지 않아 쓸쓸함
공간	꽃집 뒤뜰, 창고 근처 주차장, 가득 늘어서 있는 꽃, 광장에서 놀았다, 시클라멘이 피어 있었다, 종업원도 자유롭게 가져갈 수 있는 과자 통
시간	연말연시, 가장 바쁠 때, 점심 후, 겨울
기타	음식은 꽤 많이 줬다. 주말에 놀지 못하는 건 어쩔 수 없어서. 쓸쓸한 표정을 짓고 있으면 할아버지가 줬다
자전적 기억의 인상 정도(10단계)	6
현재의 구매 행동과 지각	
구매 경로	친정에 있어서 집에 놔둠

고유의 특징	평평한 직사각형 서랍 모양, 올록볼록한 상자처럼 생긴 종이가 들어 있음, 고동색, 외형 패키지는 사진과 위에 빨간 글자 로고, 베이스는 흰색이고 글씨는 빨간색
지각 제품력	달걀처럼 생겼는데 미끌미끌해서 입에 넣으면 감촉이 좋다, 아몬드 초콜릿이 20개 정도 들어 있다
자신과 브랜드의 거리감	쓸쓸할 때 불쑥 나와 주는 구세주, 외로울 때 옆에 있어 주는 존재

그리고 〈도표 18〉 (4) 대상자 L은 '메이지 아몬드 초콜릿'에 대한 개괄적 개인의 기억을 다음과 같이 설명했다.

"우리 집은 증조할아버지 대부터 꽃집을 했어요. 가족이 다 같이 운영했기 때문에 부모님도 주말엔 쉬지 못했죠. 주말에 가게에 가면 할아버지, 할머니, 부모님, 그리고 종업원이 있었어요. 제가 조금 쓸쓸한 표정을 짓고 있으면 할아버지가 '메이지 아몬드 초콜릿'을 주셨어요. 가게 뒷공간에는 창고랑 주차장이랑 꽃이 가득 피어 있는 뒤뜰이 있었는데, 그 광장에서 자주 놀았어요. '향기' 하면 시클라멘 꽃향기가 생각나네요. 연말연시가 되면 제일 잘 팔리는 꽃인데, 겨울의 긴 연휴 동안 가게에 자주 있어서 한가득 핀 시클라멘꽃을 보고 있던 추억이 있어요. 그리고 가게가 큰길과 마주해 있어서 차가 자주 지나다녔어요. 지금은 가게를 다시 꾸며서 다른 장소에 있지만, 아직도 옛날 가게가 자주 생각나요." (대상자 L: 30대 여성)

이처럼 대상자 L은 자신이 외로웠을 때 할아버지에게 받았던 '메이지 아몬드 초콜릿'을 자전적 기억으로 들었다. 공간적 기억에는 뒤뜰에 있는 창고와 시클라멘이 등장한다. 시기는 꽃집이 가장 바쁠 때인 연말연시의 겨울철이다. 아름다운 정경을 상상할 수 있지만, 그와 정반대였던 마음 때문에 대상자 L이 유소년기에 겪은 외로움이 전해진다. 인상적이었던 점은 브랜드의 고유 특징으로 패키지에 관한 색깔뿐만 아니라 서랍식 박스 모양이나 속에 들어 있는 갈색 종이까지 언급했다는 점이다. 개괄적 개인의 기억으로 서랍 속 상자에서 초콜릿을 꺼내 먹을 때마다 그 상자처럼 생긴

부드러운 종이를 확실히 인식했다. 브랜드와의 거리감에 대해서도 '메이지 아몬드 초콜릿'은 외로운 시절에 나타났던 구세주라고 지칭함으로써 대상자에게 특별한 존재였다는 사실을 알 수 있다.

자기 도식으로서 추상화된 기억

마지막으로 여러 경험에서 자기 도식으로서 추상화된 자신에 관한 지식을 갖고 있는 것으로 보이는 사례를 소개하겠다. 먼저 89페이지 〈도표 19〉 (1)의 대상자 F의 사례다.

"'안 그래도 어제 약국에서 '이소딘'을 샀어요. 저는 감기에 걸리고 싶지 않아서 '이소딘'을 어릴 때부터 항상 집에 구비해 두거든요. 초등학생 때 감기에 걸리거나 컨디션이 망가지는 일이 많아서 손 씻기와 양치질을 꼭 하라고 어머니가 자주 말씀하시면서 사 놓으셨어요. 사실 '이소딘'은 따지자면 안 좋은 추억이에요. 아이가 먹기 힘든 맛이잖아요. 먹어도 감기에 걸릴 때가 있어서 그 당시에는 먹어 봤자 소용없다고 생각했는데, 지금은 그 맛에 익숙해졌다고 할까. '이소딘'으로 양치하면 마음이 안정돼서 개운한 느낌도 있어요. 그리고 "이소딘'을 사용한 후 뮤즈'로 손을 씻는 심플한 조합이 있어요. 처음에는 어머니에게 '빨리 씻어!'라며 혼이 나기도 했지만요. 감기에 걸리는 게 싫었던 이유도 있었어요. 감기에 걸리면 반 친구들은 건강하게 수업에 나가는데 저 혼자 집에서 자야 하는 게 정말 고독했어요. 쉬고 나서 다음 날 학교에 가면 애들 이야기를 못 쫓아가잖아요." (대상자 F: 30대 남성)

등장인물은 어머니이다. 감기에 걸려서 혼자 자고 있으면 소외감이나 고독감을 느꼈다는 정서적 기억이 있다. 그 당시 괴로운 추억과 함께 어머니와 아이의 대화도 등장한다. 지금은 안정감과 개운함이라는 긍정적인 감정으로 변화했고, 또 '이소딘'과 동시에 '뮤즈'라는 브랜드도 함께 떠오르면서 손 씻는 습관이 시간적·공간적인 기억으로 존재한다. 일상적인 일이라서 인상 정도는 낮지만, 자신과 브랜드의 거리감이 '위압감을 내뿜는 어머니'라는 연상은 독특한 표현이다.

| 〈도표 19〉 자기 도식으로서 추상화된 기억의 사례

(1) 대상자 F

구분	대상	연대	성별	제품 카테고리	분류	기업 브랜드	상품 브랜드	자신의 기억				
								첫 번째 개인적 기억	개괄적 개인의 기억	자전적 사실	자기 도식	모름
6	F	30	남	목약	의약품	먼디파마	이소딘				○	

이소딘에 대한 자전적 기억	
등장인물	어머니
감정 오감	감기 걸리는 게 싫었다, 고독을 느꼈다, 기분이 안정된다
공간	반드시 이소딘으로 양치질하고 뮤즈로 손 씻기
시간	초등학교 시절, 학교에서 집에 온 후
자전적 기억의 인상 정도(10단계)	4
현재의 구매 행동과 지각	
구매 경로	약국에서 구입, 많이 사서 습관화
고유의 특징	플라스틱병, 짙은 갈색에 맛없어 보임, 빨간 뚜껑, 양치용 투명 컵, 이소딘이라고 연하게 적혀 있음, 양치를 하는 엄마 하마와 아들 하마가 두 마리 있음.
지각 제품력	양치 약, 매일 생활하며 목에 붙은 세균을 의약품으로 내려 보낸다
자신과 브랜드의 거리감	존재감이 있고 위압감을 내뿜는 어머니

그리고 〈도표 19〉 (2)의 대상자 O의 이야기에서는 '무인양품 낙서장'의 압도적인 제품력이 돋보인다. 대상자 O에게는 연필이 쓱쓱 미끄러지는 느

낌이 가장 중요한 요소이다. 하지만 자전적 기억을 탐색하면 초등학교 선생님이 만드는 등사판 학급 신문으로 이어졌다. 부모님이 참관 수업에 오셨을 때 학급 신문에 실린 그림에 대해 칭찬을 받으면 기분이 좋았다고 하는데, 그런 기쁜 감정은 여러 번, 등사판으로 만든 학급 신문에서 얻은 자전적 기억이다. 브랜드와 자신의 관계성을 묻는 질문에는 "오래 같이 살아온 아내"라는 말이 쓰여 있는 걸로 보아 장기적인 관계가 형성되었다는 사실을 알 수 있다.

"'무인양품의 낙서장'은 자주 사요. 그 이유는 등사판인 때문인 것 같아요. 선생님이 정말 꼼꼼한 분이어서 쪽지 시험지를 제대로 만들었어요. 초등학교 6학년 때 학급 신문을 만들었는데, 캡틴 츠바사의 그림 선을 따서 선생님에게 주면 갱지에 인쇄해 주셨어요. 점프 방송국(캡틴 츠바사가 연재되던 점프 잡지의 한 코너 이름-역자) 같은 코너를 만들어서 친구들에게 엽서를 모집했죠. 거기에 아이들이 쓴 내용을 부모님들이 보시고, 아들이나 딸들이 어떤 생각을 하는지 잘 이해했다며 참관 수업 때 감사 인사를 받았어요. 정말 좋았죠. 지금 생각하면 인쇄물을 좋아했나 봐요. 손으로 글씨 쓰는 건 싫어하고 대량으로 인쇄된 걸 좋아했는데, 그 당시에는 그게 갱지라는 질감이라 더 그랬던 것 같아요." (대상자 O: 40대 남성)

인터뷰 조사에서 발견한 사항

인터뷰 결과, 자전적 기억이 브랜드의 장기 육성에 미치는 영향에 대한 결론으로 다음 4가지를 지적할 수 있다. 첫째, 자전적 기억에서 형태로 기억을 상상할 수 있는지의 여부가 브랜드의 장기 육성에 영향을 준다. 예를 들어 대상자 C는 '자가리코'에 대해 방과 후에 교실이나 교정에서 들려오는 친구들 목소리 등 자전적 기억을 시각뿐만 아니라 청각으로도 인식했다. 이처럼 오감을 통해 입체적이면서 공간적으로 기억을 상상했다.

둘째, 개인의 기억에서 한 번의 경험을 바탕으로 선명하게 기억나는 것보다 여러 번 유사한 경험을 바탕으로 개괄적인 개인의 기억을 해야 브랜드의 장기 육성에 영향을 준다. 대상자 A의 '슈프림'이나 대상자 N의 '아네스베' 사례처럼 한 번의 충격적인 기억보다는 대상자 A의 '츠바키'나 대상자 F의 '이소딘'처럼 여러 번 반복되는 개괄적인 개인의 기억이 브랜드의 장기 육성에 더 영향을 준다. 충격적인 기억은 열광적인 충성도가 발생하지만, 그 기억은 수명이 짧고 지속성이 약하다. 현시점에서는 '슈프림'도 '아네스베'도 대상자에게는 과거에 호감이 있었던 브랜드로 인식될 뿐이다.

셋째, 자전적 기억에 따른 브랜드의 장기 육성에서 '언제When'보다 '어디서Where', '누구와Who'가 더 중요하다. 요컨대, 브랜드의 등장인물과 공간적 기억의 중요성이다. 그것들이 강하게 상기되면 브랜드에 대한 애착도는 강해진다. '어디서Where', '누구와Who'의 요소는 자신과 브랜드의 관계성에 큰 영향을 미친다.

넷째로는 정서적 기억, 그러니까 좋은 감정도 나쁜 감정도 브랜드와의 강한 유대감을 만들어내고, 결과적으로 브랜드의 장기 육성에 영향을 준다. 예를 들어 대상자 L에게 '메이지 아몬드 초콜릿'은 외로운 마음을 잊게 해준 할아버지의 선물이었다. 하지만 현시점에서는 오랜 시간이 지나 그 자전적 기억에 대해 긍정적인 감정이 생겨났다. 할아버지가 돌아가시고 옛 가게가 없어지면서 부정적인 감정을 긍정하게 되었고, 거기에 주관적 진리성이 작용해 긍정적인 기억으로 변환되었다.

이번 인터뷰 조사에서 자전적 기억을 대상자에게 물었을 때, 대상자는 제품 브랜드뿐만 아니라 특정 인물, 장소, 풍경을 머릿속으로 상상하면서 얘기했다. 대상자의 머릿속에서 시공을 뛰어넘어 그 기억 속 장면과 오감을 되살리는 듯한 인상을 받았다. '언제'라는 시간적 개념이 아니라 '어디서, 누구와, 어떤 마음으로'로 이어지는 정서적 기억이나 공간적 기억으로 브랜드와 자신의 관계에 대해 이야기했다.

이상으로 소비자 대상의 인터뷰 조사 결과, 자전적 기억에서 ① 장소, 인물, 시간에 따른 공간적 기억, ② 오감이나 정서에 따른 정서적 기어, ③ 여러 번 반복되는 개괄적 기억이라는 3개의 과거 기억이 그 브랜드와 자신의 관계를 더 견고하게 만든다는 사실을 알 수 있었다. 그러니까 과거의 기억 형성인 브랜드의 자전적 기억으로 '원풍경'을 구성하고, 브랜드 인지나 브랜드 이미지로 브랜드 에쿼티가 형성되며, 결국에는 브랜드의 장기 육성에 크게 공헌한다. 이러한 발견 사항을 바탕으로 다음 5장에서는 이 책의 모델을 작성하려고 한다.

5장 자전적 기억으로 보는 브랜드의 장기 육성 모델

자전적 기억에 따른 브랜드의 장기 육성

앞 장의 인터뷰 조사에 기인한 발견 사항과 브랜드 연구나 기억 연구의 선행 연구 리뷰에서 소비자의 자전적 기억과 브랜드의 장기 육성의 관계성을 정리한 개념 모델이 〈도표 20〉(95페이지)이다. 브랜드에서 자전적 기억은 아래 3가지 기억으로 구성되는 것으로 보인다.

① 장소, 인물, 시간에 따른 공간적 기억
② 오감이나 정서에 따른 정서적 기억
③ 여러 번 반복되는 개괄적 기억

그리고 이 개념 모델에서 다음의 4가지 결론을 이끌어냈다.

a. 브랜드의 자전적 기억은 공간적 기억, 정서적 기억, 개괄적 기억으로 구성된다.
b. 자전적 기억의 각 요소는 현재 지각된 상품력과 서비스력에 영향을 준다.
c. 현재의 브랜드 정체성과 휴먼 스케일은 지각된 상품력과 서비스력에 영향을 준다.
d. 지각된 상품력과 서비스력, 브랜드 정체성, 휴먼 스케일은 브랜드 인지와 브랜드 이미지를 매개로 하여 브랜드 에쿼티에 영향을 준다.

이 개념 모델은 기억의 형성, 기억의 유지와 변화, 브랜드 재생과 재인, 브랜드의 장기 육성이라는 3가지 단계로 구성된다. 먼저 기억의 형성이라는 과거 단계에서 브랜드의 자전적 기억에는 공간적, 정서적, 개괄적 기억이 있다. 자전적 기억은 강렬한 한 번의 개인적인 기억보다 개괄적 기억인 경우가 많은데, 거기서 재생되는 것은 주로 감정적인 반응 요소다.

〈도표 20〉 소비자의 자전적 기억과 브랜드 장기 육성의 관계성을 정리한 개념 모델

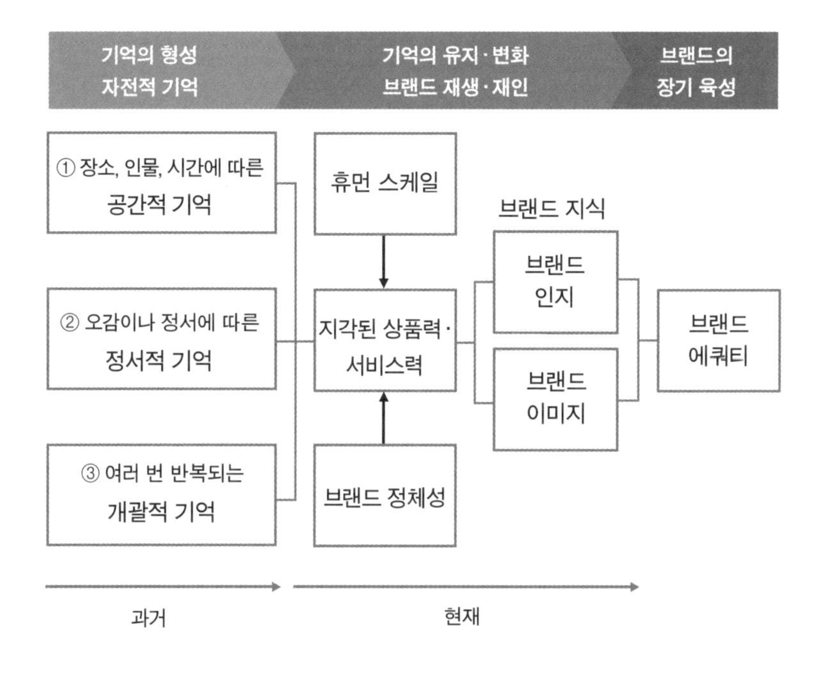

다음으로 기억의 유지·변화 및 브랜드 재생·재인이라는 현재 단계에서는 브랜드 정체성, 휴먼 스케일, 지각된 상품력·서비스력이 브랜드 지식인 브랜드 인지와 브랜드 이미지를 매개한다. 그리고 브랜드 에쿼티에 영향을 준다. 이 책에서는 1장에서 브랜드의 '휴먼 스케일'이란 '인간적 행동에 따른 접점이나 활동을 통해 진의가 전달되고 심리적 거리가 좁혀지는 요소'라고 정의했다. 그 휴먼 스케일이 지각된 상품력·서비스력과 함께 브랜드 지식에 영향을 준다.

그리고 브랜드를 장기 육성하기 위해서는 현재 지각된 상품력·서비스력에 자전적 기억이 영향을 주고, 브랜드 인지나 브랜드 이미지를 형성하

여 브랜드 에쿼티가 생기는 것이 중요하다고 생각한다.

다시 말하지만, 앞 장의 조사에서도 밝힌 것처럼 브랜드의 장기 기억에는 반드시 충격적인 개인적 기억이 필요한 것은 아니다. 자전적 기억은 공간적이며, 정서적이고, 개괄적인 개인적 기억일 때 심리적 거리가 좁혀지고 그 브랜드가 자신에게 가장 가까운 존재가 된다. 브랜드의 장기 기억을 유지하려면 기억을 떠올린다는 능동적 형태보다 프루스트 현상에 있었던 마들렌의 향이나 미각처럼 기억이 자연스레 떠오르는 수동적 형태에 주목할 필요가 있다.

이처럼 자전적 기억의 형성과 브랜드 재생·재인을 통해 브랜드 에쿼티에 대해 실전적인 접근을 생각할 수 있다. 현실적인 것뿐만 아니라 디지털 커뮤니케이션에서의 효율적인 커뮤니케이션 계획을 작성할 때도 그것들이 시사하는 것은 유효할 것이다.

다음 6장부터는 새로운 자전적 기억을 형성하는 9가지 사례를 구체적으로 소개한다. 브랜드의 장기 육성에 따라 브랜드 에쿼티를 획득하기 위해 새로운 장기적 시야에 서서 3가지 자전적 기억을 형성하려는 사례다. 브랜드는 기억에서 생겨난다. 브랜딩은 즉효성을 요구하는 것이 아니라 지효적인 활동이어야 한다. 그리고 앞으로 소개할 9가지 사례는 자전적 기억의 양성뿐만 아니라, 동시에 브랜드 정체성과 휴먼 스케일, 지각된 상품력·서비스력도 포함해 거시적인 시야에서 브랜드 인지와 재생을 시험해 본다.

6장 새롭게 원풍경으로 만드는 브랜딩 사례

장소, 인물, 시간에 따른 공간적 기억

여기부터는 새로운 원풍경을 만드는 것을 목표로 하는 브랜딩 사례로서 9개의 기업을 소개하려고 한다. 먼저 새로운 기억을 형성하기 위해 주로 ① 장소, 인물, 시간에 따른 공간적 기억의 창조에 도전하는 3가지 사례다. 소니 기업 '긴자 소니 파크Ginza Sony Park', 다네야 '라 콜리나 오미하치만ラ コリーナ 近江八幡', 와코루 '교노 온도코로京の温 おんどころ所'에 대해 인터뷰와 해설이라는 두 가지 구성으로 나눠 소개한다. (인터뷰 내용, 인물의 직함 등은 〈닛케이 크로스 트렌드〉 2018년 11월~2020년 10월 당시 기준이다.)

| 〈도표 21〉 장소, 인물, 시간에 따른 공간적 기억

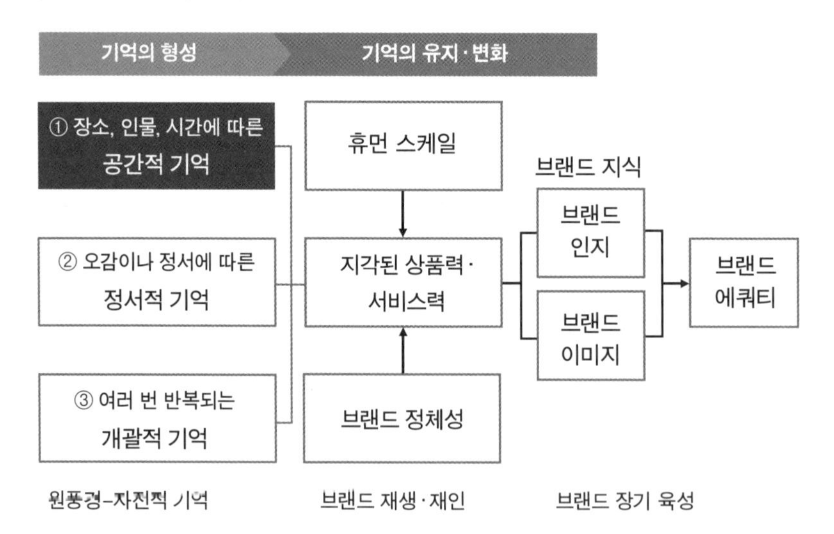

소니 기업 '긴자 소니 파크' **인터뷰**

긴자 소니 파크도 소니의 상품이다

ⓒ 마루모 도루

나가노 다이스케(永野大輔)

소니 대표이사, 회장, 신규사업개발총책임자(CBO)

1992년에 소니에 입사 후 영업, 마케팅, 경영 전략을 거쳐 CEO(최고경영책임자)실에 있었고, 2017년부터 현재 직책에 이른다. '긴자 소니 파크 프로젝트'의 리더로서 2013년부터 프로젝트를 추진했고, 2018년 8월 9일에 '긴자 소니 파크'를 오픈했다.

호소야: 도쿄 긴자의 일등지에 있었던 소니 빌딩이 2018년 8월에 '긴자 소니 파크'(이하, 소니 파크)로 리뉴얼한 지 약 1년이 지났습니다. 약 707평방미터의 평평한 지상부와 뻥 뚫린 공간을 포함한 4층짜리 지하 부분으로 구성된 획기적인 디자인의 공원은 소니에게도 도전적인 시도였다

고 생각합니다. 2020년 6월에는 당초 2022년으로 계획했던 신 소니 빌딩 준공 시기를 2025년으로 연기한다고 발표했습니다. 왜 공원을 만들었는지, 그 계기부터 알려 주세요.

나가노: 프로젝트는 2013년에 시작했습니다. 원래는 공원을 조성하려는 계획이 아니라 소니 빌딩을 다시 세우자는 프로젝트로 출발했지요. 저는 당시에 소니 사장 바로 밑에서 일하는 직원으로서 프로젝트에 참가했고, 어떤 빌딩을 만들지 멤버들과 이야기했습니다. 다음 소니 빌딩은 몇 층으로 지을지, 어떤 세입자를 들여야 할지 등 의견을 나눴지요.
하지만 비슷한 빌딩이 많아서 평범한 빌딩은 지루하다는 의견이 나왔어요. 그렇다면 다른 곳에 있는 빌딩과 비슷하게 만들기보다는 소니다운 것이 뭘까, 소니의 출발점으로 돌아가서 생각하게 됐어요. 그때 남들이 하지 않는 것을 하는 것이 소니의 기업문화라는 근본이 떠올랐죠. 도쿄 여기저기서 재건축으로 난리인 상황에서 우리는 오히려 재건축을 하지 않는 게 낫지 않을까 하는 생각이 들었어요.

호소야: 소니의 근원은 남들과 다른 것을 하는 것에 있다는 거군요.

나가노: 맞습니다. 빌딩을 세울 수 없다면 이곳을 무엇으로 만들어야 할지에 논점을 두고 진행했어요. 그때 어디서 힌트를 얻었냐면, 50년 전인 1966년에 소니 빌딩을 세웠을 때의 마음이었죠. 소니 창업자 중 한 사람인 모리타 아키오나 소니 빌딩을 설계한 건축가 아시하라 요시노부 씨는 당시에 어떤 마음으로 소니 빌딩을 세웠을까. 모리타는 소니 빌딩의 한구석을 '긴자의 정원'이라고 불렀어요. 소니라는 사기업이면서 긴자의 노른자 땅을 공용 공간으로 만들자고 생각했죠. 대단하다는 생각이 들었어요.
빌딩을 세울 수 없다면 공원으로 만들어 볼까? 근처에는 쉴 수 있는 장소가 적고, 50년 동안이나 신세를 진 긴자에 은혜도 갚을 수 있었죠. 거기서부터 공원을 만들려면 어떻게 해야 하는지 점점 심도 있게 논의했어요.

빌딩 숲이 주변을 둘러싼 도쿄 긴자의 한가운데에 '긴자 소니 파크'가 있다.
© 긴자 소니 파크 프로젝트

평일에도 많은 사람이 모인다. 2019년 8월 15일에는 약 1년간의 누적 방문자가 400만 명을 넘었다.

젊은이들뿐만 아니라 고령자나 외국인의 모습도 눈에 띈다.

호소야: 하지만 공원으로 만들면 그때까지 상징적이었던 아이콘으로서의 위치도 그렇고 소니 빌딩에서 판매를 못 하게 되니 매상이 떨어지게 되잖아요. 그런 이야기는 안 나왔나요?

나가노: 물론 나왔죠. 제가 사장으로 있던 소니 기업 입장에서는 당연히 세입자의 월세 수입 등도 줄어드니까요. 긴자의 노른자 땅을 열린 공간으로 만드는 건 세상에는 좋은 일일지 몰라도 회사로서는 아니잖아요. 하지만 남들이 하지 않는 일을 하자는 원점으로 돌아가서 이곳을 공원으로 만들면 화제성이나 자극성의 가치가 크다고 판단했어요. 건물을 세우지 않으면 브랜드 가치가 올라갈 것으로 본 거죠.
그 결과, 오픈하자마자 많은 미디어에서 다뤄주었고 손님들도 많이 왔어요. 숫자로 따지면 2019년 8월 15일까지 약 1년 동안 방문자 수가 400만 명이나 돼요. 평균적으로 하루에 만 명가량이 다녀간 거죠. 물론 주말에는 사람이 더 많은데, 긴자에 놀러 오는 사람들이 가볍게 들르기도 하고 주목받는 시설이 됐어요. 400만 명과 소니가 접촉했다는 사실이 대단하죠. 저는 소니 파크 자체를 상품이나 서비스로 보고 있어요. '워크맨', '플레이스테이션', '아이보'와 마찬가지로 소니 파크를 통해 400만 명이 소니를 즐긴 셈이죠.
빌딩이나 장소로 말하자면 건물이 아니라 그 안에 들어 있는 것에 초점이 맞춰지기 십상인데, 전에 있던 소니 빌딩도 쇼룸에 있는 소니 상품이 고객과 만나는 점이 포인트였어요. 하지만 소니 파크는 쇼룸이 아니에요. 공원이라는 인식을 높이기 위해 최근 1년 동안은 일부러 소니 제품을 테마로 한 활동을 실시하지 않았어요. 그래도 소니 파크의 이미지에 대해 손님들에게 설문 조사를 했더니, '장난기가 있다', '다른 곳에서는 본 적 없는 시설', '소니답다'라는 결과를 받았어요. 소니 제품이 없어도 소니 브랜드의 핵심인 장난기나 남들이 하지 않는 것을 하는 등 소니다움을 표현하고 있죠.

호소야: '장난기가 있다', '소니답다'라는 설문 조사 결과는 오픈 당시부터 그랬나요? 아니면 어떤 계기로 그런 대답이 늘어난 건가요?

지하에도 자동문 같은 것은 없다. 공원을 만들어도 소니다움이 있다
© 긴자 소니 파크 프로젝트

나가노: 2018년 8월에 오픈한 후로 거의 똑같아요. 빌딩을 세우지 않고 공원으로 만들었다는 것 자체가 이미 소니답다는 거고, 지하도 소니답게 보여주는 거잖아요. 일반 빌딩은 밖에서 들어오는 곳에 풍제실(바람을 막아주는 시설)이나 자동문이 있는데, 소니 파크에는 그런 것들이 아예 없어요. 지하철 홀에서 들어와도 문이 없어요. 벽이 전혀 없지요. 지하이지만 공원이기 때문에 문이나 벽을 다 없앴어요. 그래서 굉장히 장난스럽게 보이나 봐요.

설계 단계에서는 풍제실이나 자동문이 있었는데, 철저하게 공원으로 만들자고 제안했어요. 공원에는 풍제실이나 자동문이 없잖아요. '비바람이 들이쳐요', '추운 날에는 차가운 공기가 들어와요.'라는 말을 들었는데, 공원이니까 당연하죠. 그런 이도저도 아닌 상태가 고객에게 평가를 받았나 봐요. 그 부분을 타협해서 조금이라도 상업 시설의 느낌이 났다면 공원으로는 보이지 않았을 거예요. 브랜딩 관점으로 말하자면 소니가 어떤 생각을 하고 있는지는 느껴지지 않아요. 브랜딩 면에서 생각하면 바람직하지 못한 점이니까, 비록 위험이 따르더라도 발을 내디딘 건 잘한 것 같아요.

'사람과 거리 사이의 인터페이스'로

호소야: 소니 파크를 생각했을 때, 긴자라는 거리가 가진 맥락을 신경쓰지는 않으셨나요?

나가노: 설문 조사로 고객에게 소니 파크에 오는 이유를 물었더니, 1위가 휴식이었어요. 소니파크는 그야말로 공원이고 거리의 일부죠. 사기업 땅이지만 공공장소이기도 해요. 긴자는 무료로 쉴 수 있는 장소가 거의 없어서 모처럼 쇼핑을 왔다가도 그냥 가는 분들도 있을 거예요. 그런데 일단 소니 파크에서 쉬고 쇼핑을 다시 한다든가, 긴자에 새로운 리듬을 만드는 데 조금은 공헌한 것 같아요. 소니 파크는 긴자라는 장소가 아니었다면 성립하지 않을 거예요.
하지만 우리는 단순히 깨끗한 공원을 만드는 것에서 그치진 않아요. 사람과 거리 사이의 인터페이스로서 공원을 인식하고 있어요. 소니 파크도 상품이라고 말했는데, 고객과 접촉하는 수단으로 공원이라는 인터페이스를 선택한 거죠. 그게 긴자에 있으니까 긴자라는 장소와는 떼어낼 수가 없네요.

호소야: 사람과 거리를 이어주고, 그 사이에 자연스레 소니가 들어가 있는 모습은 계획 초반부터 명확히 그렸던 건가요? 고객들이 꼭 쉬러 올 거라는 보장이 없고, 긴자에 여백을 만드는 건 조금 무서운 도전이잖아요.

나가노: 초반에는 벌벌 떨었죠. 소니 제품이 없는데 누가 와 줄까 했어요. 정말 두려웠죠. 그런데 점점 쉬러 오는 손님들이 늘어났어요. 휴식 하는 사람도 있고, 차를 마시는 사람도 있고, 맥주를 마시는 사람도 있고, 다들 자유롭게 시간을 보내더라고요. 매주 금요일에는 지하 4층에서 'Park Live'라는 무료 라이브 이벤트를 여는데, 거기에도 사람이 모여

거대하게 뚫린 지하 공간에서 행사를 개최할 때도 있다.
ⓒ 긴자 소니 파크 프로젝트

요. 지나가다 들른 분이 자연스레 음악을 듣는 등 우발적인 만남도 많이 생겼죠. 이런 광경을 보고 이게 우리가 만들고 싶었던 모습이었다는 사실을 시간이 흐르면서 점점 실감하게 됐어요. 공원을 열기 전에 이상적으로 그렸던 부분이 몇 달 지나서 실현되었고, 공원다운 모습을 갖추게 됐어요.

이게 과연 공원인가 하는 의견도 있다는 건 알고 있어요. 쉽게 말하면 도시 공원법을 준수한 공원과는 다르다는 지적도 있었죠. 하지만 우리는 깨끗한 공원을 만들고 싶은 게 아니라 인터페이스로서의 공원, 즉 도시 속의 공원을 다시 정의 내리려고 하는 거예요.

호소야: 도시 공원법을 준수한 공원이요? 일반 사람들은 공원법 같은 건 전혀

방문객은 소니 파크에서 각자 자유롭게 자기만의 시간을 보낸다
© 긴자 소니 파크 프로젝트

의식하지 않죠. 사람에 따라 공원은 기분이나 감정에 크게 관여할 거예요. 공원을 선택하는 일은 브랜드에 대한 애착과 비슷하게 느껴져요.

나가노: 맞아요. 우리는 자연이 있는 장소를 공원이라고 하는 게 아니라, 여백이 있으니까 공원이라는 말을 쓴 거예요. 공원에는 낮잠을 자는 사람도 있고, 휴식을 취하는 사람도 있죠. 도시락을 먹는 사람, 산책하는 사람, 조깅하는 사람, 공놀이 하는 사람도 있는 등 활용 방법은 가지각색이에요. 뭐든 자유롭게 할 수 있다는 건 무언가를 결정하는 게 아니라 여백이 있기 때문이죠.

소니 파크를 만들었을 때 중시했던 점도 여백이었어요. 여백에서 출발해 디자인을 한 거죠. 일단 여백을 만들고 빈 공간에 가게가 들어가요. 여백에서 사람들은 누워서 편하게 쉬기도 하고 활동을 하기도 해요. 여백이 있으면 계속 변화할 수 있고, 계속 변화하지 않으면 늘 와주시는 고객들을 즐겁게 할 수 없어요.

호소야: 하지만 여백이 주어졌을 때, 서양인과 달리 일본인은 제대로 여백을 쓰지 못하는 사람이 아직 많은 것 같아요. 공원을 찾은 사람에게 갑자기 뭘 해도 좋다며 여백이 주어지면 새로운 활용 방법을 시험하게 되죠.

나가노: 확실히 이게 공원인가 하는 의견도 있었고, 여기에 정말 앉아도 되는지 걱정하는 분들도 계셨어요. 사실 당혹감을 감추지 못한 분들도 있었어요. 반면에 마음에 든다며 긴자에 올 때마다 들르는 분도 계세요. 새로운 일을 하면 늘 논쟁이 생기기 마련이니까, 쌍방의 의견이 있어도 괜찮죠.

하지만 최근에는 문고판을 읽으면서 앉아 있거나, 커피를 마시거나, 자신의 공간을 만드는 사람이 늘어났어요. 공원이라고 하면 얼핏 긴자 속의 공적인 공간인 것 같은데, 그 사람 입장에서는 사적인 공간인 거죠. '긴자에 오면 여기에 앉아야지' 하고 마음먹었다면, 그건 사적인 공간이 돼요. 그걸 알아차린 사람들이 부쩍 오게 됐죠. 피곤해서 앉아 있다기보다 자신의 사적인 공간으로 적극적으로 활용하고 있어요. 처음부터 공공의 장소를 만드는 게 아니라 다양한 사람이 얽히면서 공공의 장소가 되어 가는 거죠. 소니 파크는 긴자 거리에 새로운 사회관계를 만들어내기 위한 장소라고 바꿔 말해도 좋을 것 같아요.

상징적인 광경이 있었어요. 지하의 한쪽 구석에 테이블과 의자가 있는데, 평일 저녁에 가면 초등학생이 노트를 펼치고 숙제를 하고 있어요. 가방을 옆에 놓고 혼자서 뭘 하는지, 괜찮은지 걱정이 돼서 주시하고 있었어요. 잠시 보고 있었더니 어머니가 데리러 오셔서는 둘이 한참을 수다도 떨고 차도 마시고 하다가 같이 집에 가더라고요. 여기는 돈이 들지도 않고 직원도 있으니까 안전하다면서 어머니 일이 끝날 때까지 기다리는 장소로 썼던 거예요. 이건 생각지도 못한 활용법이었어요. 그야말로 공적인 공간이면서 공원답죠. 각양각색의 사람들이 모여 있어서 재미있어요.

'마이 퍼스트 소니'가 소니 파크로

호소야: 다음에 소니 빌딩을 신축할 때도 그런 새로운 긴자의 여백을 만들고 싶으세요?

나가노: 저는 공원이라는 콘셉트를 다음 소니 빌딩에도 도입하려고 해요. 지금은 공적인 부분과 사적인 부분의 균형을 어떻게 맞춰야 하는지 실험하고 있어요. 하지만 사람과 거리 사이의 인터페이스가 된다는 점은 바꾸고 싶지 않아요.

호소야: 아까 숙제하면서 어머니를 기다리고 있던 초등학생에게 소니 파크에서 겪은 원체험이 소니 브랜드에 대한 충성도가 되는 데 앞으로 어떤 영향을 줄지를 상상하고 싶어져요.

나가노: 어떻게 될까요? 소니 제품을 갖고 있지 않아도 몇 년 후에 되돌아보면 어린 시절에 소니 파크에서 공부하고 어머니를 기다렸던 경험이 소니에 대한 충성도로 연결될 거라고 생각해요.
브랜딩과 세일즈 마케팅은 조금 다른 세계예요. 그건 시간축의 차이일지도 몰라요. 소니 파크에 와서 즐거웠다고 해서 바로 플레이스테이션을 사지는 않죠. 하지만 몇 년 후에 쓰던 물건을 새로 바꾸려고 어느 메이커의 상품을 고를지 고민할 때, 예전 추억이 외현 기억으로 남아 소니를 선택해 준다면 기쁠 것 같아요. 브랜딩이란 그런 게 아닐까요? 그 초등학생도 그렇게 되면 좋겠죠. 그 초등학생에게는 아마 소니와의 첫 만남, 그러니까 '마이 퍼스트 소니'가 소니 파크인 셈이죠.

호소야: 공원이란 소니의 사업 분야인 전자제품, 엔터테인먼트, 금융과도 확연히 다르죠.

나가노: 소니라는 회사와 접점이 될 존재라면 마이 퍼스트 소니가 소니 파크여도 좋다고 생각해요. 여기서 좋은 경험을 했으니 다음에는 소니 제품이나 서비스를 사 볼까 생각할 수 있는 장소로 만들고 싶어요.
소니는 지금까지 다양한 사업을 해 왔어요. 전자제품뿐만 아니라 음

악, 영화, 생명보험, 은행 등 카테고리를 막론하고 그걸 가볍게 뛰어넘었어요. 그러니까 같은 층에 장소가 있어도 좋아요. 소니는 전자제품에서밖에 브랜딩을 하지 않거나 못하는 게 아니라, 공간에서도 브랜딩을 할 수 있다, 그건 굉장한 가치가 있어요. 소니라는 브랜드가 두터워질 수 있지 않을까 생각해요.

저는 브랜딩에는 3가지 층이 있다고 생각해요. 가장 핵심인 층이 '왜 소니가 존재하는가' 하는 근원적인 부분인데, 소위 말하는 'why'죠. 그다음이 '무엇을 갖고 존재 의식을 고객에게 전하는가' 하는 'what'이고, 가장 바깥쪽이 '어떻게 전하는가' 하는 'how'예요.

특히 소니의 why가 무엇인지 물어본다면, 남들이 하지 않는 일을 하는 것이라고 답할 거예요. 그게 압도적인 강점이라고 생각해요. what과 how는 사업에 따라 달라요. what이 전자제품이라면 how는 기술이기도 하고 디자인의 힘이기도 해요. what이 엔터테인먼트나 금융이 되면 how는 달라져요. 그래서 저는 what을 장소로 했어요. 남들이 하지 않는다는 why는 같지만, what이 장소이고 how는 공원이라는 인터페이스예요. why, what, how의 종합적인 경험이 곧 브랜드 경험이니까요.

소니의 경우, why가 변하지 않으니까 브랜드 경험은 비교적 만들기 쉬워요. 하지만 what과 how가 거기에 맞지 않는다면 성립하지 않아요. 타사와 차별화를 둘 수 없으니까요. 이 구조로 생각하면, 소니에서 공원을 만든다는 것이 브랜드 관점에서도 공헌할 수 있다고 판단했어요. 이 구조 얘기는 외부에 말한 적이 없지만, 저는 그렇게 생각하고 도전해 왔어요.

호소야: 정말 흥미로운 이야기 잘 들었습니다. 오늘 정말 감사합니다.

긴자에 태어난, 사람과 거리의 자기 형성 공간

빌딩 숲으로 둘러싸인 도쿄 긴자의 '긴자 소니 파크'에서는 사람들이 자유롭게 시간을 보낸다. 얼핏 보면 평범한 '공원'처럼 보이지만, 소니다운 면모가 곳곳에 배어 있다.

'긴자의 정원'에서 '긴자의 파크'로

소니의 나가노 다이스케 회장과 인터뷰를 한 후에 나는 이 책의 첫머리에서도 소개했던, 1972년에 출판된 오쿠노 다케오의 《문학의 원풍경: 들판과 동굴의 환상》이 떠올랐다. 그리고 미국의 건축가이자 도시 계획가인 케빈 린치 등이 쓴 〈도시에 관한 어린 시절의 기억〉이라는 논문에서 도시의 실존적인 환경이 아이들의 심상에 어떻게 남는지를 조사한 결과, 포장도로, 토담, 수목 등이 오랫동안 기억에 남아 있다는 사실을 알아냈다. 오쿠노 씨가 '원풍경'이란 무엇인지 설명했듯이, 소니 파크에서도 인간의 창조력을 자극하는 '들판'과 '구석'처럼 자기 형성 공간이 생겨나는 것 아닐까 싶어 나가노 씨에게 이야기를 듣게 되었다.

나가노 씨는 평범한 빌딩은 지루하니까 소니다운 빌딩을 만들려면 남이 하지 않는 일을 해야 한다고 생각했다. 그리고 약 50년 전인 1966년에 소니 빌딩을 준공했을 당시의 마음가짐에서 힌트를 발견했다. 그야말로 긴자의 원풍경이란 무엇인지 찾는 여정에 나선 것이다.

1966년, 소니 빌딩을 설계한 건축가 아시하라 요시노부 씨와 소니 창업자 중 한 사람인 모리타 아키오 씨는 긴자의 노른자 땅임에도 빌딩의 교차로와 마주한 33평방미터의 모퉁이 땅을 비워 정원을 만들려고 했다. 이 모퉁이가 바로 '긴자의 정원'이라는 콘셉트가 생겨난 장소였다. 그리고 나가노 씨가 생각한 소니 파크는 당시에 '긴자의 정원'이었던 것을 '긴자 파크'로 진화시켰다.

예전의 소니 빌딩은 도쿄 긴자를 상징하는 랜드마크 중 하나였다
© 긴자 소니 파크 프로젝트

소니 빌딩 앞에 있는 교차로는 항상 많은 사람들이 오간다. 그야말로 도시 한복판에 있었다
© 긴자 소니 파크 프로젝트

© 긴자 소니 파크 프로젝트

소니 빌딩 앞에 있던 광장은 공공 공간으로 각종 이벤트를 열고 있었다
© 긴자 소니 파크 프로젝트

소니가 '공원 조성'을 구현할 수 있었던 이유

'들'과 '모퉁이'의 기억이나 경험이 만들어지도록 열린 공간에서 빌딩 본래의 모습을 생각해 본다는 접근법은 아시하라 씨의 철학으로도 이어진다. 아시하라 씨는 《거리의 미학》이라는 책에서 "외부 공간의 구성이란 거대한 도시 공간을 휴먼 스케일까지 끌어내리기 위해 '큰 공간'을 '작은 공간'으로 분할하거나 환원해서 더 인간적으로 만들거나 알차게 만드는 기술을 말한다"라고 설명했다.

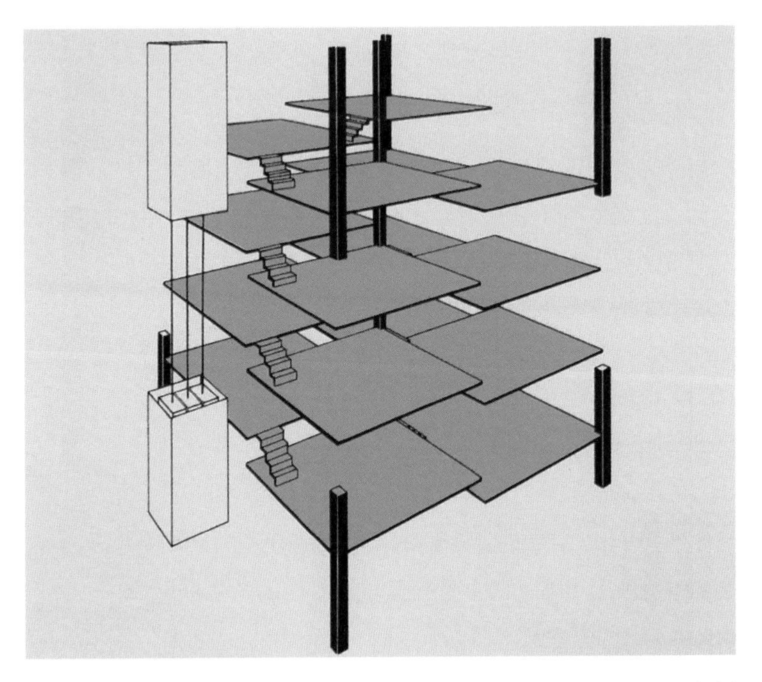

소니 빌딩의 구조도. 쇼룸이나 상업 시설 등 복합 빌딩의 기능을 한층 더 높이는 구조로 건축가 아시하라 요시노부 씨가 만들어낸 '꽃잎 구조'. 각 층의 높이를 엇갈리게 함으로써 1~7층을 하나의 연속된 공간처럼 만들어 '세로 긴부라'를 표현했다
© 긴자 소니 파크 프로젝트

옛 소니 빌딩은 마치 가로로 된 긴자를 세로로 길게 만들어 위에서 아래까지 몇 층이라는 구분 없이 세로형 산책로(프롬나드)처럼 한 번 체험하면 잊을 수 없는 공간이었다. 아시야 씨는 이렇게 인간을 위한 거리를 만듦으로써 도시에 기억에 남는 공간이 더 많이 생겨야 한다고 말했다.

거리 전체로 보면, 공간으로서 공원은 중요한 역할을 한다. 하지만 사업으로 보면 긴자의 노른자 땅에 공원이라는 콘셉트는 현실적으로 생각하기가 어렵다. 빌딩 세입자에게 받는 월세 수입이 크게 줄어드는 건 명백하기 때문이다. 물론 사회에 영향을 주고 화제성은 있을지 모르겠지만, 사업으로 얻을 수익을 생각하면 어떤 회사든 사내에서 이해를 얻기란 상당히 힘들 것이다. 물론 소니도 수익성과 브랜드 가치를 저울에 달아보고 열띤 토론을 벌였을 모습이 눈에 선하다.

하지만 소니의 경우, 최종적으로는 기존의 평가축을 뛰어넘어 수뇌부가 스스로 판단해서 브랜드 가치 창조 쪽으로 노선을 변경할 수 있었다. 이 현명한 결단이 지금의 일본 기업 브랜드 전략에 가장 부족한 부분이며 소니는 그 판단이 가능했던 것이다.

남들이 하지 않는 것을 하는 소니, 키워드는 'What if…'

인터뷰를 마치고 나가노 씨에게 직접 메일을 받았다. 메일에는 다음과 같은 내용이 쓰여 있었다. "어쩌면 긴자 소니 파크는 제품이나 서비스라는 맥락뿐만 아니라, 남이 하지 않는 일을 한다는 소니의 정체성으로 이어지는 키워드로서 'What if…'라는 마인드가 있는 것 아닐까 해요."

"'What if…'란 '만약 소니가 ○○를 만들면 어떨까' 하고 생각하는 겁니다. 만약 소니가 음악 플레이어를 만든다면 워크맨, 만약 소니가 게임기를 만든다면 플레이스테이션, 만약 소니가 로봇을 만든다면 아이보, 그리고 만약 소니가 공원을 만든다면 소니 파크라는 맥락인 거죠."라고 나가노 씨는 말했다.

정말이지 단순한 이야기다. 왜 소니가 긴자에 공원을 만들 수 있었는지 깊게 이해할 수 있다. 'What if…'라는 관점은 나가노 씨가 소니 파크를 이야기할 때 언어화하는 것인데, 이 생각의 핵심에는 소니가 오랜 세월 일구어 온 혁신이란 무엇인가를 바라보는 것에 그 해답이 있고, 그야말로 고객이 계속 기대하고 있는 소니다움의 원천이기도 하다.

제조를 강점으로 하는 대부분의 일본 기업들은 신규 사업이나 이노베이션 쪽에서 지금까지 없었던 것을 새롭게 만들어야 한다는 고정관념에 사로잡힌다. 나가노 씨가 말한 'What if…'라는 맥락으로 '만약 △△가 ○○를 만든다면'이라고 단순하게 생각하는 편이 우리의 창조성이나 실행력을 일깨워줄지도 모른다.

거리의 맥락을 내포했을 때 생겨나는 새로운 인연

나가노씨는 다음과 같이 말했다. "소니 제품을 갖고 있지 않더라도 몇 년 후에 되돌아봤을 때, 어린 시절에 소니 파크를 경험하고 소중한 사람을 기다리던 경험이 소니에 대한 충성도로 연결될 거라고 생각합니다."

통상적으로 기업이 공간을 조성하려고 하면 고객과 제품의 접점을 중시한 나머지, 제품을 직접 경험할 수 있는 쇼룸 같은 것에 치우치기 쉽다. 결과적으로 직접 구매까지 이어지도록 고객 경험을 촉진하는 공간을 만들고 싶기 때문이다.

하지만 소니 파크는 그런 종류와는 완전히 다르다. 소니 제품을 판매하려는 시도는 전혀 하지 않는다. 오히려 소니 파크가 인생에서 최초로 만나는 '마이 퍼스트 소니'가 되길 바란다는 점에서 지금까지의 메이커 발상과는 다르다.

고객과 고객이 연결되면서 기업이 그 사이에 개입하기 지극히 어려운 시대로 진입했다. 디지털화가 진행될수록 생생한 브랜드 경험은 어려워진다. 그렇다고 고객과의 끈끈한 유대감을 추구한 나머지, 기업 측이 적극적으로 경험을 강요하려고 하면 관계성을 구축하기도 전에 고객은 달아나고 만다.

메이커 기점의 능동적인 입장을 취하는 것이 아니라, '긴자 파크'로서 사람과 소니와 긴자의 여러 관계성을 깊이 있게 연결하는 소셜 인터페이스를 목표로 하는 것 자체가 이제 새로운 브랜드 방법론 중 하나가 되지 않을까? 여기서 중요한 것은 긴자라는 원풍경에 대해 소니라는 맥락을 이용해서 브랜드 전략에 활용했다는 점이다. 게다가 소니는 이미 1966년부터 모리타 아키오 씨와 아시하라 요시노부 씨가 옛 소니 빌딩에 긴자라는 거리의 맥락을 내포했었다는 점이 대단하다.

공원이나 광장처럼 공공성과 자유도가 있는 공간에서 사람은 주어진 방법이 아니라 그 공간의 여백을 스스로 느끼고 생각하면서 자신만의 이용 방법을 찾아낸다. 그리고 그 공간은 어느새 도시 안에서 사람과 사람이 연결되는 '들'과 같은 유일무이한 장소로 성장한다.

사람과 소니와 긴자. 이 3가지의 관계성을 밀접하게 만듦으로써 브랜드에 대한 애착으로 이어지는 사람들을 위한 인터페이스가 되고, 앞으로의 소니 파크도 미래를 향해 진화해 나갈 것으로 예상된다.

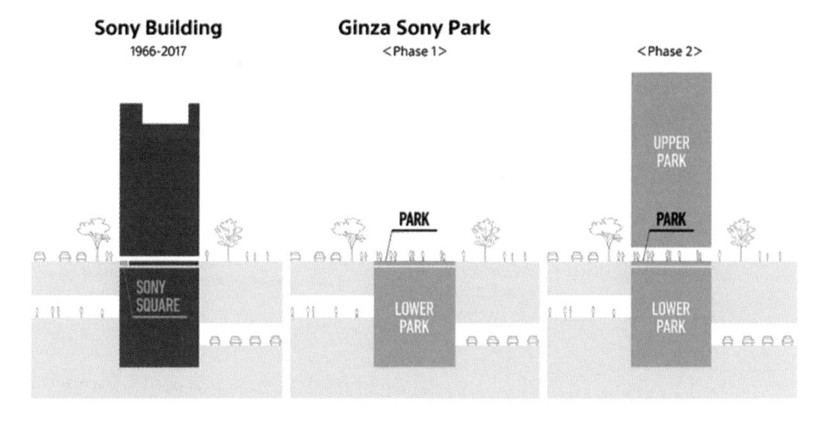

'긴자 소니 파크'의 로드맵. 공원 다음은 새로운 소니 빌딩으로서 한층 더 매력적인 공간을 내세울 예정이다.

© 긴자 소니 파크

커뮤니티 그 자체에 브랜드 가치가 생긴다

소니가 존재하는 근원적인 이유로 '남이 하지 않는 일을 한다', 즉 'why'를 계속 유지하는 것이 소니의 압도적인 강점이다. 그리고 브랜드를 만들 때 그 why가 핵심이어야 한다는 것을 알고, 구체적으로 워크맨, 플레이스테이션, 아이보 등의 제품으로 확실히 표현하고 있다. 소니 파크가 단순한 기능적 인터페이스에 그치지 않는 이유는 '남들이 하지 않는 것을 한다'라는 사람의 마음을 움직이는 정서적 의지가 있기 때문이다. 그 정서성을 계속 만들어내고 있기 때문에 금융, 보험, 카드 사업에서도 브랜드 충성도를 만들어내고 있다고 할 수 있다. 나아가 소니 파크처럼 거리의 인터페이스조차 브랜드로 만들 수 있는 것이 소니의 강점이다.

앞으로 개인이 소비하는 정보는 더 증가할 것이다. 이미 사람들은 모바일 기기를 통해 항상 방대한 정보와 접촉할 수 있는 상태에서 일상을 보내고 있는 것이 현실이다. 정보 소비가 가속화되는 가운데 진정 가치 있는 성보란 무엇인가 생각하면 소니파크의 새로운 도전은 납득이 간다.

인간의 감성을 울리는 것이나 사물이야말로 본질적인 정보가 되고, 엔그램(기억 흔적)이 되어 사람의 기억에 남는 콘텐츠가 될 수 있기 때문이다. 공간적 기억은 정보의 속도로는 비효율적이다. 그래도 지효적인 속도감으로 인간적인 따뜻함과 함께 유익한 정보가 존재함으로써 절대적인 가치를 창출할 수 있다. 나가노 씨의 말을 빌리자면, 'why'가 견고할 때 계속해서 진화하는 커뮤니케이션 그 자체에 들어갈 수 있는 것이다.

사적인 공간이 공적인 공간이 되고, 반대로 공적인 공간이 사적인 공간이 되는 공간이 소니 파크에는 있다. 예를 들어 그 공적인 공간에 참가할 수 있는 사람이 제한되어 있을 때, 그곳은 사적인 상태로 변화한다. 이 사적인 것과 공적인 것의 특수하면서도 절묘한 관계를 공원(커뮤니티)이라고 부를 수 있다. 보통은 쇼룸처럼 많은 제품이 늘어선 공적인 공간 속에 억지로 커뮤니티를 만들려고 한다. 하지만 앞으로 브랜딩에서는 이 커뮤니티 자체에 가치가 생길 것이다. 긴자의 커뮤니티를 만들어내려고 하는 사례가 바로 소니 파크이다.

앞으로의 브랜드 전략은 사람들이 원하는 삶의 방식에 충분히 응하면서도 본질적인 비효율성을 추구할 수 있느냐 없느냐에 달려있다. 그야말로 소니 파크는 현실과 디지털의 중간에 있으며, 기쁨을 느끼는 일이나 사물이란 무엇인지를 이미 충분히 알고 있는 것처럼 느껴지는 공간이다. 앞으로도 소니 파크는 긴자의 '들판'으로서 소니가 끊임없이 제공할 자기 형성 공간으로 진화해 갈 것이다.

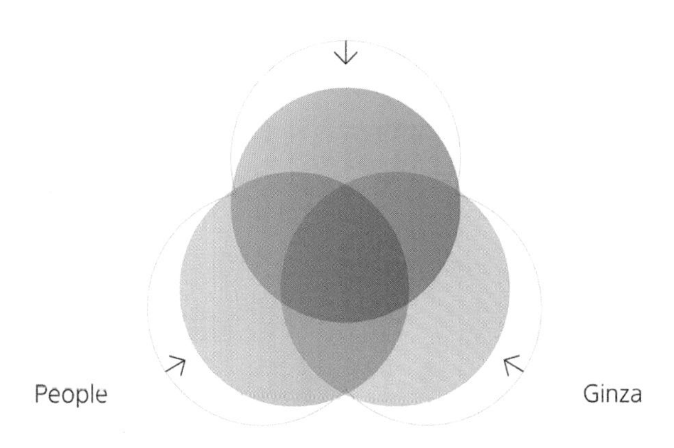

소니 빌딩에 대한 생각. 소니 빌딩을 정보 발신 기지로서 쇄신하는 것, 사람들에게 생생한 경험을 하게 하는 것, 긴자를 더 기분 좋은 거리로 만드는 것. 이 3가지를 실현해서 더욱 매력적인 소니 빌딩을 만들어 간다.

© 긴자 소니 파크 프로젝트

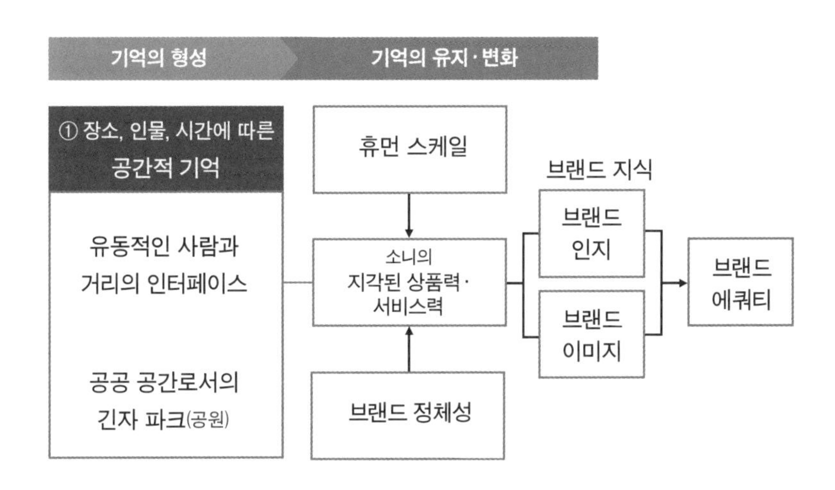

다네야 '라 콜리나 오미하치만' **인터뷰**

올곧은 일을 솔직하게, 꾸밈없이 하는 것

© 유키토모 시게하루

야마모토 마사히토山本昌仁
다네야 그룹 CEO

화과자와 양과자를 제조·판매하는 다네야 그룹 CEO(최고경영책임자). 1969년에 시가현 오미하치만 시에서 다네야 창업가 10대로 태어났다. 19세 때부터 10년 동안 화과자를 만들어 왔다. 24세 때 전국 과자 대박람회에서 '명예 총재 공예 문화상'을 최연소로 수상했다. 2002년, 양과자점 클럽 하리에 사장을 역임했다. 2011년에 다네야 4대를 계승하고 2013년부터 현재에 이른다.

호소야: 화과자 다네야를 비롯하여 바움쿠헨 등 양과자점 클럽 하리에로도 유명한 다네야 그룹은 2015년 1월에 '라 콜리나 오미하치만'(이하, 라 콜리나)이라 불리는 시설을 개설했습니다. 마치 테마파크처럼 널찍한 대지 위에 지붕이 잔디로 덮인 큰 점포가 눈에 띕니다.
화과자와 양과자 매장이 늘어서 있고, 갓 구운 바움쿠헨을 맛볼 수 있다고 해서 주말이나 휴일이 되면 많은 사람이 찾아와 인산인해를 이룬다고 하는데요. 이곳으로 본사를 이관하는 등 다른 회사에서 볼 수 없는 독특한 시도를 했는데, 과자를 다루는 기업이 왜 이런 시설을 만들었나요? 브랜딩 관점에서 흥미가 생기네요.

야마모토: 감사합니다. 저희는 근본적으로 사회가 필요로 하는 기업, 사회가 필요로 하는 사람을 지향한다는 생각이 밑바탕에 깔려 있어요. 우리를 내세우는 가게를 만드는 게 아니라, 고객들이 와서 좋아하고 기뻐할 수 있는 공간인지를 중시합니다.

호소야: 라 콜리나에도 많은 분이 찾아와서 굉장히 즐기고 계시는 것 같네요.

다네야의 '라 콜리나 오미하치만'의 전체 풍경. 테마파크처럼 널찍한 대지에 지붕이 잔디로 덮인 큰 점포가 있다 ⓒ 다네야

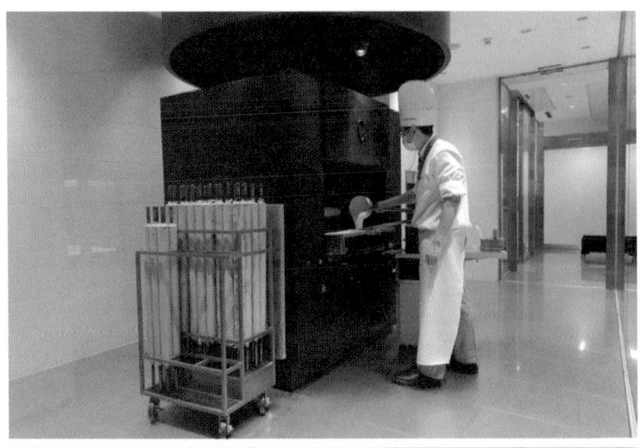

라 콜리나에서 만든 갓 구운 바움쿠헨을 먹기 위해 주말이나 휴일이면 많은 사람이 찾아와 인산인해를 이룬다. 화과자 매장도 인기 있다.

야마모토: 우리 회사는 메이지 시대부터 145년 이상 과자 제조와 판매를 해 왔어요. 촌스러워도 좋고 흙내가 나도 좋으니까 가족끼리 경영하던 때부터 직원이 2천 명 있는 현재에도 변함없이 대대손손 전해져 내려 온 방법을, 다네야의 정신을 전하는 '장소'가 필요하다는 생각이 들었어요. 오셔서 우리의 자세나 이념을 봐주십사 하고요. 그게 라 콜리나로 결실을 맺은 거죠. 고객이 느낀 것을 사진에 담아도 좋고, 인터넷에 올리는 것도 자유예요. 개개인의 라 콜리나를 발견해 주셨으면 해요.

호소야: 라 콜리나의 콘셉트는 '자연에게 배운다'라고 들었어요. 이 콘셉트는 어떤 계기로 나온 거죠?

야마모토: 다가올 시대에는 모든 기업이 사회와 어떤 연관을 짓는 것이 요구돼요. 그래서 우리 회사의 역할이 무엇인지 생각했을 때, 인간은 '자연에게 배운다'라는 것을 조금 더 생각해야 하지 않을까 했어요. 그렇게 되면 고객은 중요한 존재이긴 하지만, 항상 고객이 최우선이고 고객이 좋으면 뭐든 좋다는 생각이 아니라, 역시 우리 고장 시가현에 전해지는 오미 상인의 생각인 '산포요시三方よし' 정신으로 돌아가게 돼요.
'산포요시'는 '파는 사람'과 '사는 사람'과 '세상'이 모두 '좋다'라는 것이 비즈니스 이념이 된다는 생각인데, 사실 비교적 최근이 되어서야 나온 말이라고 해요. 그래도 저희 집안이나 근처에서 장사를 하시는 분들은 '산포요시'라는 생각을 대대로 전해 왔어요. 저도 항상 그런 얘기를 들어왔으니까 고객이 최우선이라기보다는 파는 사람과 사는 사람, 그리고 세상이 모두 좋아져야 한다고 느끼고 있죠.
요즘 '무슨 무슨 퍼스트'라는 말을 자주 하는데, 한쪽만 좋다고 과연 될까요? 그렇게 해서 정말 이 세상이 성립될까요? 그런 생각이 과해지면 지구 환경은 어떻게 될까 하는 생각도 들더라고요. 후손들에게 지금 우리가 안은 문제를 떠넘겨서는 안 돼요. 그래서 '산포요시'라는 오미 상인의 정신을 온전히 이어갈 수 있는 가게를 운영하고 싶어요.
저는 장사꾼이지, 정치가가 될 생각은 없어요. 그러니 제가 할 수 있는 일을 매일 행동으로 옮길 수밖에요. 이론을 내세워 말만 하는 게 아니라 행동으로 표현해야죠. 과자점으로서 할 수 있는 일을 라 콜리나에서 표현하고 싶어요. 그 생각이 '자연에게 배운다'로 이어졌어요. 라 콜리나의 심벌마크는 '개미'예요. 늘 사람들이 모여 왁자지껄한 곳이길 바라는 마음과 자연 속에서 살아가며 사회와 잘 어우러지는 개미의 모습에서 배우고 싶다는 마음을 표현했죠.

호소야: '산포요시'를 행동으로 표현하겠다는 거군요. 말만으로는 전달이 어렵다고 느꼈던 건가요?

야마모토: 지금 우리는 다음 세대를 위해 짐을 남겨선 안 된다는 목소리를 내고 있어요. 그걸 과자점으로서 열심히 외치려고요. 유엔의 SDGs(지속 가능 개발 목표)에도 공감해서 그룹 단위로 'SDGs 선언'을 내걸고 있어요. 농작물 등을 원재료로 과자를 만들어 장사하는 다네야 그룹은 본질적으로 자연과 함께 살아가고 있어요. 지속 가능한 사회를 실현하지 않으면 장래에 장사를 계속할 수 없어요. 지속 가능한 사회를 실현하기 위해 라 콜리나에서 전 세계로 소리를 높여야 해요. 이곳은 시골이지만 생각이나 행동은 세계적인 수준으로 만들고 싶어요.

라 콜리나의 천장은 돌아다니는 개미에 빗대어 디자인했다

지금 해 두면 이윽고 싹이 터서 앞으로 거목이 된다

호소야: '자연에게 배운다'라는 생각이나 행동을 먼저 사원 분들에게 전하고 있나요?

야마모토: 저나 우리 가족, 그리고 직원, 직원의 가족, 또 협력업자, 협력업자의 가족에게도 전하고 있습니다. 사내에서 전해지지 않는 게 고객들에게 전해질 리가 없고, 그러면 세상에도 전해지지 않죠. 그저 순서대로만 하면 느리니까 오미하치만, 일본, 그리고 전 세계에 전하고 있어요. 지금 심으면 머지않아 싹이 트고 미래에는 거목이 되겠지 하는 마음으로요.

호소야: 라 콜리나에는 건축가이자 건축사가인 후지모리 데루노부 씨가 긴물 디자인에 관여하기도 했고, 세계적인 건축가이자 디자이너인 미켈레 데 루키 씨가 '라 콜리나'(이탈리아어로 언덕이라는 뜻-역자)라고 이름을 붙이기도 했습니다. 여러 크리에이터 분들과 같이 작업한 이유는 무엇인가요?

야마모토: 진짜를 추구하는 게 중요하기 때문이죠. 화과자 가게 앞에서는 회사 이름의 기본이 된 씨앗을 팔거나(다네야의 다네는 씨앗이라는 뜻-역자) 목재를 다루기도 했어요. 메이지 시대로 접어든 후부터 화과자점을 시작했는데, 그 당시부터 지점을 내면 안 된다는 말을 들었죠. 왜냐고요? 제 나름대로 해석해 봤는데, 매상만 올리고 싶다면 지점을 늘리는 게 좋을지도 모르죠. 규모를 확대하면 실적이 늘어난 것처럼 보이지만 생산을 늘리는 대신 상품의 질을 소홀히 할 수도 있거든요. 그런 걸 미리 경고하기 위해 무작정 지점을 내면 안 된다는 뜻이라고 해석했어요.
그래서 크리에이터 분들에게 건물 벽을 벽돌 모양의 타일을 쓰지 않고 질을 중시해서 진짜 벽돌로 만들었으면 좋겠다고 부탁했어요. 흙벽이면 흙벽 모양의 소재를 붙이는 게 아니라 진짜 흙벽으로 만들고 싶다고 말이죠. 진짜를 쓰는 것에는 의미가 있기 때문이에요. 라 콜리나를 건설할 때는 그런 걸 이해하는 크리에이터 분들과 만날 수 있어서 행운이었어요.

후지모리 선생님이 늘 강조하셨던 '진짜'라는 말이 좋은 방향으로 흘러간 거겠죠. 앞으로도 '진짜'를 가지고 승부해야겠다고 생각하고, '진짜'를 본 고객들도 우리 회사를 '겉과 속이 다르지 않다'라고 느낄 수 있을 거예요. 비용은 들었지만, 그런 건 사용하면 할수록 낡는 것이 아니라 깊어지거든요.
과자를 사고파는 건 요즘 세상엔 인터넷으로도 할 수 있어요. 널리 팔고 싶으면 양판점에 두면 되죠. 삽시간에 퍼질 거예요. 하지만 거기에 고객들의 기쁨이 있느냐가 중요해요. 2018년에 311만 명이 라 콜리나를 찾아 주셨어요. 2017년에는 290만 명이었으니까 매년 늘어나고 있다는 거죠. 여기에 오면 '진짜'를 느낄 수 있기 때문이 아닐까요?
계절마다 장점도 달라요. 밤에는 달이 예쁘고, 봄에는 벚꽃이 피죠. 눈도 내리고, 새순도 돋아나고 단풍도 지고, 일본의 사계절을 느낄 수 있어요. 그냥 제품을 사고파는 게 아니라 고객들의 기쁨으로 이어져 행복도가 올라갔으면 좋겠어요. 그리고 우리가 나고 자란 오미하치만도 봐주셨으면 해요. 여기에 와서 무언가를 느꼈으면 좋겠어요. 두근거리거나 설렘을 느꼈으면 좋겠어요. 장사는 정말 고객이 고객을 부르거든요. 그런 공간을 만들 수만 있다면 그건 강하다고 생각해요.

라 콜리나의 외관에는 진짜 흙벽과 잔디를 사용했다. 이 역시 '진짜'를 추구하려는 자세를 나타낸다.

각 점포에 배치한 정원수도 회사에서 직접 재배한다. 각 점포의 이미지에 맞게 정원수 품종도 바꿔서 보낸다.

앞으로는 라 콜리나의 부지 안에 바움쿠헨 독립 점포를 만들 계획도 있어요. 바움쿠헨의 모든 제조 공정을 보고, 먹거나 살 수 있는 시설이에요.

브랜드란 '올곧은 행동'을 겹겹이 쌓는 것

호소야: 다가올 시대에 브랜드를 만든다는 것에 대해서는 어떻게 생각하세요?

야마모토: 브랜드는 만들고 싶다고 해서 만들어지는 게 아니잖아요. 다네야라는 브랜드가 사람들에게 파고들기까지 100년 가까이 걸렸으니까요. 지금까지 저희 조상들은 거짓 없고 올곧은 일을 있는 그대로, 겉과 속이 다르지 않도록 지켜 왔어요. 그래서 라 콜리나에서도 공방을 유리벽으로 만들어 과자 만드는 모습을 보이게 하고 있어요. 손님들이 안심하고 안전하다고 느낄 수 있게 말이죠.
원재료를 사들일 때도 정직한 농가 분들과 긴밀하게 거래하기 때문에 브랜드가 자연스럽게 형성되죠. 농가 분들이 1년 내내 땀방울 흘리며

만든 쌀 한 톨이나 팥, 밤 등 자연의 혜택이 없었다면 과자도 만들 수 없어요. 그런 감사의 마음과 정직한 행동이 하루하루 쌓여 브랜드로 이어지는 것 아닐까요?
형식에 맞춘 표면적인 일이야 간단하죠. 하지만 100년, 200년을 이어가는 동안 가면은 벗겨지기 마련이에요. 벽돌 하나라도 진짜를 써야 하죠. 타일은 빨리 깨져서 안에 있는 콘크리트가 노출되지만, 벽돌은 시간이 지날수록 멋이 배어나거든요.
옛날 집에서는 기둥에 표시를 해서 아이들 키를 재곤 했었죠. 10~20년이 지나 어른이 됐을 때 그 표시가 추억이 되기도 하고 둘도 없는 집의 디자인이 되기도 해요. 그렇게 쌓아 온 것들을 소중히 여기는 게 중요하고, 그게 브랜드로 이어지는 게 아닐까 생각해요.

유행하는 마케팅론에는 관심 없다

호소야: 말씀을 들어 보니까 시간축을 굉장히 장기적으로 잡으시는군요. 최근에는 IoT나 AI 도입도 그렇고 엄청난 속도로 시대가 변하고 있잖아요. 그 결과, 경영자가 단기적 과제에 위기감을 느끼는 케이스를 많이 보거든요. 다네야의 경영에는 급격한 속도와 상반되는, 이른바 '지효적'이라고도 할 수 있는 관점이 있는 것처럼 느껴졌어요.

야마모토: 선대에게 기업을 이어받았을 때, 유일하게 들었던 한마디가 "사장이 된 순간부터 다음 대를 똑똑히 육성해라"였어요. 다네야는 나 혼자만의 회사가 아니라 4대인 제가 아주 잠깐 맡고 있는 거라고 생각해요. 맡고 있는 것은 돌려줄 때 더 좋게 만들어서 넘겨야죠. 제가 맡은 동안에만 좋으면 된다는 경영이 아니라, 미래를 응시하면서 지금 뭘 해야 하는지 생각하게 됐어요. 제가 앞으로 몇 년을 더 할 수 있을지는 모르겠지만, 예를 들어 50년 뒤의 미래를 생각할 때도 지금 해야 하는 일을 생각해요. 단기적인 판매 계획이나 어떤 전략이나 마케팅, 유행하는 것들에는 관심이 없어요.

직원들에게는 자신의 의견을 제대로 가지라고 말해요. 매출이 이렇게 됐다, 누구누구에게 이런 말을 들었다 하면서 보고하는 것보다, 본인이 어떻게 하고 싶은지를 듣고 싶어요. 어떻게 하고 싶은지 목표가 없는 한, 계획을 가져와도 말짱 꽝이거든요. 어떤 식으로 하고 싶다는 자신의 생각이 있으면 듣는데, 그게 없으면 회의는 끝입니다. 자신의 의사가 역시 중요해요.

선대 때부터 오늘날까지 시가 현 내에서 오미하치만이라고 하면 '다네야'라는 말이 나올 만한 브랜드로 키워 왔어요. 소중한 것을 이어 나가는 과정에서 어설프게 할 거라면 관두는 게 나아요. 라 콜리나를 만들 때도 어중간한 건 만들고 싶지 않다, 진짜를 만들고 싶다며 정말 마지막까지 고민했어요. 결과적으로 기존의 계획을 재검토하는 데 타격이 꽤 큰 비용을 지불했어요. 하지만 지금 생각해 보면 그 덕분에 확고한 걸 만들 수 있었던 것 같아요.

호소야: 올곧은 생각을 현실화하는 과정에는 결코 돈으로 환산할 수 없는 가치가 있군요.

라 콜리나 안에는 다네야의 본사 오피스가 있다. 자율 좌석제로 운영하고, 내부나 공간 인테리어에 공을 들이는 등 사원의 창조성을 중시한 환경으로 꾸몄다.

야마모토: '자연에게 배우다'라는 게 그런 거 아닐까 해요. 지금은 제 키만 한 나무가 20년 지나면 숲이 되는 거예요. 아주 조금씩 커진 결과, 10~20년 후 혹은 100년 후에 꽃을 피우죠. 경영에 대한 우리의 사고방식이라고 할까, 이념은 그런 거예요.

외부에 다네야의 방침을 알게 하는 것도 그중 하나지만, 조금 느리더라도 전부 우리 손으로 해냈기 때문에 다네야를 쌓아 올 수 있었어요. 그러기 위해 항상 여기저기서 정보를 모아 우리의 언어로 바꿔서 내보냈죠. 우리가 직접 생각해서 결과를 얻어냈고요. 그래서 본사를 재검토해서 자율 좌석제로 만들기도 하고, 창의력을 발휘할 수 있도록 내부 공간을 바꾸기도 했어요. 사내 각 부문의 울타리를 넘어 회의하는 것도 좋고, 외부 사람과 상의를 해도 돼요. 창의력을 발휘할 수 있도록 했죠. 이곳이 여러가지 정보를 모을 수 있는 일종의 플랫폼 같은 역할을 하면 좋겠다는 마음으로 만들었어요.

호소야: 세상이 아무리 디지털, 디지털 노래를 불러도 거기에 인간으로서의 마음가짐이 확실히 깃들어 있는지가 중요하군요.

야마모토: 앞으로 IoT(Internet of Things, 정보통신기술 기반으로 현실에 존재하는 사물을 디지털 공간으로 연동시키는 기술)나 AI는 점점 진화할 거예요. 몇 년 후에 어떤 시대가 되어 있을지는 아무도 몰라요. 오사카에서 2025년에 만국박람회가 열리는데, 그 시기가 지나면 로봇과 인간이 생활하는 시대가 현실화될지도 몰라요. 그럴 때 태평하게 얘기해도 아무 소용이 없죠. AI가 발달하면 당연히 우리도 혜택을 누리겠죠. 세상이 어떤 분위기인지 읽고 온전히 받아들일 거예요. 그런데 거기에 인간이 어떻게 관계를 맺는지를 잊어버리면, 다네야는 다네야가 아니게 돼요. 우리에게는 고객이 다네야의 과자를 먹는 순간 미소가 번지는 게 가장 큰 기쁨이거든요. 과자 하나가 행복을 가져다준다, 과자점을 하는 입장에서 이를 잊어서는 안 돼요.

호소야: 오늘 즐거운 얘기 해 주셔서 감사합니다.

다네야 '라 콜리나 오미하치만'

미래를 위해, 고객을 위해 진짜만을 기른다

자연과 인간의 공생을 표현한 공간 '라 콜리나 오미하치만' © 다네야

과자의 원재료는 자연의 선물로 이루어진다는 생각 아래서 다네야 그룹은 다네야의 정신을 전달하는 '장소'로 자연과 인간의 공생을 표현한 공간 '라 콜리나'를 만들었다. 그리고 산에서 이어지는 언덕에 자리를 잡았고, 다네야가 직접 나무를 심었다. 이곳에는 반딧불이가 춤을 추는 작은 강 외에도 다양한 생물들이 사는 논밭도 있다.

그런 환경 속에서 건축가이자 건축사가인 후지모리 데루노부 씨에게 조언을 받은 점포가 있는데, 화과자와 양과자 가게를 시작으로 음식점이나 마르쉐, 나아가 본사 오피스까지 모두 자연과 더불어 존재한다. '자연에게 배운다'라는 다네야의 콘셉트에 맞춰 모든 공간이 사람과 자연을 잇는 장소로 설계되었다. 연간 311만 명의 손님이 찾고, 인스타그램 등 SNS에서는 젊은층이나 가족 동반의 고객들이 '#라 콜리나 오미하치만', '#라 콜리나'로 해시태그를 달은 사진을 올린다. 현재 인스타그램에 올라온 사진 게시물은 10만 개 이상까지 증가하고 있다. 그 압도적인 인기의 비결을 알기 위해 라 콜리나를 방문했다.

'농은 예술'이라는 '다네야 농예'의 존재 의식

그중에서도 내가 가장 주목한 구역이 있다. 바로 라 콜리나 부지 안쪽에 있는 관계자 외 출입 금지 구역이다. 그곳에는 완만한 아치를 그리는 건물이 있었다. '농은 예술'이라는 생각에서 한 걸음 나아간 '농'의 본연의 자세를 '다네야 농예'로서 실천하는 곳이다.

라 콜리나의 출입 금지 구역에 들어가면 아치를 그리는 '다네야 농예'가 보인다.

안으로 들어가면 화분으로 만든 산야초가 여기저기 놓여 있다.

다네야는 채소나 과일 재배를 통해 자연과 공생하는 농업을 지향한다. 이 건물에서는 다네야의 콘셉트인 '자연에게 배운다'를 실천하는 사업을 하고 있다. 다네야에는 농예 부문이 있는데, 3개의 전문 분야로 나뉘어 있다. 유기농법으로 채소를 재배하는 '기타노쇼 채원', 경관을 만드는 '라콜리나 조원', 다네야의 점포에 모아심기를 한 산야초를 배달하는 '하시키엔(愛四季苑)'이 있다. '다네야 농예'의 전신은 원래 자사에서 쑥떡을 만들기 위해 쑥을 재배했는데, 거기서 출발한 사업이다.

제과업체가 농업까지 하는 이유는 원재료인 쌀이나 팥의 대부분이 농산물이기 때문이다. 농업이 얼마나 힘든지 다네야가 스스로 깨닫고, 몸소 느끼는 것이 중요하다는 생각에 자사에서 농업을 하는 것이다. 궁극적으로, 손수 시행착오를 겪으며 농작물을 재배함으로써 유기농법이나 무농약 농법의 지견을 축적하고, 그 농법을 시가 현 내의 농가에 돌려주려고 한다.

놀랍게도 500종류, 약 3만 그루나 되는 산야초도 기르는데, 다네야의 점포에는 모아심기를 한 산야초를 배달하는 하시키엔이라는 팀이 존재한다. "화과자는 계절을 담아 맛보는 것이기 때문에 계절 산야초를 가게에 장식해서 고객들에게도 사계를 느끼게 하고 싶어요."라는 다네야의 마음에서 생겨난 하시키엔은 약 30년 전에 도쿄 주오구 니혼바시 미쓰코시 백화점의 다네야 점포에 산야초를 배달하는 것에서 출발했다.

미래를 위해, 고객을 위해 약 500종류의 산야초를 기른다

이 직접적인 이익을 꾀하지 않는 하시키엔의 사업이야말로 다네야 브랜딩의 진수라고 생각했다. 하시키엔의 활동 그 자체에 배움이 있다는 점, 원체험이나 원풍경이 있다는 점, 세상의 급격한 속도와는 반대되는 지효적인 관점을 가지고 지속 가능하다는 점을 갖추고 있다.

각 점포로 보내지는 산야초. 하시키엔에서는 각 점포용으로 산야초 화분을 매주 납품해서 교환한다. 그 수는 약 70개. 왼쪽은 도쿄 시부야에 있는 도큐 백화점 본점의 다네야 점포용이고, 오른쪽은 고베 시에 있는 고베 한큐 백화점용이다.

도쿄 주오구의 니혼바시 다카시마야 백화점에 있는 다네야 가게 앞 산야초

보통 백화점 점포 안에는 식물이 거의 없다. 그러나 라 콜리나의 산야초를 다네야 가게 앞에 장식함으로써 과자를 사는 고객에게 계절감을 느끼게 할 수 있다. 또한 가게에서 고객과의 커뮤니케이션이기도 하고, 다네야의 콘셉트인 '자연에게 배운다'를 가게에 상징적으로 표현하고 있다고도 할 수 있다.

오미 상인의 정신성 '산포요시'가 공감을 부른다

일반적으로 과자 브랜드는 창업 햇수가 브랜드의 강점으로 이어진다. 다네야는 과자의 제조와 판매를 메이지 시대부터 145년 이상 이어오고 있다. 라이벌 기업 중에는 창업한 지 약 480년이나 되는 브랜드도 존재한다. 하지만 단순히 창업 햇수에 따른 차별화로는 의미가 없다.

하시키엔 사업이 올바르게 상징하듯이, 야마모토 씨의 흙내가 나도 좋다는 마음으로 대대손손 전해져 온 생각 '자연에게 배운다'가 다네야의 정신이자 유일무이한 독자성으로 표현된다. 모든 사원이 탐독한다는 다네야의 '장사의 마음가짐'을 정리한 《스에히로쇼토엔末廣正統苑》과 함께 경영에 대한 자세가 결과적으로 그 고장 오미 상인의 정신성 '산포요시'로 돌아온다는 이야기는 매우 흥미로웠다.

앞으로 SDGs처럼 어떻게 해서든 사회와 얽히고설켜야 한다. 그때 과자 브랜드도 창업 햇수에 따른 척도가 아니라, 오미 상인의 정신인 '파는 사람'과 '사는 사람'과 '세상'이 모두 좋은 '산포요시'여야 한다. 또한 앞으로 만날 고객들에게 공감을 받으리라고 생각하는 그 자세와 행동은 다네야 브랜드를 한층 더 견고하게 만든다.

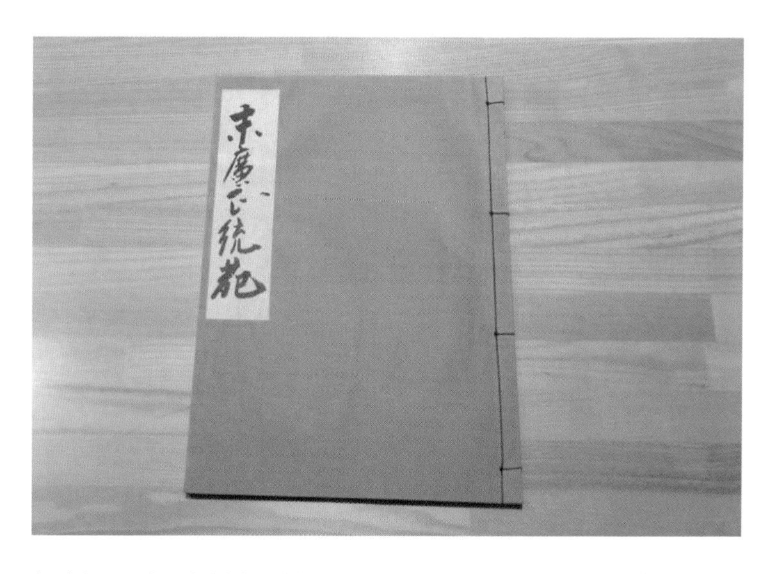

《스에히로쇼토엔》은 다네야의 '장사의 마음가짐'을 정리한 것으로, 모든 사원이 탐독한다.

《스에히로쇼토엔》을 들고 있는 다네야의 야마모토 마사히토 CEO

사업을 하면서 SDGs에 대해 논의하지 않기란 어렵다. 생활자는 문제를 계속 해결해 나가는 구체적인 행동에 공감한다. 산포요시가 실현되고 있는 라 콜리나에는 연간 311만 명이 모여든다. 사회적 의의를 생각할 때, 우리는 구체적인 행동보다는 그 과정에 시간을 들이기 십상이다. 그러나 그 수단에 너무 얽매이면 실현하지 못하는 일이 태반이다. 다가올 시대를 향해 브랜드를 만들기 위해 무엇을 소중히 여기는지 야마모토 씨에게 질문하자, 인상적인 대답이 돌아왔다. “다네야는 제 회사가 아니라 4대인 제가 아주 잠깐 맡고 있는 겁니다.” 즉, 자신이 맡는 동안만 좋으면 된다는 것이 아니라, 다음 대의 입장에서 지금 해야 할 일을 생각하는 브랜드 경영이 필요하다. 대대로 100년 이상을 이어가는 기업에는 반드시 이 생각이 뿌리 내리고 있다. 이 생각이야말로 100년이 넘은 노포 기업이 일본에 약 3만 5천 개 존재하는 이유이자 노포 브랜드의 강점이다.

일반적으로 몇 년 단위로 경영자나 브랜드 매니저가 바뀌는 경우는 적지 않다. 수년의 경영으로 단기적인 결과를 추구할 뿐 아니라, 지효적이라고도 할 수 있는 시간축을 집어넣어 생각하는 것도 브랜딩을 할 때 필요하다는 것을 증명하고 있다. 사상이 계승되기 어려운 기업이나 사업의 경우는 브랜드 에쿼티를 정의해 두는 것이 브랜드 유지에 필요하다는 사실은 말할 필요도 없다.

‘진짜’만이 사람을 부르고, 또 사람을 부른다

상품뿐만 아니라 공간으로서 계절이나 자연을 느낄 수 있고, 고객 한 사람 한 사람의 행복도나 만족도가 향상되는 순환이야말로 디지털 시대에 필요한 가치다. ‘진짜’만이 지속적으로 사람을 부르고, 또 사람을 부른다는 당연한 사실을 우직하게 실천하고 있다.

야마모토 씨는 라 콜리나를 건설할 때도 후지모리 씨에게 ‘진짜’를 추구하는 것이 중요하다는 말을 계속했다. 아무리 세상이 온통 디지털이라도, 거짓 없고 올곧은 것을 솔직하게 꾸밈없이 하는 것이 중요하기 때문이다. 분명 '올곧은 생각'은 '자연에게 배운다'의 하시키엔과 같은 실천에서 얻을 것이다. 수목처럼 차근차근 조금씩 커진 결과가 100년 후에 브랜드로서 크게 꽃을 피우는 것이다.

AI가 발달하면서 앞으로 다가올 시대에는 기술을 쓰는 것을 마다하지 못할 것이다. 물론 시대의 흐름을 읽고 순응하는 것은 필요하다. 그러나 거기에 인긴이 어떻게 관여하는지, 브랜드 전략을 생각할 때 시간의 흐름을 천천히 인식해서 거시적으로 바라보고, 대담하게 치고 나가는 '용기'야말로 인간만이 할 수 있는 전략이다. 다네야의 사례는 시대가 크게 변화하더라도 초조해하지 않고 공간적 기억과 시간축의 관계성을 생각할 필요가 있다는 것을 가르쳐 줬다.

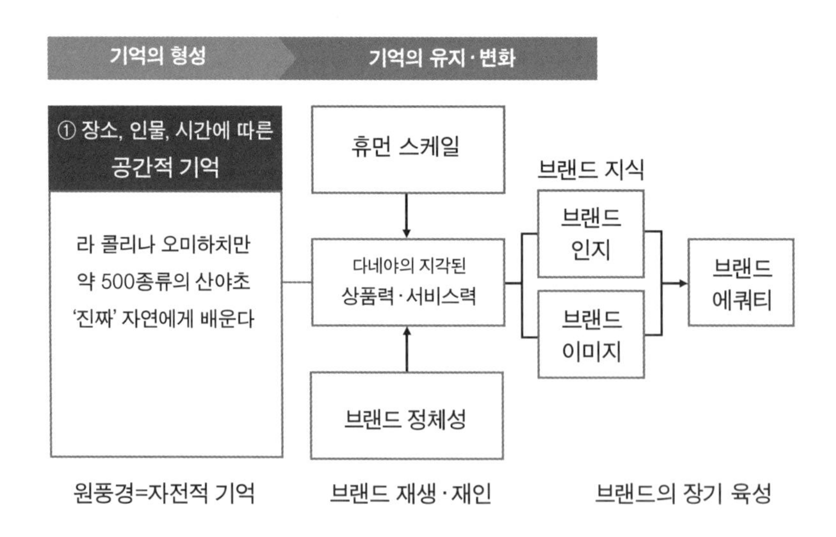

와코루 '교노 온도코로' **인터뷰**

교토의 경관을 지키기 위해 상가의 가치를 재생하다

사진에 나온 '교노 온도코로 오카자키' 외에도 '가만자 니조釜座二条', '고코마치 에비스가와御幸町夷川', '후야초 니조麩屋長二条' 등 총 8동의 숙박 시설이 있고, 한 동을 통째로 빌려준다. 편안한 마음으로 풍요로운 시간을 자유로이 보낼 수 있도록 디자인했다 ⓒ 와코루

호소야: 와코루는 2018년 4월부터 마치야(町屋, 도시의 상점가에 늘어선 가게와 주택이 일체화된 건물-역자)를 개조한 '교노 온도코로 오카자키' 등을 포함해서 총 8동의 숙박 시설을 교토 시내에 오픈했습니다. 마치야의 가치를 살려서 잠깐 머물다가 가는 게 아니라 교토에 사는 듯한 경험을 제공한다고도 할 수 있겠네요. 이름, 콘셉트, 로고 디자인 감수를 저명한 디자이너 미나가와 아키라 씨가 맡는 등 많은 크리에이터가 참여했다는 점도 주목받았어요. 도쿄 아오야마의 복합문화시설 '스파이럴'을 운영하는 그룹 회사인 와코루 아트센터와 연계하여 와코루만의 관점으로 교토의 매력을 전하려고 한다고 들었습니다. 이런 숙박 시설을 왜

와코루에서 신규 사업을 담당하는 야마구치 마사시 부사장

이번 사업을 제안한 구스노키 아키히로 마치야 영업부장
© 유키토모 시게하루

와코루가 시작하게 됐을까요. 우선 배경이나 이유를 알려 주세요.

야마구치: 저희는 속옷을 중심으로 고객에게 다양한 가치를 제공하는 회사인데, 고령화 사회나 패스트 패션이 증가하는 등 국내 시장이 크게 변화하고 있어요. 다음 기둥을 키우기 위해서도 새로운 사업 개발에 도전해야 합니다. 2013년도부터 사내 공모 제도를 설립해서 아이디어를 모집했고, 이번에 구스노키(아키히로)가 마치야를 활용한 숙박 사업을 제안했어요.

구스노키: 원래는 스파이럴과 연계해서 와코루 그룹 전체의 시너지를 어떻게 낼 수 없을까 하는 테마로 생각했어요. 그걸 실현하면서 동시에 사회 과제를 해결할 사업을 제안하려고 했는데, 마침 사회와 공존하는 것이 중요하다는 생각이 들면서 교토가 떠안고 있는 과제인 마치야 감소 문제가 떠올랐어요. 교토의 경관이 위기 상황에 처해 있다는 사실을 알고, 마치야를 보전해서 활용할 수 있는 방법이 없을까 생각했어요. 그러다 건물을 개조해서 숙박 사업을 할 수 있지 않을까 하는 생각에 이르게 된 거죠.

야마구치: 와코루의 사업은 여성을 아름답게 하는 것이 가장 큰 테마인데, 아름다움은 물론이고 건강이나 쾌적함을 끊임없이 제공하는 것도 과제예요. 이번 마치야 사업은 우리 회사의 사업 영역과 100퍼센트는 아니지만 상당히 겹치는 부분이 있었어요. 많은 마치야가 빈집이 되거나 맨션이나 주차장이 되면서, 교토의 옛 정취를 풍기는 길거리도 점점 사라지고 있어요. 우리 회사는 교토에서 나고자란 기업이니까 교토에 보답해야 한다는 의식도 있었죠. 그래서 교토의 매력도가 올라가는 사업인 데다가 와코루의 브랜드나 기업 이미지도 같이 상승하면서 와코루의 새로운 가치로 이어지지 않을까 하는 마음에 승인했습니다.
물론 사업으로 추진하는 이상 이익을 내지 않으면 지속이 불가능하고, 와코루가 의도한 의의가 고객에게 전해지지 않으면 의미가 없어요. 사업화에 성공하지 못하면 당사의 브랜드 가치에도 영향을 미칠 겁니다. 우선은 약 3년 동안 총 10채 정도를 오픈하고 싶어요. 앞으로 가동률을 올려서 수익을 내야죠.

'오카자키'의 문을 지나면 현관까지 긴 골목이 이어지는 등 숨은 명소 느낌이 물씬 풍긴다.

호소야: 숙박 사업은 여성이 추구하는 라이프스타일의 제안으로도 이어져요. 와코루의 고객분들과도 친화성이 높지 않을까요?

구스노키: 맞는 말씀입니다. 교노 온도코로는 품질에 신경 쓴 시설이니까 와코루의 고품질 브랜드를 신뢰하는 고객들과도 잘 맞을 거예요. 아름다움, 건강, 쾌적함이라는 당사의 테마와도 친화성이 있어요. 아름다움은 시설의 아름다움과 일맥상통하고, 건강은 몸의 여유이며 안락한 이미지가 있어요. 그리고 아름다움과 건강이 쾌적함으로도 이어지지요.

마치야의 상황을 조사해 보면, 마치야를 사용한 음식점이 많아요. 하지만 음식점용으로 개조해서 주방을 만들거나 1층과 2층을 뚫어 천장을 높게 만들면 음식점 이외에는 쓰지 못할 수도 있어요. 저희는 마치야를 빌려 숙박 시설로 개조했기 때문에 주거용으로 다시 되돌릴 수가 있어요. 라이프스타일의 '의식주' 중에서 '의'는 지금까지 사업을 해 왔으니까, 이번에는 '주'를 해 보자 싶었죠.

품질에 신경 쓴 가치 제공은 숙박 사업에서도 마찬가지

호소야: 어떤 생활양식이나 가치관을 지닌 고객들을 타깃으로 했나요?

구스노키: 제가 사내에서 사업 구상을 발표했을 때부터 '인문지人文知'를 중시하는 분을 노렸어요. 간단히 말하자면 문화에 흥미가 있는 분들이죠. 전통문화나 예술 등에 관심을 보이는 분을 타깃으로 잡고 싶었어요. 그리고 여성 일행이나 3세대, 부부 등이 오셨으면 좋겠다고 생각했어요.

야마구치: 저희는 품질에 굉장히 신경 써요. 그게 고객과의 신뢰 관계로 이어지거든요. 그래서 교노 온도코로도 품질에 공을 들인 공간으로 만들고 정원도 정비했어요. 그 부분이 바로 저희가 계속 소중히 여겨 왔던 부분이라고 생각해요. '자, 여기 있습니다.' 하고 상품을 그냥 건네주는 게 아니라, 고객과 하나 된 마음이나 공간, 문화가 저희의 가치예요.

숙박 사업은 와코루 같지 않다고 하시는 분들도 계실 수 있는데, 사실이에요. 지금까지 크게 생각하지 않았을 뿐이지, 구스노키가 제안하면서 깨달았어요. 형태는 다르지만 우리가 하고 싶은 일은 마치야로도 표현할 수 있다는 걸요. 단순한 마치야 개조가 아니라, 고품질의 가치를 제공하는 것이야말로 와코루의 사명이거든요. 콘셉트나 디자인에는 미나가와 시를 비롯해서 유명한 건축가분들에게 도움받고 있어요.

호소야: 콘셉트 만들기에 대해 미나가와 씨와는 어떤 이야기를 하셨나요?

구스노키: 여행은 비일상적이라고들 하지만, 그렇지 않고 교토의 일상을 여행 속에서 경험해 볼 수 있으면 어떨까? 미나가와 씨가 그런 의견을 냈어요. 비일상이 아닌 또 다른 일상을 콘셉트로 하자고요. 그래서 부엌도 제대로 만들었죠. 미나가와 씨도 요리를 좋아해서 직접 만든 요리를 사원들에게 나눠 주기도 한대요. 스파이럴의 인연으로 미나가와 씨와는 전부터 접점이 있었는데, 숙박 시설 일을 해 보고 싶다고 하셔서 이번 일로 연락이 닿았어요.

내부도 품질에 신경 썼다. '오카자키' 1층 객실에는 유키미쇼지(눈 내리는 모습을 볼 수 있다는 뜻으로, 상단은 장지문으로 되어 있고 하단은 유리로 되어 있어 밖의 정경을 볼 수 있는 문-역자)가 있어서 정원을 바라볼 수 있다. 도코노마의 장식품도 정기적으로 바꾼다.

호소야: 새로운 사업에 착수하면 지금까지와는 또 다른 어려움에 봉착할 것 같은데요.

구스노키: 청소는 외부에 위탁하고 있는데 전부 다 맡기지는 못해서 청소 후의 체크는 물론, 가끔은 멤버들도 청소를 하고 있어요. 대행 서비스에 맡기기만 하면 노하우가 쌓이지 않지만, 직접 실행하면 보이는 게 또 많거든요. 지금은 6명의 멤버가 하고 있는데, 노하우가 쌓이면 위탁할 수 있는 부분은 의뢰하려고 해요.
그리고 고객들의 짐을 옮기는 일도 저희가 직접 해요. 교토역 근처에 있는 접수 사무실에 짐을 가져오면, 오후 4시까지 자유롭게 교토를 관광하는 동안 저희가 차로 짐을 옮겨주는 서비스를 제공하고 있어요. 저도 솔선해서 이불을 깔거나 짐을 옮기기도 해요.

호소야: 메이커와는 또 다른 고객 여정을 따라가다 보면 사소한 부분에서 여러 가지 서비스가 필요해지는군요.

'오카자키'의 부엌. 마치야를 '숙박'이 아니라 교토에서 생활하는 듯한 느낌이 들도록 설계했다.

식기류 등 고품질의 생활용품을 갖췄다. 시설 전체에서 교토가 일상에 녹아들게끔 만들었다.

구스노키: 숙박 예약을 할 때도 담당자가 메일로 몇 번이나 고객과 연락을 주고받기 때문에 이런저런 수요에 응대할 수 있어요. 어디에 가고 싶다, 이런 걸 먹고 싶다, 소개해 달라 같은 내용에도 되도록 응대하고 있어요.

호소야: 메이커로서의 와코루뿐만 아니라 숙박 사업으로 서비스를 중심으로 한 무형 브랜드 가치를 만들어내는 것도 필요하군요.

야마구치: 저희에게는 전부 다 새로운 경험이에요. 메이커가 공간이나 시간이나

정보 같은 것을 서비스로 제공할 수 있게 된다면, 지금까지와 또 다른 와코루가 될 수도 있어요. 와코루에서는 지금까지 숙박 사업을 하고 싶다는 의견조차 나오지 않았어요. 아름다움, 건강, 쾌적함이라는 분야를 계속 고집해 오고 있고, 역시 여성을 아름답게 하는 사업은 잘 흔들리지 않으니까요.
하지만 그렇게 말은 하면서도 시장 환경 변화나 인바운드 증가 등 교토의 미래를 생각하면 여러 가지 의미에서 타이밍이 잘 맞아서 이번에 숙박 사업으로 연결된 거라고 생각해요. 이런 경험을 와코루의 새로운 가치로서 길러나가고 싶어요.

호소야: 오늘 즐거운 이야기 들려주셔서 감사합니다.

오카자키 2층에 있는 침실

일상에서 교토를 경험할 수 있는 새로운 서비스를 지향하는 '교노 온도코로'

와코루 '교노 온도코로' 해설

마치야가 있는 원풍경을 와코루와 지역으로 덧그리다

'교노 온도코로 가만자 니조'는 건축가 나카무라 요시후미 씨와 미나 페르호넨(패션 브랜드 이름-역자)의 미나가와 아키라 씨가 설계했다. 현대 생활을 공감할 수 있는 '주택'의 마치야로 자리매김했다
ⓒ 와코루

와코루는 마치야를 개조한 숙박 시설 '교노 온도코로'를 교토 시내에 연달아 오픈했다. 교노 온도코로는 오랜 세월 주거지로 이용해 온 마치야의 가치나 특성을 살리면서도 현대 생활이 공존하는 주거 공간으로 개조했다. 잠만 자는 것이 아닌, 마치 교토에 사는 듯한 새로운 체험을 제공하는 숙박 시설이다. 도쿄 아오야마의 상업 시설 스파이럴을 운영하는 그룹 회사 와코루 아트센터와 연계해서 와코루만의 관점으로 교토의 매력을 전하고 있다.

'가만자 니조'의 정원에 있는 100년 된 나한송 고목을 마주 볼 수 있도록 만들어진 도서관. 서적은 BACH 대표이자 북 디렉터인 하바 요시타카 씨가 골랐다. 삶을 풍요롭게 만드는 요소가 숨어 있다.

이대로는 교토의 거리가 사라진다

2016년도 교토 관광 종합 조사에 따르면, 교토의 마치야는 약 4만 채라고 한다. 그중 빈집은 약 6000채, 과거 7년 동안 사라진 마치야는 약 5600채이고, 주인이 나이가 들면서 노후된 집이나 그 외의 빈집도 늘고 있다. 또한 연간 5000만 명 이상의 관광객이 찾는 교토는 숙박객이 약 1500만 명을 넘었다. 최근에는 코로나19 확대의 영향으로 인바운드 손님은 줄어들었지만, 교토는 외국인 관광객 증가도 문제가 되고 있었다.

관광객이 원하는 교토라고 하면, 차분한 교토의 마치야 분위기를 떠올리는 사람이 많을 것이다. 마치야는 교토가 계승해 온 중요한 문화라고 할 수 있다. 교토는 전쟁의 재해를 피한 덕분에 얼마 안 되긴 하지만 에도시대의 가옥도 남아 있다. 마치야의 좌우 폭은 약 5.4미터이다. 좁고 깊이가 깊은, 이른바 '장어의 침상'이다. 하지만 부지가 좁아도 정원은 있는데, 사람들의 왕래가 적은 부지의 가장 안쪽에 만들어지는 것이 일반적이다. 가게로 쓰일 때는 문을 지나면 장사를 하는 '미세노마(장사를 하는 곳-역자)'가 있고, 그 안쪽에 현관 정원을 만들기도 했다.

아름다운 양식미를 지닌 마치야가 있는 교토이지만, 현재는 예전과 같은 거리 풍경이 사라질 위기에 처해 있다. 유지·관리가 어려워서 빈집이 되거나 철거 후 재건축하는 바람에 마치야가 점점 사라지고 있다. 한편, 여행객의 증가로 숙박 시설이 부족해지면서 호텔이나 게스트하우스 등을 연달아 짓고 있다. 게다가 외국 자본이 거리에 늘어선 집들을 죄다 사버리는 사례도 생기고 있다. 예를 들면, 중국 투자 회사가 마치야가 즐비한 일대를 전부 사들이고, 그곳을 중국풍의 이름으로 재개발할 계획도 있는 모양이다.

왜 와코루가 '숙박 사업'을 하는가

그런 상황 속에서 왜 와코루가 숙박 사업을 시작했을까. 그 이유는 두 가지다. 하나는 교토 느낌이 물씬 풍기는 거리가 변해 가는 상황 속에 그 고장을 기반으로 하는 기업으로서 마치야가 줄어드는 위기를 두고 볼 수는 없다는 마음이다. 단순히 마치야를 활용해서 숙박 시설로 만드는 것이 아니라, 건물을 빌려서 개조한 다음 10~15년 후에는 주인에게 되돌려준다는 사업 모델을 떠올렸다. 와코루가 마치야 재생 사업을 시작하자, 많은 주민들로부터 "제가 갖고 있는 마치야를 빌려주고 싶은데요"라는 문의가 왔다. 교토에서 탄생한 와코루라면 자신의 마치야를 맡겨도 안심된다는 신뢰감에서 비롯된 것이다.

둘째는 와코루가 내건 '미·쾌적·건강'이라는 테마의 존재다. 그들과 마치야를 재생하는 숙박 사업은 얼핏 보면 다르다. 하지만 '미·쾌적·건강'이라는 3가지 테마를 이루려면 고품질의 의식주가 반드시 필요하다. 그중 '주'에 주목한 것이 바로 교노 온도코로다. 콘셉트는 교토에서 생활하는 '또 다른 일상 체험'으로, 저명한 디자이너 미나가와 아키라 씨와 함께 고안했다.

예컨대 '교노 온도코로 오키지키'에서는 부엌이나 식당에 디자인이 멋지고 인기 있는 마루니 목공 가구가 놓여 있고, 안쪽 다다미방에는 유키미쇼지 너머로 안뜰을 바라보며 쉴 수 있는 호리고타츠(바닥이 파여 있어 의자처럼 앉을 수 있는 공간-역자)가 배치되어 있다. 2층은 침실과 다다미방인데 옛날에 쓰던 대들보를 그대로 남겨 뒀다. 도코노마나 현관에는 스파이럴이 감수한 아트 피스가 공간을 연출한다. 이들이 '또 하나의 일상 체험'을 실현해 준다.

야마구치 씨는 이렇게 말했다. "공간, 시간, 정보 같은 것들을 서비스로 제공할 수 있게 된다면, 지금까지와는 또 다른 와코루가 될지도 몰라요. 지금까지 와코루에서는 숙박 사업을 하고 싶다는 의견조차 나오지 않았어요. 아름다움, 건강, 쾌적함이라는 분야를 계속 고집해 왔고, 역시 여성을 아름답게 하는 사업은 흔들리지 않으니까요."

마치야의 커뮤니티를 꾸준히 키워나가려면?

와코루는 지역 커뮤니티와 접할 때도 정성을 들인다. 사전에 근처 주민에게 설명회를 하고, 공사가 끝나면 가오픈을 해서 주민들이 견학할 수 있는 기회를 마련한다. 예를 들어 관광객의 여행 가방 바퀴 굴리는 소리가 동네에 울리지 않도록 게스트를 마중 나가는 기능으로 교토역 근처에 체크인

할 수 있는 체제를 갖추고, 짐을 숙박할 마치야까지 배달하는 서비스도 하고 있다. 마치야를 다루는 사업을 실현하기 위한 하드는 물론, 지역 주민에게 녹아드는 소프트도 제공한다.

기업 브랜드라는 관점에서 생각하면, 지역의 사회 문제에 관여하고 커뮤니티를 중시하는 사고방식은 교토에 뿌리내리고 있는 와코루에게 브랜드 가치 향상으로 이어진다. 와코루가 생각하는 숙박 사업은 지역 구조나 과제를 해결할 뿐만 아니라 커뮤니티를 지역 스스로 키워나간다는, 꿋꿋이 지켜온 그 사고방식을 소중히 여긴다. 그 고장에서 길러 온 와코루만이 할 수 있는 지역과의 공생을 목표로 한 새로운 '주(住)'의 제안이 보인다. 그것이 브랜드 에쿼티로 이어진다.

주목해야 할 점은 마치야라는 교토의 공간적 기억 재구축이 이 숙박 사업의 기점이 된다는 사실이다. 기존에 있던 교토의 상업화된 숙박 시설이라는 개념을 부정하고, 마치야를 숙박 시설에 제한하지 않고 교토의 가치로서 미래에 제공할 수 있지 않을까 하고 와코루는 제안한다. 기업이 지역 사회와 적당한 거리를 두고 끼어 있는 유효한 브랜딩 사례라고 할 수 있다.

그러나 와코루가 지역 과제를 해결함으로써 브랜드에 대한 애착을 높인다는 접근법은 시간이 걸린다. 이 경우는 마치야를 10~15년 계약으로 빌리는 것이기 때문에 적어도 20~30년은 장기적인 시야로 지속 가능하게 대응해서 진행해야 할지 묻게 된다. 단기적인 브랜드 전략이 많은 가운데, 성과를 보기 어려운 이런 시책은 뒷전이 되기 마련이다. 일본 기업의 대표적인 활동으로 앞으로도 계속했으면 하는 브랜딩 시책이다.

한편, 마치야 재생에서 도시 구조의 재생이라는 큰틀에서 생각하면 새로운 관점이 보인다. 예를 들어 병원, 케어 센터, 학교, 보육원 등 도시의

'오카자키'의 부엌이나 식당에는 마루니 목공 가구가 일부 쓰이는 등 품격 있는 공간을 자연스레 연출한다.

과제를 기업의 기술을 살려 해결하고, 지역 사회에 환원하면 생활자에게 직접적인 브랜드 에쿼티로 이어진다.

고객 여정이나 UX처럼 점과 점을 연결할 뿐만 아니라, 도시나 지역 사회 등 '면'을 상상하는 그랜드 디자인을 그리는 것은 새로운 브랜딩 방법이다. 토요타 자동차가 발표한, 삶을 떠받치는 온갖 물건이나 서비스를 온라인으로 연결하는 실증 도시 '커넥티드 시티'는 그야말로 그 흐름의 움직임이다. 기업이나 사회의 브랜딩에서 원풍경을 지키고 새롭게 만들어내려면 사내 마케팅 담당자나 디자이너만으로는 생각해내는 데 한계가 있다. 외부 기술자, 도시계획자, 사회학자, 환경학자, 의학자, 문화인류학자, 문학, 역사가, 음악가 등 다양한 분야의 연구자나 실무자와 꼭 협업해야 한다.

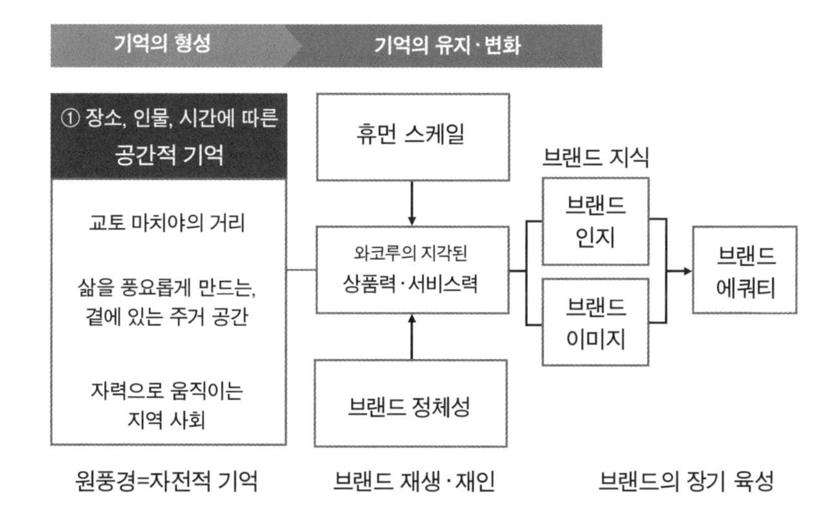

오감이나 정서에 따른 정서적 기억

여기부터는 새로운 기억을 형성하기 위해 주로 ① 공간적 기억에서 발전하여 ② 오감이나 감정에 따른 정서적 기억 창조에 도전하는 세 회사의 사례를 예로 든다. 양품계획의 '가챠GACHA', '홋카이도 콘사도레의 '홋카이도 콘사도레 삿포로北海道コンサドーレ札幌', 진스의 '진스 디자인 프로젝트JINS Design Project'에 대해 소개하겠다.

| 〈도표 22〉 오감이나 정서에 따른 정서적 기억

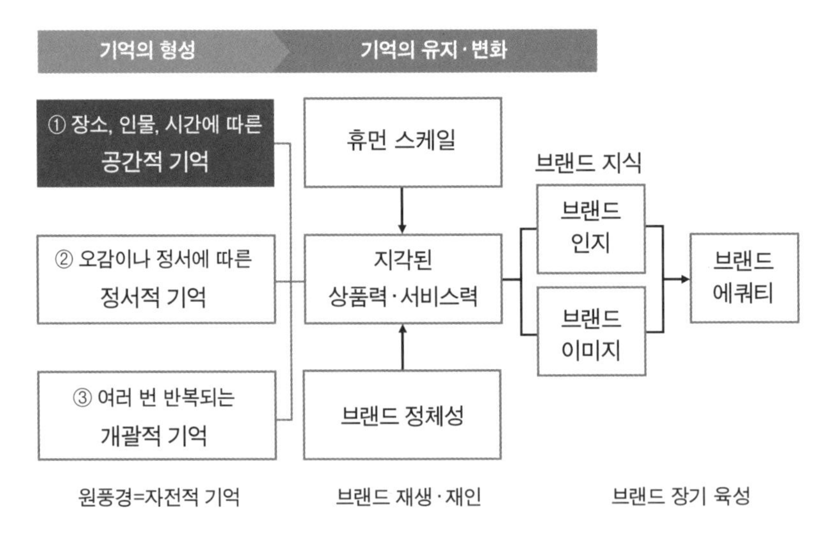

양품계획 '가챠GACHA' **인터뷰**

자율주행 버스의 모티브는 캡슐 토이 '가챠가챠'

양품계획이 디자인한 자율주행 버스 '가챠'. 차체의 앞뒤를 의식하지 않아도 되는 독특한 디자인으로 2019년도 굿 디자인 금상을 받았다 © 양품계획

호소야: 핀란드에서 2020년 내에 당장 실용화를 꾀하고 있는 자율주행 버스 '가챠'의 디자인을 양품계획이 기획하고 있습니다. 대중교통수단으로서 자율주행을 연구하는 핀란드 기업 센서블4Sensible4와 공동으로 2017년도부터 프로젝트를 추진하고 있어요. 폭우, 안개, 눈 등 극심한 기상 조건에서도 움직인다는 점이 특징인데, 본격적인 가동을 목표로 현재는 헬싱키 근교에서 공공 도로 실증 실험을 추진 중이에요.

이 책에서는 디지털 시대 속에서 고객과 기업이 어떻게 관계를 맺어가는가를 테마로 하고 있어요. 특히 양자의 관계성이나 '간격'이라는 측면에서 어떻게 변화되어 가는지에 관심이 있어요. 그래서 생활 잡화 'MUJI(무인양품)' 브랜드로 유명한 양품계획이 왜 자율주행에 관심을 보이는지, 게다가 승용차가 아니라 왜 버스였는지 꼭 여쭤보고 싶어요.

© 마루게 도루

야노 나오코矢野 直子

양품계획 생활 잡화부 기획 디자인 담당 부장

1993년에 양품계획에 입사해 점포 근무를 거쳐 생활 잡화의 상품 기획을 담당했다. 2002년부터 3년 동안 스웨덴으로 이주했다. 이후 유럽 무인양품의 상품 기획 개발에 종사했고, 귀국 후 생활 잡화부 기획 디자인실에서 '파운드 무지Found MUJI' 등을 담당했다. 2008년에 이세탄 연구소(현재 미쓰코시 이세탄 연구소)에 입사하여 리빙 플로어 디렉션과 'more Trees/뻐꾸기 시계', '마루니 목공/마디와 조각(특이한 마디를 가진 나무와 쓰고 남은 천 조각을 합쳐서 만든 암 체어 시리즈-역자)' 등의 상품을 기획했고, 2013년부터 현직에 이른다. 2014년부터 다마 미술대학 통합 디자인 학교의 시간 강사로 일하고 있다.

© 마루게 도루

사이토 유이치斎藤 勇一
양품계획 소셜굿사업부 부과장

2018년부터 양품계획 소셜 굿 사업부 소속으로 지역의 다양한 사회 과제를 해결하고 새로운 생활 가치를 창출하기 위한 소셜 리노베이션 사업을 추진했다. 가차 프로젝트에서는 그랜드 디자인 수립과 로드맵을 개발하는 동시에 센서블4와 핀란드에서의 실증 테스트를 지원했다. 현재 소셜굿사업부 부과장을 맡고 있다.

야노: 핀란드 헬싱키에서 매년 전통 인테리어 디자인 견본 시장 '하비타레Habitare'가 열리는데, 가나이(마사아키) 회장님이 2017년 개최 당시 토크 이벤트에 초대받은 것이 이 프로젝트를 시작하게 된 계기입니다. 전 세계에서 '기분 좋은 생활'을 제안하고 있는 무인양품의 자세 등을 전한 것

외에도, 앞으로는 누구나 공유하는 모빌리티의 존재가 우리 생활에 일반적이 될 거라는 이야기를 했어요. 그걸 센서블4의 멤버가 듣고, "우리가 하려고 하는 일과 일맥상통하는군요."라고 공감해 주시면서 디자인 의뢰가 있었어요.

무인양품은 일용품을 비롯해서 최근에는 집이나 호텔까지 만들고 있는데, 탈 것에 대해서는 거의 손을 대지 않았어요. 그래서 그해 12월에 일단 센서블4의 멤버를 만나보려고 핀란드에 갔어요. 센서블4는 공공성을 중시하고 자가용차가 아니라 버스 개발을 노리고 있었어요. 기후가 혹독한 나라를 위해 전천후형으로 개발을 진행해서 북극권에서도 대응할 수 있는 높은 기술을 갖고 있었죠. 하지만 엔지니어 집단이기 때문에 디자인 지원이 필요했던 모양이에요.

핀란드에 가서 우리가 확실하게 느꼈던 것은 행정부터 시민까지 디자인에 대해 높은 의식이 침투되어 있다는 점이었어요. 국토 대부분이 삼림지대로 풍부한 자연과 인간이 공생하는 나라라서 그럴까요? 삶이나 사람 사이의 커뮤니케이션까지도 '디자인'으로 인식하더라고요. 시내에서 가게를 운영하는 평범한 할아버지도 디자인을 이야기할 정도였어요. 그래서 센서블4도 디자인에 신경을 쓰고 싶었던 거겠죠. 디자인을 중시한다는 기업의 자세가 우리 회사와 일치했기 때문에 수락하기로 했어요.

게다가 이번 건은 자가용차가 아니라 대중교통수단인 버스 디자인 건이었던 것도 제안을 받아들인 이유예요. '기분 좋은 삶'을 실현하기 위해 저희는 상품 개발 이외에 사회 과제 해결에도 눈을 돌리고 있어요. 그 관점에서 보면, 고령화가 진행되는 일본에서는 버스의 중요성이 높아지고 있다고 생각해요. 지방에서는 다리로써 반드시 필요하지만, 운영비 등의 장벽으로 노선 유지가 어려운 상황에 있다고 들었어요. 그런 사회 과제를 센서블4의 기술로 해결할 수 있을지도 모르겠다고 생각했어요.

그래서 단순히 버스 디자인에서 끝나지 않고, 사회 과제 해결을 위해 버스를 중심으로 한 지방의 그랜드 디자인 만들기도 시야에 넣었어요. 예를 들어 버스를 중심으로 한 지역의 디자인을 생각해서 사람과 사람, 사

2019년 3월 8일에 핀란드 헬싱키 중앙 도서관에서 개최한 월드 프리미어. 실제로 가동되는 차량의 프로토타입을 일반 공개하고 겨울 날씨 속에서 달리는 체험을 할 수 있는 시승회를 했다. 많은 사람이 모여 자율주행 버스에 높은 관심을 보였다.

람과 지역을 연결하는 새로운 커뮤니케이션 수단을 보여주려고 해요. 핀란드의 법률은 다른 나라와 달리 자율주행으로 공공 도로를 주행하는 걸 이미 허가했기 때문에 실증 실험을 하기에 제격이에요. 핀란드, 일본, 그리고 다른 다양한 나라에서도 전개해 나갈 계획이에요.

'소셜 굿 사업부'를 발족, 지방 창생 사업에 나서다

호소야: 그랜드 디자인이라는 개념은 이번 프로젝트에서 처음으로 나온 건가요? 아니면 이전부터 있었던 건가요?

야노: 최근이죠. 저희는 소재를 재검토하고, 생산 공정의 수고를 덜고, 포장을 간소화하는 등 심플하고 아름다운 상품을 만들어 왔어요. 1980년에 시작한 무인양품이라는 브랜드는 2020년에 40주년을 맞이하지만,

지금도 이런 방침을 중요하게 여기고 있어요.
하지만 좋은 상품을 개발해도 판매 지역은 주로 도시 주변이죠. 그럼 지방은 어떻게 해야 할까, 상품을 개발해서 '기분 좋은 생활'을 매장에서만 전하는 게 아니라, 다른 접근법이 필요하지 않을까 생각하게 됐어요. 그래서 3년 정도 전부터 지방에 국도 휴게소를 재생하거나 폐교를 재활용하는 사업을 물밑에서 계속 작업해 왔어요. 지금까지의 실적을 근거로 2018년 2월에 소셜 굿 사업부라 불리는 부문을 개설해서 사회 과제 해결의 일환으로 지방 창생 사업을 정식으로 시작했어요. 이런 움직임이 그랜드 디자인을 그린다는 생각으로 이어진 거죠. 소셜 굿 사업부와 가챠를 시작한 시기는 비슷했으니까 가챠 프로젝트에서 처음으로 그랜드 디자인을 내세운 건 아니에요.

사이토: 소셜 굿 사업부의 목적은 지방의 다양한 사회 문제에 대처하고 새로운 생활 가치를 창출하려는 점에 있었어요. 국도 휴게소나 폐교에 오래된 민가 활용, 나아가 '셔터 거리'가 되어 있는 중심 시가지의 활성화 등도 진행하고 있죠.
모든 지역에서 현지 주민들과 함께 노력하고 있는데, 여러 가지 문제를 듣다 보면 아무래도 이동 수단에 대해 불안감을 나타내는 의견이 나와요. 지방에서는 차가 꼭 필요한데, 고령자가 되면 면허를 반납해야 해서 장을 보러 가지도 못한다는 분들이 많았어요. 그런 상황에 가챠처럼 자율주행 버스가 사람과 사람, 사람과 지역을 연결하는 커뮤니케이션 수단으로 적합하지 않을까 생각했어요.
저희가 가챠 사업을 한다는 사실을 알고 일본의 지방에서도 가챠를 사용하고 싶다는 의견을 받았어요. 자율주행이라고 하면 왠지 최첨단 기술 같은 느낌이 드는데, 이동 수단이며 똑같은 차임에는 변함이 없어요. 그랜드 디자인은 저희만 생각하는 것이 아니라 지방분들의 의견을 듣고 어떻게 활용할지 함께 의논하고 싶어요.

캡슐 토이 '가챠가챠'의 이미지를 본따 '가챠'가 되다

호소야: 가챠 디자인은 어떤 발상에서 나왔나요?

야노: 저희 자문 위원회 멤버인 디자이너 후카사와 나오토 씨와 이번 프로젝트에 대해 이야기했을 때, 캡슐 토이 '가챠가챠'의 이미지가 떠올랐어요. 자동판매기에 동전을 넣어 레버를 돌리면 장난감이 든 둥근 캡슐이 나오는데, 열어보지 않으면 안에 뭐가 들었는지 알 수 없죠.

마찬가지로 자율주행이라고 해도 일반 자동차랑 다르게 좌석을 만들지 않고, 문을 열었을 때 가게이거나 도서관이어도 좋죠. 사람을 A에서 B까지 데려가는 이동 수단이라는 틀에 꼭 구애받지 않아도 되지 않을까 하고 얘기했어요. 그래서 코드 네임을 가챠로 했는데, 센서블4도 마음에 든다고 해서 정식 명칭이 됐어요.

가챠가챠의 캡슐처럼 둥근 모양을 모티브로 가챠도 되도록 외관이 울퉁불퉁하지 않도록 신경 썼어요. 전천후형으로 눈이 쌓이기 힘든 디자인이기도 해요. 운전석이 없으니까 일반 자동차처럼 앞과 뒤를 의식할 필요도 없죠. 앞을 비추는 헤드라이트를 없애고 차체 주위에 LED를 벨트 모양으로 배치하기로 했어요. 여기에 글자를 표시하면 외부와 360도로 커뮤니케이션이 가능해요. 좌석도 가챠의 특징인데, 주위의 창문을 따라 배치했어요. 그래서 나라별로 좌측통행이나 우측통행 등 교통 법규가 달라도 사용할 수 있죠.

호소야: 그렇군요. 자동차 회사가 개발하면 아무래도 일반 버스를 기반으로 아이디어를 내기 쉬우니까요. 자동차와는 인연이 없었던 무인양품이기에 새로운 디자인이 탄생한 거겠죠.

사이토: 2019년에 핀란드 공공 도로에서 실증 실험을 했을 때, 많은 손님들이 타시길래 안심했어요. 자율주행을 꺼려서 손님이 거의 없으면 어쩌나 걱정했거든요. 그런데 실제로는 매일 타는 분도 계시고, 의견을 들어보니 가챠가 생활의 일부가 될 수 있다는 사실을 실감했어요. 고객들 입장에서 보면 사람이 운전을 하든 자율주행이든, 목적지까지 안전하

가챠의 차체 주위에는 LED를 벨트 상태로 배치해서 문자를 표시하고 외부와 커뮤니케이션 할 수 있게 했다.

가챠에서는 내부를 에워싸듯 좌석이 있어서 승객들끼리 자연스레 대화가 오갈 수 있다.

게 도착하기만 하면 되는 거예요. 자율주행이라서 생겨나는 가치, 가챠에서만 제공할 수 있는 가치를 앞으로 어떻게 만들어낼지 매일 연구하고 있어요.

야노: 타 보시면 아시겠지만, 고객들이 앉아 있는 모습이 마치 사우나에 있는 느낌이에요. 둥그런 내부에 사람들이 옹기종기 앉아 있으니까요. 핀란드는 사우나가 활성화된 나라라서 그런지 자연스레 손님들끼리 대화가 생겨나고 미소가 번져요. 대단한 장치가 있는 건 아니지만 뭔가 자연스레 미소가 번지는 디자인으로 완성된 것 같아요. 생활 잡화와 자동차는 분야가 다르지만 역시 무인양품다운 디자인으로 잘 만들어진 것 같아요.

호소야: 고객이 어떤 삶을 사는가에 항상 중점을 두고 기준이 흔들리지 않으니까 자율주행에서도 가챠와 같은 디자인이 나온 거군요. 앞으로의 계획을 알려 주세요. 일본에서도 가챠를 볼 수 있나요?

사이토: 2020년 중에는 일본에서 운행하려고 계획 중이고, 지방자치단체나 파트너 기업과도 얘기하고 있습니다.

호소야: 일본에서 어떤 변화가 일어날지 기대가 되네요. 오늘 감사합니다.

양품계획 '가챠' **해설**

'기분 좋은 생활'이 거리를 달린다

가챠의 외관은 일반적인 자동차 회사의 디자인과는 완전히 다르다 © 양품계획

'무인양품'을 운영하는 양품계획의 자율주행 버스 '가챠'는 핀란드에서 디자인했다. 무인양품이 디자인한다는 소식을 듣고 일반 자동차 회사와는 다른 감성 가치에 대한 기대가 있었다. 일본이 아닌 핀란드였던 것은 무인양품이 새로운 무대를 전개하기 시작한 듯한 느낌이 들게 한다.

왜 자율주행 버스인가. 인터뷰를 하기 전, 나는 나름의 가설을 갖고 있었다. 무인양품은 자율주행 버스를 지역의 '장'으로 인식하고, 거기에 사람과 사람, 혹은 사람과 사회의 '간격' 같은 것을 상정해 독자적으로 정리했기 때문에 그 누구도 흉내 낼 수 없는 자율주행 버스가 탄생한 것이 아닐까. 그것은 공간적 기억뿐만 아니라 정서적 기억으로도 발전한다. 인터뷰에서는 독자적인 관점, 물건 제조, 거리 조성에 대해 회사를 대표해 나온 야노 씨와 사이토 씨에게 물어봤다.

처음에 떠오른 의문은 왜 무인양품은 모빌리티 분야, 그것도 자율주행 버스에 디자인을 제공했는가 하는 점이다. 인터뷰 결과, 그 이유는 주로 4가지가 있다는 사실을 알았다.

(1) 공동 개발을 한 핀란드 기업 센서블4가 버스의 자율주행화를 전제로 했던 점, (2) 센서블4는 이미 북극권에서 자율주행 버스의 실증 실험을 진행하고 있었으며, 추운 겨울에도 견딜 수 있는 견고한 시스템을 개발하고 있었다는 점, (3) 핀란드는 과소화 문제가 존재하는 한편, IT 대기업이 있어 기술이나 인프라가 발달하는 등 일본과 상황이 비슷하다는 점, (4) 일본뿐만 아니라 전 세계에서 지역 인프라의 교통수단이 잇따라 폐지되었고, 앞으로는 더 악화되리라는 점.

이러한 조건이나 실정에서 무인양품은 자율주행 버스가 핀란드뿐 아니라 일본과 다른 나라의 지역 사회에서도 도움이 될 이동 수단이 되리라고 판단했다. 지역 활성화를 위한 실용적인 수단으로 자율주행 버스에 따른 모빌리티 분야의 부품이 필요했다. 게다가 무인양품은 당초 과소화 문제나 지방 창생의 자세에 대해 높은 의식이 있었던 덕분에 센서블4와의 협업을 신속하게 결정할 수 있었다.

핀란드는 '공생'이 디자인 테마

가챠 디자인에 대해 이야기하려면 핀란드라는 나라에 대해 조금 알아둘 필요가 있다. 핀란드는 패션 브랜드 마리메꼬, 예전에는 핸드폰으로 유명했던 노키아 등 디자인을 중시한 제품을 세계에 수출해 온 나라다. 1155~1809년에는 이웃 나라인 스웨덴에 지배당했고, 1809년부터 러시아

황제가 군림하는 대공국이었다.

1917년에 러시아 혁명이 일어나자, 그 혼란을 틈타 주의회가 독립을 선언하고, 핀란드 공화국이 탄생했다. 오랫동안 스웨덴이나 러시아에 지배를 당해 온 배경이 있는 만큼, 누군가가 특권적인 계급을 차지하거나 극단적인 격차 때문에 비참함을 느끼는 국민이 생기지 않도록 했다. 왕정이 아니라 공화국으로서 모든 국민이 평등하게 수준 높은 삶을 살 수 있는 나라를 만드는 것을 목표로 해 왔다.

야노 씨는 이렇게 말했다. "그런 역사의 결과일까요? 물건뿐만 아니라 삶을 만드는 구조도 '디자인'으로서 거리에 디자인이라는 말이 자연스레 침투해 있는 것 같아요. 길에 있는 채소가게부터 시장mayor까지 모두 디자인이라는 말을 일상적으로 쓰고 있을 정도예요." 핀란드에는 자율주행 기술뿐만 아니라 디자인 측면에서도 선진적인 자세가 있었다고 할 수 있다. 실제로 1920년대에 시작한 디자인의 국제적 모더니즘(근대주의)의 움직임에도 영향을 받아 핀란드의 디자인도 좀 더 효율화된 미니멀한 미학으로 이행했다. 그 후 핀란드의 모더니즘에서 20세기를 대표하는 핀란드의 건축가이자 디자이너인 알바 알토의 존재가 컸고, 디자인도 자연스레 깊게 연결됐다. 많은 사람이 환경이나 사회와 공생하면서 물건의 품질을 가능한 한 높이고, 많은 국민이 높은 수준에서 '디자인'의 의미를 깊이 인식한 것이다.

가챠는 차체의 앞뒤를 의식하지 않아도 되는 독특한 디자인으로 2019년도 굿 디자인 금상을 받았고, 핀란드에서 시운전을 했을 때는 많은 방문객의 관심을 불러 일으켰다. 기존의 자동차와 디자인이 달라도 받아들여질 수 있었던 이유는 핀란드인이 디자인을 중시하기 때문이다.

또한 자율주행 운전이라는 기술을 활용한 제조 끝에 있는 청사진을 명확히 그렸다고 야노 씨는 말했다. "무인양품은 이미 지우개부터 집까지 만들었지만, 탈 것을 디자인하는 일은 드물어요. 자율주행 버스 디자인은 도착점이 아니에요. 무인양품이 생각하는 미래의 그랜드 디자인 중 자율주행 버스를 사람과 사람, 사람과 지역의 커뮤니케이션 도구로서 자리매김하도록 디자인했어요." (야노 씨)

핀란드에 있는 무인양품 점포. 독특한 세계관은 핀란드에서도 매력을 뿜어낸다.

무인양품의 '생활 미학'이란

무인양품의 콘셉트를 낳은 아버지, 그래픽 디자이너 다나카 잇코 씨의 말 중에 장사를 통해 사회에 공헌하고 삶에 유익한 '생활 미학'을 만든다는 사상이 있다. '미(美)'라는 개념은 사람마다 다르며 무척 어려운 말이다.

그러나 무인양품이 태어난 지 약 40년, 그 하나의 답을 양품계획은 계속 제안해 왔다. "무인양품은 확신에 찬 '이것으로 충분하다'라는 것을 만들고 있어요. '이것이 좋다'가 아니라, '이것으로 충분하다'라는 것을 만드는 것이 디자인에 대한 우리의 자세예요." (야노 씨)

'도형과 배경'이라는 말이 있다. 어떤 물건이 다른 물건을 배경으로 해서 전체 속에서 떠올라 명료하게 지각될 때, 전자를 '도형'이라 하고 도형에 밀려나는 것을 '배경'이라고 한다. 물건을 배경과 도형으로 인식한다면, 무인양품의 위치는 어디까지나 '배경'이다. 뒤를 받쳐주는 배경 같은 느낌의 물건을 만들어 온 것이 무인양품의 사상이며, 시대가 변화하며 탄생하는 아름다움이야말로 무인양품이 제공하는 '생활 미학'이라고 할 수 있다.

"아마 자율주행 버스 가차도, 2019년부터 운영하고 있는 무지호텔 긴자MUJI HOTEL GINZA도 '이것이 좋다'가 아니라, 각 분야에서 자신만만하게 '이것으로 충분하다'라는 균형을 찾도록 그 카테고리 안에서 항상 찾고 있어요."(야노 씨) 그 적절한 균형에 대해 무인양품은 어떻게 생각하고 있을까?

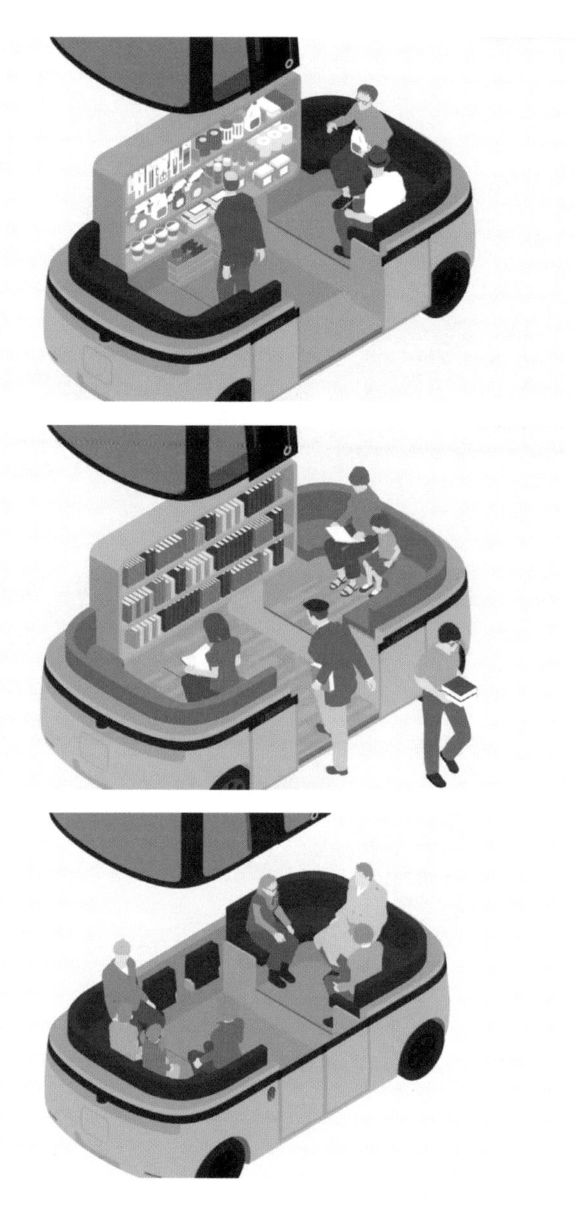

가챠의 내부는 일반적인 좌석의 기능뿐만 아니라 이동하는 가게나 도서관도 예상해서 디자인했다.

2018년 4월에 오픈한 지바 현 가모가와 시의 종합 교류 터미널 '사토노 MUJI 민나미노사토'. 양품계획이 지정 관리자로서 운영하고 있으며, 지역 농산물이나 물산 판매와 더불어 무인양품 점포 및 음식점 'Cafe&Meal MUJI' 등이 있다

이동 점포나 도서관으로 지역과의 공생 강화

1980년에 출발한 무인양품에는 기본적인 제조에 대한 자세로 (1) 소재를 재검토하여 적재적소에 사용하기, (2) 제조 공정을 철저히 보고 낭비 줄이기, (3) 포장재를 간략화하기라는 3가지가 있다. 창업 40주년을 맞이한 지금도 중요하게 여기는 원칙이다.

그러나 물건을 파는 것만으로는 생활자에게 무인양품의 사상인 '기분 좋은 생활'을 전하기 어려워졌다. 실제로 현재 일본에 있는 약 490개 점포 대부분이 도시나 그 근교에 위치하고 사람이 적은 곳에는 전개하지 않는다.

현재 무인양품은 지역의 다양한 과제에 대해 차근차근 접근하며 사회 공헌 활동을 하고 있다. 구체적으로는 지바 현 가모가와 시의 다나다 재생 지원, 미나미보소 시의 백사장의 폐교 활용, 셔터 상점가(문 닫은 가게가 많은 상점 거리-역자)가 된 지역 중심부의 활성화 등이다. 그 연장선으로 2018년 2월에 소셜 굿 사업부를 개설하고 '기분 좋은 생활'의 '그랜드 디자인'을 그린다는 생각으로 연결했다.

"지방 창생의 방법으로 시가지의 규모를 작게 유지하고, 걸어서 갈 수 있는 범위를 생활권으로 인식한 콤팩트 시티라는 발상이 있어요. 하지만 기존 시가지는 하나씩 묶을 필요가 있기 때문에 대중교통수단은 꼭 필요한 존재였죠."(사이토 씨) 그야말로 가챠는 과제 해결의 조각에 딱 들어맞는, 무인양품의 그랜드 디자인을 완성시키는 데 필요한 모빌리티 수단이다.

일반적으로 자율주행 이야기가 나오면 기술이나 규제 문제만 주목받기 쉽다. 하지만 프로모션 무비 안에서는 '기분 좋은 생활'의 장치로 가챠가 거리를 움직인다. 자율주행 버스가 도서관, 슈퍼, 무인양품 매장이 있는 시내 거리를 여기저기 돌아다니는 모습이 담겨 있다. 그것은 옛 거리에서 집 근처까지 오던 두부 장수 같은, 기분 좋은 편안함을 느끼게 한다. 게

다가 이름은 가챠이며, 디자인 콘셉트는 어린 시절에 갖고 놀았던 데굴데굴 굴러가는 캡슐 토이 '가챠가챠'이다. 동글동글하고 귀여운 느낌이나 설렘이 거리 안에 행복감을 가져다주고, 가챠의 퍼스낼리티 이미지를 형성하고 있다고 할 수 있다. 그야말로 자전적 기억을 자극한다.

타사의 자율주행 버스 콘셉트와의 차이는 명확하다. 미래 도시를 창조한다는 느낌이 아니라, 언제까지나 미래에 남겨두고 싶은 원풍경과 인간미가 있는 것을 삶 속에 간직하고 싶다는 정서적 기억이 가챠라는 콘셉트 속에 잘 담겨 있다.

핀란드 거리를 달리는 가챠는 지역과의 공생을 목표로 한다.

정서적인 것은 삶 자체에서 배어 나온다.

무인양품은 2002년부터 본격적으로 관찰이라는 관점을 도입해 왔다. MD와 디자이너가 하나가 되어 관찰을 통해 상품을 만든다.

"창업 초기에는 40품목부터 시작해서 현재는 7천 품목이나 돼요. 2000년도 초반에는 9천 품목까지 물건을 만들었죠. 그때 정말 필요한 물건을 찾기 위해 저희 자문위원회의 멤버인 디자이너 후카사와 나오토 씨와 하라 겐야 씨의 조언으로 관찰을 시작했어요."(야노 씨)

무인양품은 뭔가를 만들 때 몇십 가구나 되는 사용자의 자택을 방문해서 관찰하고, 도면을 그리고, 생활환경의 과제나 깨달음을 찾아낸다. "정서적인 것은 생활에서 배어 나오니까요."(사이토 씨)

도쿄 도시마 구의 공원 재개발 사업에서는 '빨래터 잡담'(우물 근처에 빨래를 하며 아낙네들이 잡담을 한다는 것에서 온 말-역자)으로 주민의 의견을 청취한다.

무인양품은 생활자의 자택을 철저하게 방문하고, 거기에서 얻은 지식과 견문을 중요시한다. 정서적 기억이 정성적으로 쌓일수록 독자적인 감성 가치를 만들어낸다.

마찬가지로 소셜 굿 사업부에서도 지역의 의견을 모으고 거리를 돌아다니며 관찰한다. 일례로, 무인양품은 도쿄 도시마 구의 공원 재개발 사업에서도 지역 주민에게 의견을 듣는다. "공원에 텐트를 치면 추위 속에서도 주민들이 모여서 자발적으로 이런저런 얘기를 해 주세요. 이야기를 듣는 장을 만드는 것이 중요합니다."(야노 씨)

관찰의 필요성을 느끼면 한 걸음 더 나아가 사원이 해당 지역에 실제로 살아 보기도 한다. 과제를 '자신만의 방식으로' 해결하려면, 지역 주민의 관점에서 생각할 필요가 있기 때문이다. 관찰을 통해 수천 품목이나 되는 물건을 만들고, 거기에서 배어 나오는 생활을 계속 인식해 온 만큼 무인양품은 지역 과제에 대해서도 주민들에게 알기 쉬운 시책이나 말로 이야기할 수 있는 것이다. 그것이야말로 무인양품의 강점이다.

소셜 굿은 결국 제품 만들기로 회귀한다

"앞으로 20년을 생각하면, 소셜 굿이란 무엇인가를 생각한다는 것은 무인양품의 제품 만들기로 확실히 돌아오지 않을까 생각해요."(야노 씨)

소셜 굿의 관점으로 새삼 다시 보면, 자취 생활에 필요한 것, 도시에서 필요한 것, 지역에서 필요한 것이 다른 경치로 보일지도 모른다. 핀란드의 센서블4와 공동 개발을 하지 않았더라도 필연적으로 무인양품이 자율주행 버스를 만들게 되었을 것이다. 그 지역 속에서 실제로 살아 봄으로써 정말 필요한 것과 불필요한 것을 알 수 있다는 무인양품다운 현실적이고

'눈높이에 맞는' 고찰은 문제를 해결할 뿐만 아니라 문제를 제기하는 작업으로도 이어진다.

'도형과 배경'을 해석하자면, 지금까지의 무인양품은 검은 옷을 입은 배경 같은 제품을 만드는 '배경'의 관점에 있었다. 하지만 무인양품의 앞으로 20년은 지역 사회를 전체적으로 내려다보는 자세로 그랜드 디자인을 그리고, 명료하게 지각된 '도형'도 함께 그리는 것이 필요한 듯하다. 앞으로 디지털 사회가 가속화되고, 사람과 사람이 직접 연결되기 쉽기 때문에 브랜딩으로서 '도형과 배경'이라는 좌우의 바퀴를 함께 그리는 것이 필수적이다. 가챠와 소셜 굿 사업부의 활동은 무인양품이라는 브랜드가 다음 단계로 향하고 있다는 사실을 보여준다.

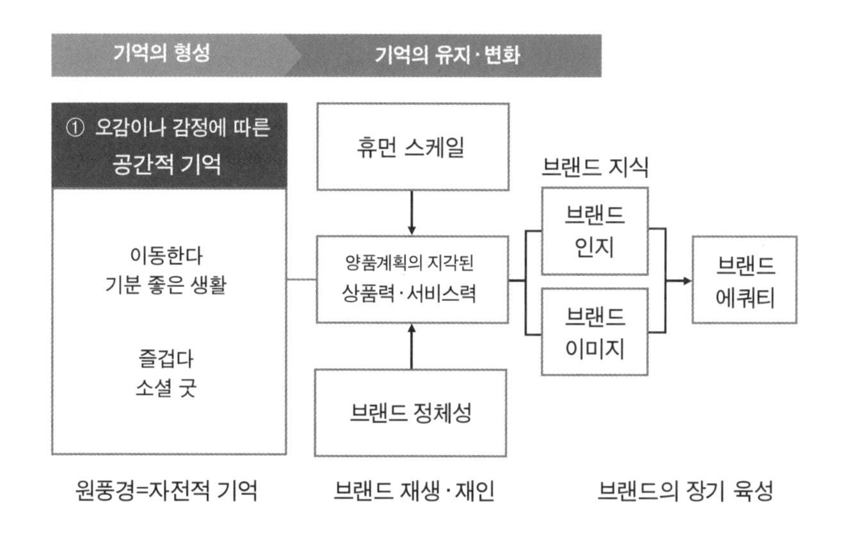

콘사도레 '홋카이도 콘사도레 삿포로' **인터뷰**

'체육'을 연장해 봤자 축구 브랜드는 태어나지 않는다

ⓒ마루게 도루

아이자와 요스케相澤 陽介

홋카이도 콘사도레 삿포로 크리에이티브 디렉터

1977년 사이타마 출생. 다마 미술대학 염직 디자인 학과를 졸업한 후, 꼼데가르송을 거쳐 2006년에 화이트 마운티니어링White Mountaineering을 설립했다. 지금까지 'Moncler W', 'BURTON THIRTEEN', 'adidas Originals by White Mountaineering' 등의 브랜드 디자인을 다뤘다. 2017년 헌팅 월드의 크리에이티브 디렉터를 역임했고 2019년에는 홋카이도 콘사도레 삿포로의 크리에이터 디렉터로 취임했다. 기타 다마 미술대학 생산 디자인학과의 객원 교수도 맡고 있다.

아이자와 씨가 취임한 후에 처음으로 작성한 홋카이도 콘사도레 삿포로의 전반기 일정 포스터 그래픽 제1탄

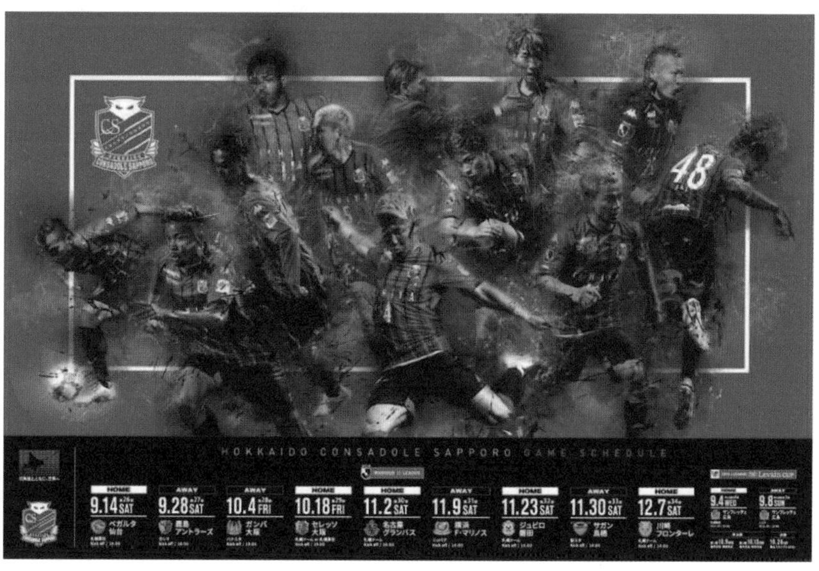

아이자와 씨가 맡은 일정 포스터 그래픽. 전반기와 마찬가지로 선수가 서 있기만 한 사진이 아니라 역동적인 표현을 강조했다.

호소야: 2019년 2월, J리그 홋카이도 콘사도레 삿포로는 화이트 마운티니어링 디자인으로 잘 알려진 아이자와 요스케 씨가 크리에이티브 디렉터로 취임했다는 사실을 발표했습니다. 포스터 그래픽을 시작으로 공식 굿즈 등의 디자인도 담당하고 있죠. 아이자와 씨 하면 패션 브랜드로 유명한데, 스포츠라는 새로운 분야에 뛰어드는 데 주저하지는 않으셨나요?

아이자와: 그런 건 전혀 없었어요. 저는 축구를 한 경험은 없지만, 축구를 보는 건 아주 좋아했거든요. 일 때문에 유럽에 갈 기회가 많아서 현지 축구장에도 자주 갔어요. 패션 업계에서는 1~2위를 다툴 정도로 축구 관전을 많이 했다고 자부해요.

그래서 콘사도레에서 제안이 오기 전부터 일본의 클럽팀도 이런 디자인이 있으면 좋겠는데, 뭐 그런 생각을 한 적이 있어요. 하지만 일본의 프로 스포츠 매력은 해외와는 완전히 다르다고 생각해요. 일본의 프로 스포츠는 소위 말하는 '체육대회'의 연장선 같은 것이라서 스포츠라기보다는 체육 같은 이미지가 있는 것 같아요. 그게 선수의 기본적인 이미지나 유니폼 디자인에도 반영되지 않았을까요?

그런데 저희가 유럽 축구에 매료되는 이유는 그냥 단순히 멋있기 때문이에요. 마치 패션 브랜드를 보고 있는 듯한 느낌이 들죠. 그 차이가 커요. 실제로 이탈리아의 〈지큐GQ〉나 〈에스콰이어Esquire〉 등의 저명한 남성 패션지의 표지를 크리스티아누 호날두 등 유명한 선수가 장식하고 있어요. 이동할 때 입는 공식 단복이나 쉴 때 입는 옷도 유명 브랜드가 협찬하고 있고요.

물론 일본의 클럽팀도 유명 브랜드가 단복 제작을 하고 있죠. 하지만 그래도 유럽과는 뭔가가 달라요. 그건 클럽팀으로서의 브랜드 일관성에 있다고 생각했어요. 각자 다 굉장히 좋은 옷들이거든요. 그런데 브랜딩은 단순히 멋있는 정장을 입는 게 아니에요.

화이트 마운티니어링도 마찬가지지만, 패션의 경우는 단순히 센스가 좋은 옷을 만들어서 팔고 끝나는 게 아니라 어떤 메시지를 담는가, 어떤 이미지를 그려서 자신이 생각하는 것을 형태로 나타낼까 하는 부분까지 하나의 세트예요. 거기에는 카탈로그나 초대장 디자인까지 포함돼요. 그래서 브랜드로 전해지죠. 패션 관점에서 보면, 이런 부분이 약하다고 생각했어요.

호소야: 이번에 크리에이티브 디렉터로서 고객접점을 관리하면서 포스터나 공식 굿즈 등을 전반적으로 브랜딩 관점에서 보는 거군요.

아이자와: 네. 기존 제품들을 존중하면서 우선 포스터나 웹 관련 등 이른바 아웃풋 제품들부터 착수하고 있어요. 놀랄 정도로 많더라고요. 갑자기 전부 다 바꾸는 건 어려우니까, 3년 안에 결과를 내려고 해요.
예를 들어 티켓도 다시 보려고 합니다. 세리에 A의 티켓을 본 적 있으세요? 디자인이 정말 멋있어서 소장하고 싶을 정도예요. 하지만 일본 티켓은 판매회사가 취급하고 형식이 정해져 있어서 간단히 디자인을 바꾸기가 어려워요. 하지만 그런 부분도 재검토하려고 해요. 콘사도레의 직원 명함도 이런저런 공을 들일 수 있죠. 그런 관점에서 하나하나 업그레이드를 할 거예요. 아직은 정말 모색하는 단계지만 계속하고 싶어요.

유럽의 축구 클럽에게 배우는 '멋있는 포스터'란

호소야: 포스터 디자인도 지금까지와 크게 달라요. 트위터 같은 걸 보면 서포터들의 반응이 대단하던데요.

아이자와: 먼저 처음으로 한 일은 멋있는 포스터란 무엇인지 분석하는 일이었어요. 유럽 축구 포스터 위에 콘사도레 선수의 얼굴 사진을 놨더니, 역시 달랐어요. 스포츠와 패션의 카메라맨 시점이 다른 걸지도 모르죠.
일본의 경우는 개막전 포스터가 거의 다 비슷해요. 전원이 그라운드에 나란히 서 있기만 하는 경우도 있고요. 선수 명함 사진도 다 똑같아요. 클럽팀으로서 찍고 싶은 사진은 있는데, 팬이 보고 싶은 사진과는 다른 것 아닐까요? 패션을 전문으로 하는 카메라맨이나 디자이너를 데리고 선수의 얼굴을 찍으려고 했더니, "이런 사진은 지금까지 본 적이 없어요."라고 말하는 선수가 있을 정도예요.

기존 제품도 있기 때문에 아이자와 씨가 담당하는 새로운 의류나 굿즈를 'CS Clothing'으로 한 것 외에도, 제품의 소개 사진에서는 새로운 방식을 선보였다
ⓒ 홋카이도 콘사도레 삿포로

의류나 상품을 강조하기보다 패션지의 그라비어(사진 제판법에 의한 오목판 인쇄) 같은 이미지다.

선수를 멋있어 보이게 하려면 어떻게 해야 할까? 유럽의 축구 클럽에서 배웠다

패션 전문 사진작기기 촬영해 단순히 제품을 보여주기만 하는 사진과는 다르다.

호소야: 개인적으로 패션 브랜드를 만들려고 할 때는 고객과 아이자와 씨가 일대일이라는 관계로 생각하면 되잖아요. 그런데 축구 클럽은 선수를 비롯해 프런트, 서포터까지 있어요. 여러 관계자가 있는 가운데에서 어떻게 이끌어 가시나요? 그리고 패션 브랜드와 축구 브랜드를 만들 때 어떤 차이가 있나요?

아이자와: 확실히 축구뿐만 아니라 프로 스포츠 경영은 여러 갈래로 뻗어 있기도 하고 관계자도 많아요. 하지만 콘사도레는 톱다운 방식의 회사라는 점이 커요. 노노무라 요시카즈라는 사장이 사내는 물론, 서포터 앞에도 나가요. 선수 출신이라 클럽 운영의 문제점도 이해하고 있죠. 굿즈 판매나 관객의 동향뿐만 아니라 다른 스포츠의 움직임도 보고 있어요. 저도 경영자로서 숫자를 좇아 왔으니까 생각은 같아요. 노노무라 씨의 존재는 굉장히 중요해서, 그런 분이 계신 덕분에 수월하게 흘러갔다고 생각해요. 축구 이야기는 전혀 안 하지만요.

하지만 프로 스포츠와 패션 사업의 차이도 점점 보이기 시작했어요. 강해지면 매출도 당연히 오르지만, 심지어 자릿수가 달라져요. 예를 들어 '르방컵'(J리그 YBC르방컵)에서 우승하면 상금뿐 아니라 내년 유니폼에 별 모양이 들어가요. 그래서 다시 사는 팬이 많이 나오죠. 어떤 계기로 단숨에 매출이 올라요. 2019년 르방컵은 아쉽게 결승에서 승부차기까지 간 끝에 졌고 가와사키 프론탈레가 첫 우승을 차지했어요. 그때 저도 그라운드에 있었어요. 개인적으로는 우승했다면 3년으로 잡았던 목표를 한방에 달성할 수 있으리라 생각해서 그런지, 승부차기 때는 심장이 튀어나올 것 같더라고요. 한순간에 결정 나니까 대단한 거죠. 아드레날린이 어마어마하게 분출됐어요.

브랜드를 만드는 방법도 달라요. 패션은 좋아하는 사람을 위해 만드는 건데, 축구는 너무나도 대중을 위한 거예요. 타깃이 대중이라는 사실은 꼭 지켜야 하죠. 디자이너 관점에서 보는 '멋'만 가지고는 어려워요. 예를 들어 인형 같은 판타지 굿즈도 아이가 원하는 상품은 남겨 둬야 하지만, 새로운 아이템도 필요해요. 기존의 상품과 공존하는 것이 전제가 되어 있어요. 억지로 리브랜딩을 추진해도 운영 면에서 보면 충돌이 생겨요. 그게 축구 클럽의 브랜딩에는 필요한 것 같아요.

호소야: 그렇군요. 팬과 달리 사업 관점에서 축구를 보는 건 또 다른 재미가 있을 것 같네요. 승부 자체가 브랜드에 영향을 주는 경우가 사업 세계에서는 별로 없으니까요. 오늘 귀중한 이야기 들려주셔서 감사합니다.

콘사도레 '홋카이도 콘사도레 삿포로' 해설

감성을 자극해서 선수, 팬, 지역까지 강하게 만든다

HOKKAIDO
CONSADOLE
SAPPORO

아이자와 요스케 크리에이티브 디렉터의 'CS Clothing' 굿즈 예시. 2020 시즌의 제1탄은 기본 티셔츠, 롱 티셔츠, 후드티를 새롭게 디자인했다. 회색 티셔츠는 마루이 이마이 백화점의 '시스페이스'(공식 굿즈 숍) 한정 컬러다
© 2020 CONSADOLE

공간적 기억에서는 특히 공간이나 지역의 중요성을 설명했다. 하지만 2020년에 발생한 코로나19의 영향으로 접점이 제한된 가운데, 공간을 넘어 감성적 요소를 어떤 식으로 창출하고 이를 브랜드에 반영시켜야 할지 다시금 생각하게 되었다.

세계의 최전선에서 활약하는 패션 디자이너이자 홋카이도 콘사도레 삿포로의 크리에이티브 디렉터이기도 한 아이자와 씨와 인터뷰하던 중에 감성적인 관계성에 대해 중요한 키워드를 들을 수 있었다. 축구처럼 한 장소에 많은 관객이 모이는 스포츠나 음악 등 엔터테인먼트 사업에서는 향후 공간의 공유성을 초월한 브랜드에 대한 애착을 키워나가는 것이 필수 불가결한 요소가 될 것이다.

아이자와 씨는 '패션 브랜드는 좋아하는 사람을 위해 만드는 것인 반면, 지역 밀착의 축구 브랜드는 대중을 위한 것이기 때문에 누구나 받아들일 수 있어야 한다.'라고 생각한다. 이를 위해서는 남녀노소 누구나 받아들일 수 있는 개방적인 브랜드로서의 '너그러움'이 필요하다. 예를 들어 아이가 좋아하는 캐릭터 아이템이 있는가 하면 어른이 갖고 싶어 하는 멋지고 세련된 굿즈 아이템도 있는 것처럼 대중적인 존재로서 브랜드의 허용 범위가 요구된다고 생각한다.

실력 있는 크리에이티브는 모두 비슷한 것으로 균일하게 만들어버리는 경향이 있다. 구체적으로 말하면, 세계관이 맞지 않거나 유치한 것은 배제하기 십상이다. 그러나 아이자와 씨는 모든 요구를 받아들이려고 한다. 축구 브랜드의 최종 목표는 팬들의 애착을 형성하는 것이다. 즉, 축구 브랜드의 크리에이티브도 '너그러움'이 필요하다.

단, 여기에 과제가 있다. 브랜드를 관리하려면 최소한의 원칙을 설정해야 한다. 예컨대 브랜드 콘셉트나 톤 앤 매너(시각적인 디자인 매니지먼트), 톤 오브 보이스(언어적인 디자인 매니지먼트) 등으로 브랜드의 세계관을 규정하는 것이 일반적이다. 하지만 이것들은 하나의 생각을 바탕으로 작성하기 때문에 핵심 타깃을 설정하지 않고 대중을 '너그러움'으로 허용하려고 하면, 브랜드의 인상이 모호해지고 독자성이 없는 이미지가 되는 경향이 있다.

'승리를 거둔다'라는 제공 가치

하지만 아이자와 씨의 말처럼 유럽 축구 클럽팀과 지역을 연결해서 생각하면, 그 '너그러움'의 의미를 잘 알 수 있다. 각 지역을 대표하는 클럽팀에게 어느 지역이든 제공 가치는 명확하기 때문이다. 그것은 오로지 '승리를 거둔다'는 목표 하나다. 선수, 서포터, 프런트, 지역 사회 등 모든 이해관계자가 승리를 목표로 하고, 그 바람을 하나로 모아 브랜드를 만든다. 이것은 축구뿐 아니라 야구, 럭비 등 스포츠 브랜딩 특유의 독특한 구조일지도 모른다.

예컨대 야구의 경우, 한신 타이거즈가 연패를 하면 오사카의 많은 타이거즈 팬들은 심한 야유를 보내며 불만만 터뜨린다. 그래도 팬들은 한신을 사랑해 마지않는다. 고시엔 인근 술집에서 팬들의 이야기에 귀를 기울여 보면, 욕을 하면서도 '어떻게 하면 타이거즈가 이길 수 있을까?', '옛날의 타이거즈는 강했는데.' 등 열광적인 팬일수록 스스로 한신에 대한 사랑을 뜨겁게 이야기한다.

팬뿐만 아니라 고시엔 주변의 술집이나 지역 사회도 그 모든 것이 '승리를 거둔다'라는 목적을 향하고 있다. 그래서 스포츠 브랜드는 열광적인 브랜드를 만들어낼 수 있는 가능성을 품고 있는 것이다. 그 좋은 예가 유럽의 클럽팀이다.

거액 사업으로 성장한 유럽 축구 브랜드

유럽에서는 2010년대에 접어들고 10년이 채 되지 않아 축구가 사업으로 급격히 변모하고 있다. 감사 법인인 미 딜로이트는 세계 클럽팀의 '부자 순위'라고도 할 수 있는 '딜로이트 풋볼 머니 리그'를 매년 발표한다. 이는 20여 년 전부터 발행하고 있는 조사보고서로, 유럽 5대 리그에 속하는 클럽팀을 중심으로 한 연 매출 랭킹 상위20을 게재한다. 이 자료를 보면 브랜드 자산 면에서도 클럽팀은 흥미로운 존재라는 사실을 알 수 있다.

예를 들어 2018~2019년 시즌 매출 1위에 빛난 클럽팀은 스페인의 FC 바르셀로나였다. 전 시즌에 우승을 차지했던, 자국의 레알 마드리드를 누르고 처음으로 정상에 올랐다. 금액은 8억 4080만 유로(약 1030억 엔)를 기록했고, 8억 유로 대를 돌파한 첫 클럽팀이 되었다. 2위는 정상의 자리를 내준 레알 마드리드로, 7억 5730만 유로(약 930억 엔), 3위는 영국의 맨체스터 유나이티드 FC로 7억 1150만 유로(약 870억 엔), 4위는 독일의 FC 바이에른 뮌헨으로 6억 6010만 유로(약 810억 엔)이다. 사업으로서 유럽 프로축구는 '빅 클럽'이 아니라 '메가 클럽'이라는 소리도 있을 정도다.

이탈리아의 유벤투스 FC를 비롯한 유럽 축구의 정점을 목표로 하는 톱 클럽은 브랜드 사업의 기업체로 변모하여 시장과 수익 구조를 크게 변화시키고 있다. 그야말로 단순한 미디어 콘텐츠 사업이 아니라, 글로벌 규모의 브랜드 사업으로서 북미, 아시아 등 기존에는 미개척지였던 지역에도 시장을 넓혀 머천다이징, 브랜드 라이선스, 스폰서 수입, 광고 사업 등을 수익원으로 하는 엔터테인먼트 기업으로 변화하고 있는 것이 현 상황이다.

승리를 거두면 다양한 사람들과 지역 사회까지 아우르는 브랜딩이 가능해진다.

각 클럽팀의 새 유니폼 발표는 다음 시즌을 맞이하기 위한 워밍업으로 연례행사가 되었다. 팬들은 이제 양질의 축구만으로는 만족하지 않는다. 플레이어의 외관도 매우 중요한 요소가 되어가는 것이 유럽 클럽팀의 트렌드다. 팬들은 '단지 승리만 하는 게 아니라 똘똘하며 멋있게 이겼으면 좋겠다.'라는 욕구로 점점 이행하고 있다. 더불어 클럽팀이 의류 업체와 수억 엔의 계약 협상을 하고, 팬들은 매년 새 유니폼을 구입하는 순환은 클럽팀에게 매우 중요한 비즈니스 모델이 되었다.

이와 같은 세계의 흐름에서 브랜드 사업이라는 개념으로 홋카이도 콘사도레 삿포로를 검증해 보면, 더 이상 클럽팀 하나의 문제가 아닌, 일본 축구의 브랜드 사업에 숨어 있던 과제가 보인다.

팀 강화로 이어지는 크리에이티브의 힘

일본 프로 축구 리그(J리그)에서도 근래에는 영국 출신의 네빌 브로디 씨가 도쿄 베르디의 엠블럼 디자인을 바꾸는 등 일류 디자이너가 브랜딩의 일부를 담당하는 사례가 나오고 있다. 하지만 아이자와 씨처럼 세계적인 패션 디자이너가 홋카이도 콘사도레 삿포로의 크리에이티브 디렉터로서 클럽팀의 디자인을 전반적으로 다루는 일은 매우 이례적이다.

인터뷰하면서 내가 놀랐던 것은 아이자와 씨가 전문으로 하는 패션 브랜드와는 다른 관점으로 클럽팀의 브랜드를 생각하고 있다는 점이었다. 그것은 '전력을 강화하기 위한 크리에이티브란 무엇인가?'라는 관점이다. 우선 J리그의 비즈니스부터 살펴보도록 하자.

클럽팀의 영업 수입(매출)에서 주축이 되는 3가지는 '입장료', '굿즈 판매', '광고료'이며, 이 밖에 J리그 전체의 '중계권'이 있다. 입장료, 굿즈 판매,

광고료는 밀접하게 연결되어 있기 때문에 관객 수에 비례해서 입장료나 굿즈 수입이 늘어나고, 광고료를 지불하는 스폰서가 많이 모이는 선순환이 생긴다. 중계권에 대해서는 클럽팀의 경영 노력뿐만 아니라 J리그 전체의 브랜드력 향상이 반드시 필요하다.

2018년도 각 리그(J1, J2, J3)의 총 영업 수익은 약 1257억 엔(J 리그 공식 사이트 제공)으로, 2017년도 대비 성장률은 약 113.7퍼센트이다. 그중에서도 비셀 고베는 J리그 사상 최고의 영업 수익으로 96억 6600만 엔을 기록했다. J1 평균은 약 47억 5500만 엔이지만, 콘사도레는 약 30억 엔이다. 그러한 상황 속에서 크리에이티브의 힘으로 클럽팀 강화에 공헌하는 것이야말로 아이자와 씨가 원하는 목표다. 브랜드력 향상으로 이어지는 크리에이티브 자산에 투자하고, 팬들의 감성 가치를 자극함으로써 애착을 키우겠다는 생각이다.

일본다운 축구 클럽팀의 브랜드 만들기

아이자와 씨에 따르면 국내 클럽팀은 유럽과 달리 유니폼, 타월 등의 굿즈부터 포스터, 티켓 등까지 독자적으로 디자인하는 것이 인력 측면에서나 자금적으로 어려웠다고 한다. 그러나 브랜드의 힘을 키우면 관객 수가 늘어나 굿즈 등의 매출도 오를 수 있다. 그렇게 되면 클럽팀의 영업 수입이 늘어나고 활약을 기대할 수 있는 선수를 영입해 더 강해짐으로써 영업 수입이 늘어난다. 아이자와 씨는 이렇게 클럽팀의 강화로 이어지는 선순환을 명확히 이미지화하고 브랜드의 힘을 키우기 위한 크리에이티브 전략을 고민하고 있다.

그러나 단순한 굿즈나 포스터, 티켓만이 디자인의 범위는 아니다. 영국의 뉴캐슬이 연고지인 뉴캐슬 유나이티드 FC의 세인트제임스 파크라는 홈경기장과 그 주변 이야기도 아이자와 씨에게 들을 수 있었다. 뉴캐슬은 주민이 수만 명밖에 되지 않는 작은 마을인데도, 축구 경기가 있는 날이면 거리와 술집이 온통 축구 열기로 물들어 클럽팀의 디자인으로 가득 채워진다고 한다.

이 정도면 클럽팀의 감성 가치를 넘어 지역과 주민 모두 하나가 된 뉴캐슬이라고 하는 '지역 브랜드'를 어떻게 생각하는가 하는 것으로 이어진다. 앞으로는 스폰서 등 클럽팀을 둘러싼 다양한 기업과 제휴를 강화하고, 통일감을 갖게 하는 정서적 가치 향상이 필요하다. "삿포로도 뉴캐슬처럼 되면 좋겠어요."라고 아이자와 씨도 말했듯이, 앞으로 클럽팀은 고객이나 서포터와 더불어 지역 커뮤니티까지 포함한 브랜딩이 필요하다.

코로나19의 여파로 라이브 공연을 하지 못하는 아티스트, 오케스트라, 오페라 주최자 등이 유료 콘텐츠를 동영상으로 배포하는 것처럼, 앞으로 무형 제품이나 서비스도 팬들과의 연결이 더욱 필요해지는 시대로 접어들었다. 스타 선수를 영입하거나 모회사에서 거액의 광고 수입을 얻는 것도 중요하지만, 클럽팀이 건전한 경영을 하려면 지역 사회는 물론 팬의 애착을 키워 기본적인 입장료, 굿즈 판매, 광고료 수입을 올려 가는 것이 선순환을 낳는다.

코로나19의 상황에 따라서 앞으로 한동안 J리그 시합을 무관중으로 진행하고, 서포터들은 집에서 콘사도레를 응원하게 될지도 모른다. 그때 콘사도레의 공식 굿즈를 착용하거나 손에 들고 가족과 함께 응원할 수 있다면 클럽팀의 브랜드 전략은 한 걸음 성공에 가까워질 것이다. 그런 움직임을 각 팀이 쌓아갈수록 J리그 전체의 사업 규모는 커질 것이다. 정서적 기억을 통한 감성 가치의 향상이 소년들에게 자전적 기억으로 이어지는 것은 두말할 필요도 없다.

견줄 사람 없는 축구 애호가인 아이자와 씨는 유럽 리그에 지지 않을 만한, J리그 전체의 브랜드 강화까지 전망하고 있다. 클럽팀과 지역 사회의 관계성은 물론 팬들 사이의 유대까지 고려한, 그 어느 때보다 더 고도의 브랜드 전략을 짜기 시작했다. 아이자와 씨나 콘사도레의 도전은 일본의 클럽팀을 크게 변화시킬지도 모른다.

브랜드의 힘을 키워서 팬의 애착을 기른다. 관객 수가 늘어나면 굿즈 등의 매출도 늘어나 클럽팀의 강화에 기여하는 선순환으로 이어진다. © 2019 CONSADOLE

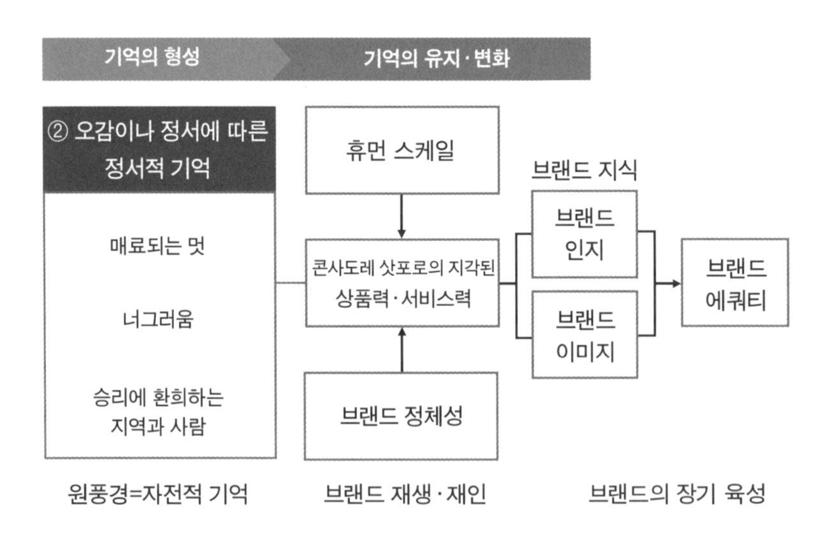

진스 '진스 디자인 프로젝트' **인터뷰**

삶을 확장한다 'Magnify Life'

© 마루게 도루

다나카 히토시田中仁

진스 대표이사

1988년 7월에 유한회사 제이아이엔을 설립했다. 2001년에 아이웨어 사업 '진스JINS'를 시작했고, 2019년 7월 진스 홀딩스로 회사명을 변경했다.

호소야: 진스는 안경을 저렴한 가격에 제공함으로써 기분이나 패션에 맞춰 바꾸거나 블루라이트로부터 눈을 보호하는 '진스 스크린JINS SCREEN'을 비롯한 기능성 안경 등 안경의 새로운 방식을 제안해 왔습니다. 게다가 '진스 디자인 프로젝트JINS Design Project'를 통해 저명한 디자이너와 협업한 상품을 개발하는 것 외에도 센서를 내장한 앱과 연동시켜 일상적

인 활동을 기록할 수 있도록 한 '진스 밈JINS MEME'이라 불리는 웨어러블 디바이스, 그리고 세계 제일의 집중하기 좋은 공간을 목표로 한 회원제 워크스페이스 '싱크 랩Think Lab' 사업도 전개하고 있죠. 지금까지 없었던 시도를 연달아 하는 데는 어떤 목적이 있나요?

다나카: 저희는 '삶을 확장한다Magnify Life'라는 비전을 내걸었어요. 상품을 통해 모든 사람이 보다 풍요롭고 폭넓은 삶을 살 수 있도록 하루하루 기업 활동에 최선을 다하고 있어요. 디자인에 주력하는 것도 그 때문이죠. 지금보다 더 나은 세상을 만들려면 어떻게 해야 할지, 우리 회사의 비전을 어떻게 구체적으로 구현해야 할지 생각했을 때, 디자인의 역할이 굉장히 중요하다고 생각했어요. 디자인은 단순히 상품의 외관을 좋게 만드는 것 이상으로 깊고 큰 존재라고 느꼈거든요.

예를 들어 안경테만 해도 1밀리 차이로 디자인이 달라져요. 진스 디자인 프로젝트에서 협업한 재스퍼 모리슨 씨, 콘스탄틴 그리치치 씨, 미켈레 데 루키 씨 등 세계 일류 디자이너들의 디자인은 정말 퀄리티가 높아요. 왜냐하면 인간의 본질을 정확히 파악하고 있기 때문이겠죠. 그저 '멋진 디자인'을 만드는 게 아니라, 안경이 만들어진 기원까지 거슬러 올라가서 의미를 찾아내죠. 단순히 상품의 형태가 아니라 인간의 생활 방식까지 디자인하는 것으로 이어지는 거예요.

호소야: 디자이너들이 인간의 본질을 파악하고 안경이 갖는 의미부터 밀리미터 단위의 상품 세부사항까지 '보는 것'의 가치를 높이려 하고 있네요. 그야말로 안경을 통해 고객의 '삶을 확장한다'는 것이군요.

다나카: 저희는 지금 여러 방향으로 뻗어가고 있어요. 아직 뿔뿔이 흩어져 있는 것처럼 보일지도 모르지만, 그것들을 전부 연결한 세계를 만들고 싶어요. 진스 밈은 최첨단 기술이 한데 모인 덩어리이고, '바이올렛 +(플러스)'라는 자외선을 차단하는 렌즈도 제공하고 있어요. 의료 기관과 협업하고, 나아가 차세대 점포의 방식 등 여러 가지 생각을 하고 있죠. 여러분들 눈으로 보면 얼핏 접점이 없어 보이겠지만, 모든 것이 비전과 연결되어 있어요. 궁극적으로 진스의 서비스로 이어지고, 고객에게

진스 디자인 프로젝트에서는 재스퍼 모리슨이나 콘스탄틴 그리치치 외에도 2018년 11월에는 건축가 미켈레 데 루키와 협업한 안경을 출시했다. ⓒ진스

더 좋은 경험을 가져다주게 되죠. 그렇게 됐을 때 진스는 비로소 지금까지와 같은 단순한 안경 체인점이 아니라 독창성 있는 유일무이한 브랜드가 되지 않을까 생각해요. 상품 개발뿐만 아니라 서비스나 경험을 제공하고, 빅데이터 활용에도 주력하고 있어요. 그것들을 점차 통합해서 새로운 사업을 전개할 수 있으면 좋겠어요.

100년 후를 내다보면 조바심을 낼 필요는 없다

호소야: 예를 들어 어떤 사업인가요?

다나카: 이건 어디까지나 예시일 뿐인데, 제가 재미있다고 생각한 기업이 해외에 있었어요. 보험회사인데, 거기는 온라인으로 하는 고객 서비스와 보험 설계사들이 직접 뛰는 이른바 오프라인 고객 서비스를 연동시켜 실적을 올리고 있대요. 고객 한 사람 한 사람의 수요를 잘 파악하고 있죠. 고객 충성도가 점점 높아지니까 매스미디어 광고는 필요가 없다네요. 많은 일본 기업은 효율화를 위해 사원을 해고하는 방향으로 움직이는 것 같은데, 그 보험회사는 새로운 서비스를 만들면서 사람도 늘리고 있다고 해요. 이런 건 참고로 할 만한 사례가 아닐까요?

호소야: 역시 사람이 중심이 되는 거군요, 안경으로 '보는 것'은 물론이고, 그와 함께 '인간'의 감정 변화, 행동 변화 등 무형의 가치까지 전부 다 브랜딩으로서 연결되는 거네요.

다나카: 그래서 우리는 모든 고객의 정보를 파악하고 새로운 서비스도 만들어 가고 싶어요. 미래에는 의사와 제휴가 있을지도 모르죠. 그런 걸 항상 상상하고 있어요.
예를 들어 진스 밈은 집중력 측정은 물론, 고객의 감정이나 흥미까지 측정할 수 있는 가능성이 보이기 시작했어요. 앞으로는 고객에게 가장 적합한 음악을 추천하는 센서가 될지도 몰라요. 고개를 젓거나 시선을 움직여 컴퓨터의 마우스 같은 역할도 할 수 있으니까 장애가 있는 분들에게도 도움이 될 거예요. 눈을 깜박이는 것 자체로 클릭이 되는 거죠. 정말 엄청난 일 아닌가요? 물론 진스 밈만 가지고 서비스를 완성하는 것이 아니라, 점포나 직원들과 어떻게 시너지를 내느냐가 중요해요. 앞서 언급한 해외 보험사처럼 앞으로는 점포나 직원의 역할이 달라질지도 몰라요.

호소야: 이제 고객끼리 더욱 연결되고 사회 커뮤니티에 의해 브랜드가 확립되어가는 시대예요. 앞으로 진스의 브랜딩에 대해 어떻게 생각하시나요?

다나카: 기업의 진심을 진지하게 전달하는 것밖에 없다고 생각해요. 단순히 티브이에서 광고를 했다고 해서 그대로 브랜딩으로 이어지는 시대는 아니에요. 고객은 본질을 꿰뚫는 힘을 갖고 있어요. 따라서 비전이 확실히 있는 기업과 그렇지 않은 기업의 차이가 확연한 시대가 아닐까 생각해요. 비전을 고객에게 전할 때 무엇을 통해 전달해야 하냐면, 역시 점포의 직원들이나 상품밖에 없어요. 그것이 기업과 고객의 중요한 접점이 되니까요.

호소야: 예를 들어 직원의 행동이라는 건 좀처럼 디자인하기 어려울 텐데, 어떤 걸 중시하시나요?

다나카: 직원이 자신이 일하는 직장을 좋아하지 않으면 고객도 좋아할 리가 없

죠. 고객에게 '우리는 성실합니다'라고 말만 해서는 안 돼요. 접객부터 상품까지 하나하나 쌓아 나갈 수밖에 없어요. 직접적으로 눈에 보이지 않아도 성실함이나 정직함이 쌓이면 긴 시간이 걸리더라도 결국 차이가 나게 되어 있어요. 즉효성을 노리고 광고하기만 해서는 의미가 없어요. 브랜드는 역사가 뒷받침하니까요. 예를 들어 프랑스의 에르메스나 스위스의 롤렉스도 지금까지의 역사가 있기 때문에 더 강력한 브랜드가 된 거예요.

저는 창업자이지만, 제가 있는 시대에만 성과를 내려고 하니까 조바심이 나는 거예요. 하지만 100년 후를 내다본다면 조바심을 낼 필요가 없어요. 그러니까 더욱 비전이 중요하다고 느껴요. 비전이 없으면 사람도 움직이지 못하고 상품의 방향성도 모르게 되죠. 좋은 디자인은 많이 있지만, 저희의 비전과 일치하는지가 중요해요. 비전과 방향성이 다르면 저희에게는 나쁜 디자인이 되는 거예요. 타사는 어떨지 모르겠지만, 비전 자체가 있는 기업이 일본에는 적다는 생각이 들어요. 가격이 저렴하다든가 빨리 제작해 준다든가, 그런 것까지 포함해서 모든 것에 저희의 생각이 담겨 있어요. 그 생각을 어떻게 전달해 나가느냐가 중요해요.

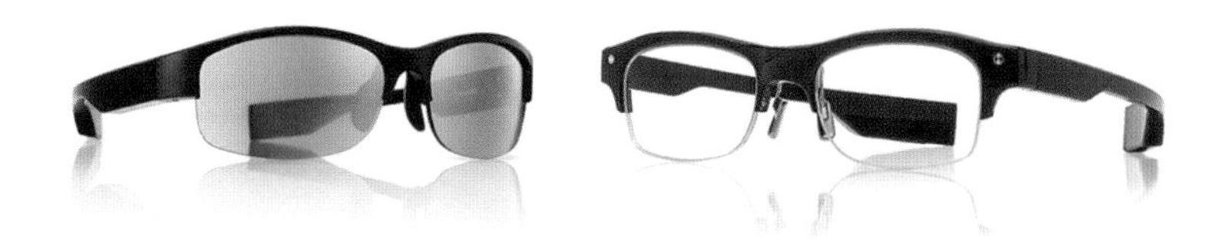

집중력을 과학적으로 분석한 회원제 작업 공간으로, 본사 사무실이 있는 도쿄 이다바시에 설립한 '싱크 랩Think Lab'

호소야: 현재 상황에서 기업의 노력이 모두 고객에게 전해지지 않는다는 점도 과제가 되겠네요. 비전을 가시화하고 고객이 체감하기까지는 시간이 걸리겠지요.

다나카: 그렇겠죠. 저희 사무실은 '제28회 닛케이 뉴 오피스 상'에서 최고봉인 '경제 산업 대신상'을 받았어요. 사무실만 단독으로 설계하지 않고, 자율 좌석제 등 크리에이티브한 환경 조성이라는 비전을 구현하는 것을 목적으로 설계했거든요. 공간 설계보다는 '비전과의 부합'이 포인트였을 거예요. 비전을 지지하는 자세로 당사가 원하는 인물상과 자질을 '혁신적인Progressive', '영감을 주는Inspiring, '성실한Honest'으로 정했는데, 저는 모든 기업 활동에 이러한 비전과 자세를 반영하고 싶어요.

호소야: 그렇군요. 비전이 사내 곳곳에 침투해 있는 듯하네요. 오늘 말씀 감사합니다.

ⓒ 마루게 도루

진스 '진스 디자인 프로젝트' **해설**

100년 후까지 내다본 비전으로 오감을 디자인하다

건축가 미켈레 데 루키와 공동 개발하는 모습. 건축가의 관점이 안경 디자인에도 녹아있다. 시행착오를 거듭한 결과, '사람과 안경의 관계성'을 정립한 후에 안경에서 새로운 의미를 찾아냈다

진스는 2014년부터 '삶을 확장한다'라는 비전을 내걸고 있다. '상품을 통해 모든 사람이 보다 풍요롭고 폭넓은 삶을 살 수 있도록'이라는 관점에서 기업 활동을 전개하고 있다.

예전에 진스가 설정했던 비전은 '안경을 쓰는 모든 사람에게 잘 보이고 × 매력적으로 보이는 안경을, 사상 최저·최적의 가격으로, 신기능·신디자인을 계속해서 제공한다.'였다. 비전이라기보다는 사업 전략에 가까운 것이었다고 할 수 있다. 하지만 진스는 새로운 비전을 설정한 후에 '폭넓은 삶'을 향해 독특한 시책을 잇달아 내놓고 있다.

예를 들어 안경을 저렴한 가격으로 책정함으로써 기분이나 패션에 맞춰 바꾸거나 블루라이트로부터 눈을 보호하는 '진스 스크린'을 비롯한 기능성 안경 등 안경의 새로운 역할을 제안한다. 게다가 '진스 디자인 프로젝트'를 통해 저명한 디자이너와 협업한 상품을 개발하고, 센서를 내장하여 앱과 연동시킴으로써 일상의 활동을 기록할 수 있는 '진스 밈'은 웨어러블 디바이스로서 '보는 것' 이외에도 가치를 넓히고 있다. 나아가 세계 제일의 집중하기 좋은 공간을 목표로 한 회원제 워크스페이스 '싱크 랩' 사업도 하고 있어 '확장된 삶'이라는 브랜드 비전을 중심으로 사업을 비약적으로 확장하고 있다.

비전은 디자인하지 않으면 전해지지 않는다

'확장된 삶Magnify Life'은 구체적으로 3가지 행동규범을 키워드로 설정하고 있다. ⑴ 혁신적인 사고로 변화를 두려워하지 않고 도전하는 'Progressive', ⑵ 제품이나 서비스가 좋은 자극을 주고 고양감을 줄 수 있는 활동을 하는 'Inspiring', ⑶ 신뢰를 쌓고 성실한 마음을 가지는 'Honest'다. 이들은 사업 활동을 촉진할 뿐 아니라, 진스의 브랜드 퍼스낼리티와도 연결된다. 진스는 비전과 행동규범으로 이루어진 브랜드 가치를 정의한 상태에서 진스 디자인 프로젝트, 진스 밈, 싱크 랩, 신규 점포 개발 등을 추진한다.

다나카 씨는 브랜드에 있어서 디자인의 정의에 대해, 더 좋은 사회를 만드는 수단이나 자신들의 비전을 이루는 것이라고 명확히 밝힌다. 경영과 디자인이 항상 일치해야 한다는 인식이다. 아무리 좋은 비전이라도 타인에게 전해지지 않으면 아무런 의미가 없다. 일본 기업의 경우, 불변적인 이념을 갖고 있다 하더라도 그것을 알기 쉽게 디자인하고 있는 것은 아니다. 그 결과, 이념은 전해지지 않고 사업을 하면서 방치되는 경우가 많다.

나는 디자인 업계에 앞장서서 독자적인 접근 방식으로 제안을 이어가고 있는 크리에이터들을 초청한 진스 디자인 프로젝트에 주목했다. 제1탄에서는 산업 디자이너 재스퍼 모리슨, 제2탄에서는 독일을 거점으로 하는 산업 디자이너 콘스탄틴 그리치치, 제3탄에서는 이탈리아를 거점으로 하는 건축가 미켈레 데 루키와 잇따라 안경의 본질과 의미를 파헤친 프로젝트를 진행하고 있다.

다나카 씨는 프로젝트에서 협업한 디자이너에 대해 이렇게 말했다. "사람에 초점을 맞추면서도 안경의 기원까지 거슬러 올라가 사람과 안경의 관계성을 밝힌 다음 안경 그 자체에 새로운 의미를 찾아내려 하는 걸 보고 매우 감동받았다." 0.1밀리미터 차이로 이미지가 크게 달라지는 것이 안경 디자인이다. 디자이너들은 단순한 산업 제품을 디자인하는 것이 아니라, 사람의 표정을 완성하는 안경을 인류학적인 각도에서 생각한다. 안경은 '상대에게 보이고 싶은 자신의 모습을 실현하는 도구'라는 의미에서 깊게 파고들고 있다. 자신을 확장하는, 즉 '삶의 확장'을 정서적인 의미성의 관점에서 실현하려고 한다. 그것은 확장된 삶을 소비자가 체감할 수 있도록 정서적인 자전적 기억을 만들어내는 디자인이다.

한편, 아름다운 디테일에 신경 써야 하는 것도 안경의 특징이다. 사람의 얼굴은 제각각인 데다 기술적인 과제도 좇아야 한다. 힌지, 코받침, 코받침의 촉감이라는 인체공학적인 문제도 해결하면서 안경에 새로운 의미를 부여하는 것은 좁은 의미의 브랜딩과 넓은 의미의 브랜딩이 '삶의 확장'이라는 비전으로 뒤섞여 있음을 뜻한다. 이것이야말로 경영과 '브랜드라는 범주 안의 디자인'이 비슷하다는 사실을 나타낸다.

시각을 기점으로 오감까지 디자인하다

진스의 제품 중에서도 시각을 비롯해 그 이외의 오감이나 사람의 행동 변화로 이어지는 것을 제공 가치로 삼는 것이 진스 밈이다. 이것은 독자적으로 개발해서 테에 탑재한 3점식 전안위 센서와 6축(가속도/자이로) 센서로 집중도, 졸음, 보행 밸런스 등 마음과 몸의 상태를 가시화하는 센싱용 안경이다. 현재 스포츠클럽에서 하는 헬스 케어 솔루션이나 운전자의 피로 상태를 측정하는 기능과 더불어 의료 분야로 확장될 것도 기대하고 있다.

다나카 씨는 이렇게 말한다. "진스 밈은 집중도를 기록하는 것은 물론, 고객의 감정이나 흥미까지 계측할 수 있는 가능성이 보이기 시작했어요. 앞으로는 고객에게 최적의 음악을 추천하는 센서가 될지도 몰라요. 고개를 젓거나 시선을 움직여 컴퓨터의 마우스 역할도 할 수 있기 때문에 장애가 있는 분들에게도 도움이 될 거예요. 눈을 깜박거리면 클릭이 되는 거죠." 진스 밈은 시각을 센서의 기점으로 다른 감각에도 전달해서 인간의 행동 자체를 촉진하는 기능을 만들려고 한다. 최근에는 V튜버(버추얼 유튜버)가 진스 밈의 기능을 활용하는 등 진스가 제공하는 센싱 기술의 새로운 활용 방법을 찾으려는 생활자들도 있다.

진스가 제공하는 센싱 기술이 생활자의 행동 자체를 촉진하는 기능이 되면, 현재의 점포는 안경을 판매하는 점포가 아니라 생활자의 행동을 지원하기 위한 공간으로 존재 가치가 변화될 것이다. 안구의 움직임이나 눈 깜박임 등의 시각을 기점으로 미각, 청각, 촉각, 후각으로 이어진다면, 인간이 가지는 잠재력을 확장Magnify시킬 수 있기 때문이다.

이처럼 진스에서는 브랜드 비전인' 삶의 확장'을 바탕으로 가로축은 '제품', '서비스', '점포', 'EC'라는 4가지 요소가 항상 연계된다. 세로축에는 시각을 기점으로 그 밖의 미각, 청각, 촉각, 후각, 제6감까지 자극하여 감정

集中状態を常に記録する「脳の万歩計」
毎日・毎週の集中パターンを把握しよう

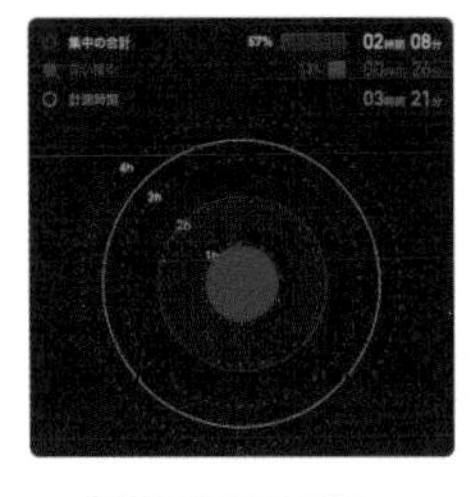

今日1日の集中時間を可視化。
総時間や割合で毎日を比較しよう。

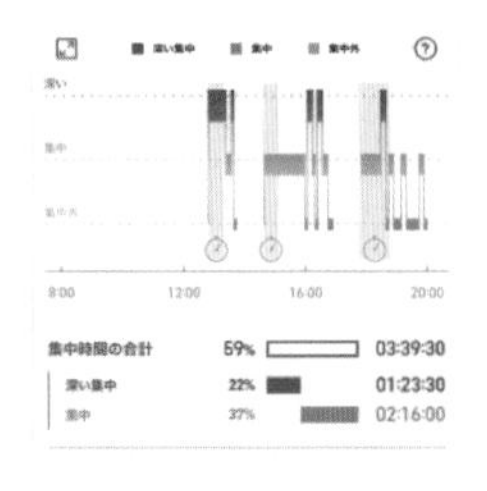

毎日の集中パターンを時間で確認。
自分の勝ちパターンを見つけよう。

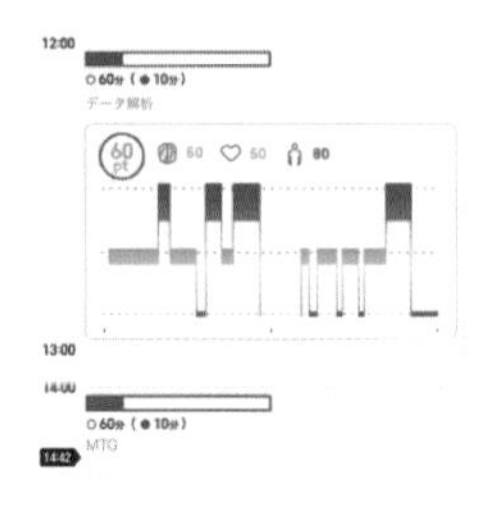

いつ、何をしている時に集中できていたか。
カレンダーと連携して詳細に確認しよう。

센싱 기술을 활용한 진스 밈으로 행동까지 측정할 수 있는 시대가 되었다. 안경의 역할이 크게 변화하고 있지만 진스의 기본적인 자세는 흔들리지 않는다. ©진스

에서 행동 변화까지 촉진하고자 한다. 연달아 새로운 시도에 박차를 가하는 진스이지만, 그들의 기반이 되는 브랜드 비전은 항상 일관된다. 그 기반 위에 각각 생활자가 제공하기 원하는 가치를 정하고, 어떤 식으로 가시화시키는가가 요구된다.

브랜드 구축은 시간을 들일 필요가 있다

우리는 인터뷰에서 디지털 시대에 어떤 브랜드를 지향해야 하는지 직접 다나카 씨에게 질문했다. 대답은 매우 명쾌했다. “시대가 아무리 변해도 고객은 본질을 간파하는 힘을 갖고 있어요. 그러니까 기업의 뜻을 더 진지하고 정확하게 전달할 수밖에 없어요.”라고 말했다.

다나카 씨는 “브랜드를 만들기 위해서는 아무래도 시간을 할애할 필요가 있다.”라고 분명히 말했다. 창업자로서 자신이 살고 있는 시대 안에 확고한 브랜드를 확립하려고 하면 조바심이 나기 마련이다. 그렇기 때문에

기업체로 강한 브랜드를 실현하기 위해서는 진스 브랜드를 계승해 나가기 위한 비전이 매우 중요하다고 생각한다.

여기서 다시금 브랜드의 지효성에 주목해야 한다. 결코 브랜드를 개혁에 의해 즉효적, 직접적으로 이익을 내려고 생각하면 안 된다. 즉효성을 노린 브랜딩은 소비자에게 많은 정보를 줄 수 있지만, 그 브랜드는 빠른 속도로 소비되어 애착까지 가지 않을 가능성이 있다. 브랜드를 구축하기 위해서는 지효적인 관점에서 생활자의 기억이나 체험과 진지하게 마주하고, 사내외에 점점 스며들 수 있는 심오한 비전이 필요하다. 그 비전을 착실히 구현한 제품과 서비스로 소비자의 정서적 기억을 만들어낼 수 있는 것이다.

진스의 사례에서 알 수 있는 것은 비록 디지털 시대일지라도 전해야 할 비전을 한번 멈춰 서서 숙고할 필요가 있다는 사실이다. 정서적 기억을 만들기 위해서는 기교만 가득한 디자인이 아닌 근본이 되는 비전이 반드시 필요하다는 것을 알 수 있다.

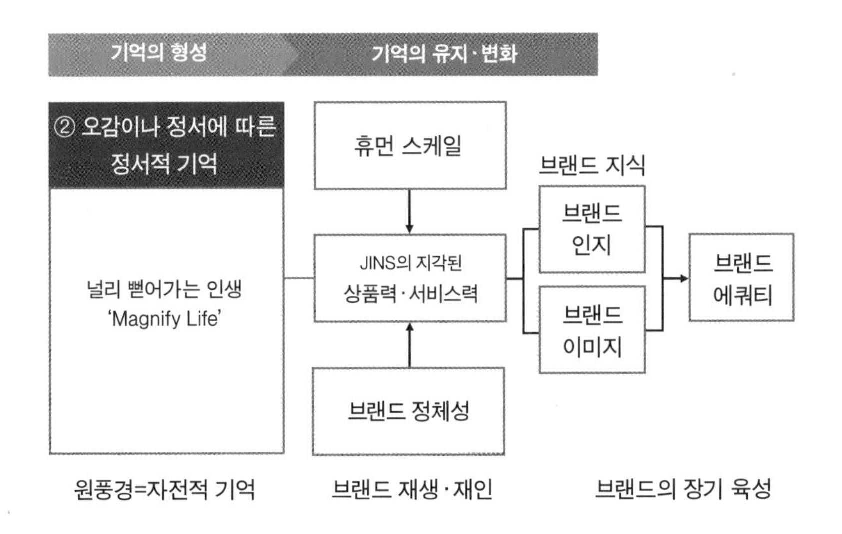

여러 번 반복되는 개괄적 기억

마지막으로 새로운 기억을 형성하기 위해 주로 ① 공간적 기억이나 ② 정서적 기억뿐 아니라 ③ 여러 번 반복되는 개괄적 기억의 창조에 도전하고 있는 세 가지 사례를 들어 보겠다. 키오 '마이키레이 바이 카오MyKirei bt KAO', '아지트Azit', '크루CREW', 나인 아워즈 '9th nine hours'에 대해 소개하려 한다. 현재 크루의 서비스는 중단되었지만, 신규 사업을 위해 또 다른 도전을 이어가고 있다.

〈도표 23〉 여러 번 반복되는 개괄적 기억

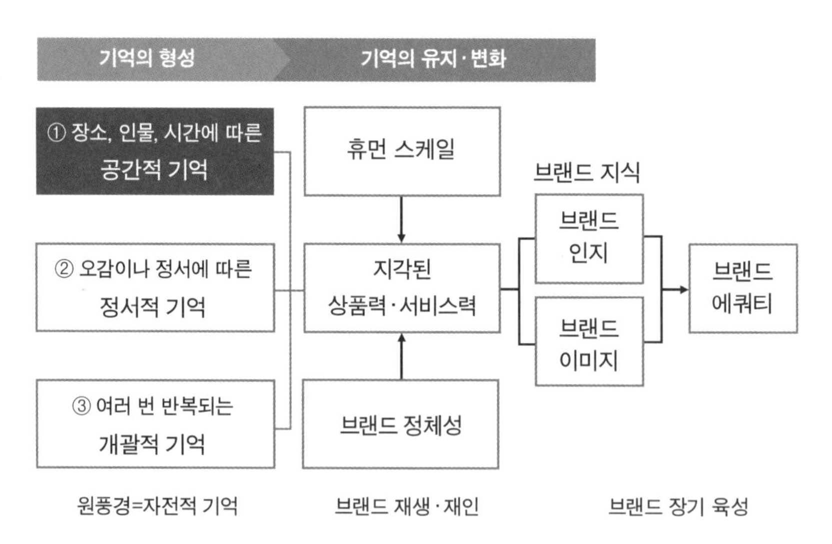

카오 '마이키레이 바이 카오' **인터뷰**

ESG로 좋은 일만 해서는 애착이 생기지 않는다

ⓒ 나고야 히로

오타니 준코大谷純子
카오 ESG 부문 추진·ESG 광고 담당 부장

대기업 매스컴에서 9년 동안 방송 제작 현장을 경험하고 주로 해외 다큐멘터리나 국제 공동 제작 일에 참여했다. 2006년 카오에 입사해 기업 이념 '카오 웨이'의 카오 그룹 계발 활동을 했다. 사내 광고를 거쳐 2013년에 글로벌 기업의 커뮤니케이션 추진을 담당하고 중기 경영 전략을 바탕으로 프로젝트를 추진했다. 2017년부터 경영 지원 부문을 겸임하며 톱 커뮤니케이션을 서포트하기도 했다. 2018년부터 현재에 이른다.

호소야: 서스테이너빌리티(지속가능성) 사회를 추진하기 위해 카오는 2019년 4월에 ESG 전략으로서 '키레이 라이프스타일 플랜Kirei Lifestyle Plan'을 내걸고, 2020년 4월에는 키레이 라이프스타일을 구체적으로 나타내는 신라이프스타일 브랜드 '마이키레이 바이 카오MyKirei by KAO'를 설립하고, 샴푸나 컨디셔너, 핸드 워시 등의 각 상품을 미국에서 발매했습니다. 어떤 목적으로 이러한 움직임을 보였는지 알려 주세요.

ⓒ 나고야 히로

하타세 다카토시畑瀬孝利

카오 서양 사업 통괄부문 해외 사업부 신규 사업 개발 담당 부장

1991년 카오에 입사해 가정용 판매 부문에서 국내 영업, 아시아 판매 지원 업무를 경험했다. 그 후 2001년부터 사업부에서 마케팅 담당을 거쳐 2006년 Kao Consumer Products(Thailand)에 주재하면서 동남아시아의 스킨케어 브랜드 매니지먼트를 담당했다. 2013년부터 Kao USA에 주재하

여 부사장, 연락 담당자로서 경영 전반에 걸쳐 톱 서포트 역할을 맡았다. 2019년에 귀국해서 현재에 이른다.

오타니: ESG라는 말이 붙은 제가 소속되어 있는 부문은 조금 생소하실 거예요. ESG란 환경Environmental, 사회Social, 거버넌스Governance의 앞 자를 딴 말인데, 원래는 '지속성 추진부'였어요. 플라스틱 포장 용기를 삭감하는 활동 등 저희는 메이커로서 전부터 환경을 생각해 왔는데, 다음 단계로 'S' 사회, 'G' 거버넌스도 강화해서 일체화함으로써 ESG를 기업 경영에 가져오려고 생각했어요. 최근에는 다른 회사에서도 ESG라는 말이 나오고 있는데, 저희는 2018년부터 ESG 부문을 설립했어요. 카오는 1887년에 탄생해서 1890년에 '카오 비누'를 발매했어요. 2020년은 창업한 지 133년이 되는 해였죠. 근대화를 서두르던 격동의 메이지 시대에 일본에서 질 높은 비누를 사회에 제공해 청결하고 안심할 수 있는 사람들의 삶을 실현하려고 했어요. 개개인 그리고 가족의 마음이 충족되면 지역 커뮤니티나 사회가 번영하고 국가의 번영

으로도 이어져요. 거기에 공헌하는 것이 우리 사업의 사명이고, 지금 말하는 지속 가능성으로 이어진다고 생각해요.
그 후로 상품이나 시대는 변했지만, 창업 당시의 정신을 살려서 '풍요로운 생활 문화의 실현과 사회의 지속 가능성에 대한 공헌'을 사명으로 133년 동안 쭉 해 왔어요. 카오의 기업 이념인 '카오 웨이'에는 '우리는 소비자와 고객의 입장에 서서 마음을 담은 좋은 물건을 만들며 사람들에게 기쁨과 만족을 주는 풍요로운 생활 문화를 실현하면서 동시에 사회의 지속 가능성에 공헌하는 것을 사명으로 합니다.'라고 되어 있어요. '마음을 담은'이라는 말을 기업 이념에 넣는 기업은 별로 없을 텐데, 저는 개인적으로 마음에 들어요.
2017년에는 '자신이 먼저 바뀌고, 변화를 선도하는 기업으로'를 슬로건으로 내걸고 4년간의 중기 경영 계획 'K20'을 시작했어요. 30년까지 달성하고 싶은 모습을 '글로벌하고 존재감 있는 회사 Kao'로 정했어요. 그리고 사업의 지속적 성장과 사회의 지속 가능성 실현을 위해

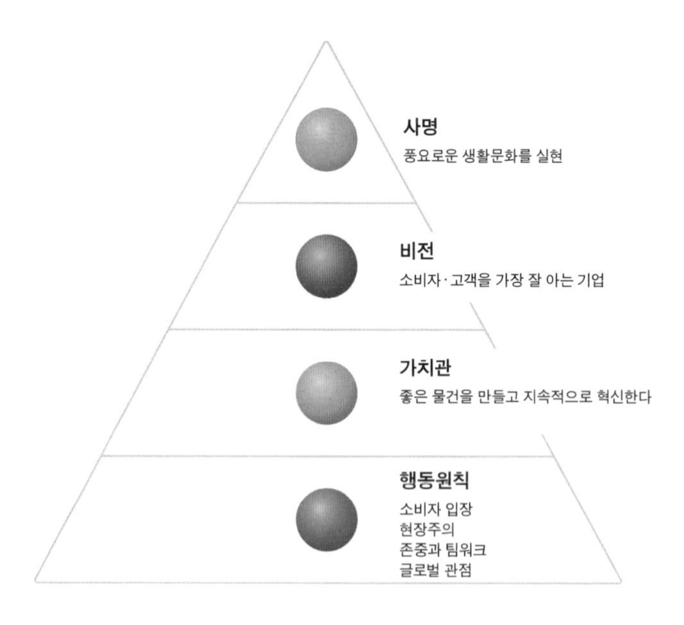

카오의 기업 이념 '카오 웨이'에서는 '풍요로운 생활 문화를 실현'을 목표로 비전, 가치관, 행동 원칙을 정하고 있다 © 카오

ESG를 중시하면서 이익 있는 성장을 실현하도록 노력하고 있어요. 상품을 개발할 때 설계 단계부터 ESG의 관점을 담아서 환경이나 사회에 공헌하면서 이익을 높여 사업도 확장한다는 공격적인 ESG를 목표로 하고 있어요.

거기에서 추진하고 있는 전략이 '키레이 라이프스타일 전략'이다. '키레이 라이프스타일'이란 '풍요로운 마음으로 사는 것, 모든 일에 배려가 넘치는 것'을 의미해요. 자신의 삶만 청결하고 만족스러우면 끝나는 게 아니라, 주변 세계도 그런 상태여야 한다는 것을 중요하게 여기죠. 자신뿐만 아니라 사회, 나아가 지구까지 모두 포함해서요. 일본어로 '키레이'라는 말은 '아름다움', '청결'이라는 의미뿐만 아니라 마음의 상태나 살아가는 자세도 뜻해요. 그건 자신과 더불어 사회 그리고 지구의 '키레이'로도 이어진다고 생각해요. Kirei라고 영어로 표기한 이유는 키레이를 세계적으로 실현하고 싶기 때문이에요. 우리의 생각을 어떻게 표현해야 할까 고민하다 무언가 상징적인 브랜드를 만들자는 생각이 들었어요.

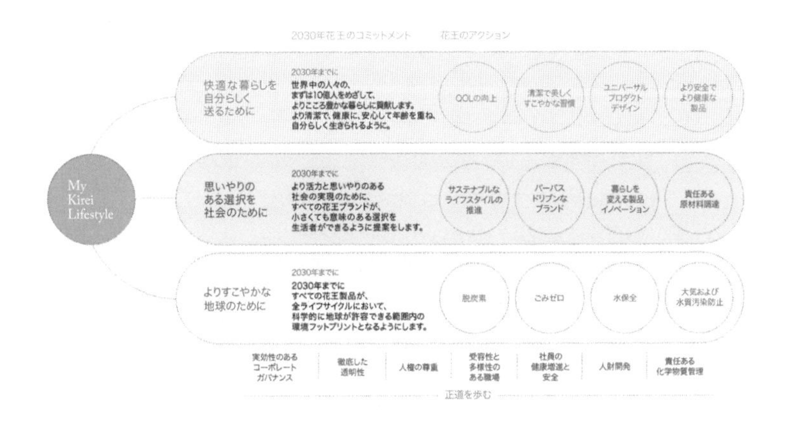

'키레이 라이프스타일 플랜'으로서 2030년까지는 어떻게 해야 하는지를 내걸고 카오의 목표를 명확히 했다 © 카오

필름으로 구성하는 새로운 발상의 패키지

호소야: ESG 전략인 키레이 라이프스타일 전략과 직접 연결된 생각을 반영시킨 마이키레이 바이 카오의 상품을 왜 일본이 아닌 미국에서 발매했나요?

하타세: 이번 브랜드 제작은 기존과 다른 형태로 시작했어요. 예를 들어 의류가 새하얘지는 세제, 비듬이나 가려움증을 막아주는 샴푸 등 기능을 중심으로 둔 브랜드가 아니라 키레이 라이프스타일이라는 생각을 기반으로 브랜드 설계를 했어요. 풍요로운 마음으로 사는 것, 모든 일에 배려가 넘치는 것을 상품 콘셉트로 표현할 필요가 있었어요. 이런 우리의 생각을 받아들여 주는 생활자의 의식은 일본보다 미국 쪽이 더 높지 않을까 생각했어요. 그리고 카오의 지명도가 미국 시장에서는 그렇게 높지 않다는 실정도 있었죠. 카오는 미국에서 헤어케어와 스킨케어 사업을 전개하고 있는데, 지금까지 카오라는 이름을 적극적으로 드러내지 않았어요. 그래서 이번 활동이 카오라는 회사를 알릴 수 있는 좋은 기회가 될 거라고 생각했죠.

환경 부하를 줄이기 위해 카오의 샴푸나 컨디셔너, 핸드 워시는 카오가 새로 개발한 용기 '에어 인 필름 보틀Air in Film Bottle'을 처음으로 썼어요. 지금까지 쓰던 플라스틱병과는 완전히 다른 플라스틱 필름으로 구성되어 있죠. 리필 팩이랑 같은 재질인데, 필름 3장을 겹쳐 붙이고 필름 사이에 공기를 넣고 부풀려 스스로 설 수 있게 했어요. 내용물이 줄어들어도 병의 모양은 유지하면서 서 있죠.

이런 기술로 플라스틱 사용량을 기존의 병과 비교해서 약 50퍼센트 줄일 수 있었어요. 사용하면서 안이 점점 진공 상태가 되는 구조라 내용물을 마지막까지 짜낼 수 있어 낭비도 없죠. 리필용 필름 용기도 펌프 부분을 반복해서 사용할 수 있도록 개발했어요. 해외는 일본의 생활자처럼 리필 습관이 적으니까 펌프를 분리할 수 있도록 만들었죠. 버리더라도 플라스틱이 적으니까 환경 부하도 적어져요.

내용물에도 신경 써서 샴푸, 컨디셔너, 핸드 워시 전부 다 카오의 최신 기술을 적용했어요. 그리고 샴푸와 컨디셔너에는 동백나무 성분과 쌀뜨물 성분을, 핸드 워시에는 유자 성분과 쌀뜨물 성분을 넣어서 일본의 이미지를 냈어요. 이름은 키레이라는 말을 그대로 썼어요. '내 나름의 키레이 라이프'로 'My'를 붙여서 'MyKirei'로 하고, 카오의 이름을 알리기 위해 'by KAO'를 넣었죠
로고는 뉴욕의 디자이너가 만들었어요. 로고가 정말 괜찮은데, 한자 '사람 인(人)'을 이미지로 사람과 사람이 손을 잡는다는 뜻을 담았어요. 자연환경을 의식해서 산 같기도 하고 파도 같기도 해요. 단순히 환경보호를 목표로 한 브랜드가 아니라, 가족의 끈끈한 정이나 배려심이라는 콘셉트로 타사와는 다른 세계관을 만들고 있어요. '초승달'은 카오의 상징인데, 바깥쪽 원은 살짝 불완전한 형태로 되어 있죠. 브랜드로서 완성된 것이 아니라 앞으로도 계속 진화해 나가겠다는 마음을 담았어요.

일본의 라이프스타일 이미지를 브랜드의 세계관으로

호소야: 최근에는 국내외에 많은 기업이 ESG를 선언하고 있는데, 기업 브랜드나 사업·제품 브랜드와 연결이 안 된 것처럼 보여요. 비전과 현장이 이어지지 않은 케이스를 많이 봤거든요. 카오의 경우 기업 비전을 사업·제품 브랜드로 똑똑하게 연계하고 있죠.

하타세: 확실히 그 부분은 정말 어려워요. ESG를 염두에 둔 생각에는 공감해 주시더라도 실제로 상품으로써 구매로 이어질지를 생각하면 또 얘기가 달라져요. 생활자가 고르는 샴푸는 많은 선택지 중에서 하나일 뿐이니까, 개인의 생활 가치에 가까운 상품이 아니면 사지 않죠. 기업으로서 ESG의 비전과 제품 브랜드로서 'MyKirei by KAO'를 어떻게 겹쳐서 브랜드로서의 매력을 최대한으로 끌어올릴지에 대해 지혜를 짜냈어요. 거기서 촉발 작용을 할 요소로 사용했던 게 '일본', 그러니까 '해외에서 본 일본'이었어요. 일본의 미니멀한 삶이나 심플한 라이프스타일의 이미지를 브랜드의 세계관으로 표현하려고 생각한 거죠.
카오는 비누에서 시작해서 오늘날까지 일본인의 청결과 아름답고 건

강한 생활에 공헌해 왔어요. 그래서 카오 나름대로 일본 문화를 전달하는 방법이나 비주얼을 보여주는 방법 등 노하우는 있다고 자부해요. 이번에도 일본의 전통적인 무게감이나 분위기, 세계관을 충분히 반영해서 브랜드에 깊이를 주려고 했어요. 생활자에게 'ESG로 세상에 좋은 일을 하고 있다'에서 끝나지 않고 카오라는 일본 기업의 브랜드에 애착을 느낄 수 있도록 상품 디자인에도 이런저런 공을 들였어요.
카오가 갖고 있는 최신 기술로 머리카락이 부드러워진다거나 거품을 빨리 씻어낼 수 있다거나 손이 거칠어지지 않는 등의 기능에 일본스러운 이미지를 더해 일본 기업인 카오의 브랜드력을 강하게 내보낼 수 있도록 한 거죠. 기업의 비전과 상품 브랜드가 잘 융합되지 않았을까요? 구체적인 숫자는 말할 수 없지만, 발매 후 아마존에서 좋은 평가와 코멘트를 많이 받았어요.

호소야: MyKirei by KAO 브랜드는 앞으로 미국 말고 다른 나라에서도 발매할 예정인가요?

하타세: 네. 향후에는 미국뿐 아니라 세계적으로 넓혀 가고 싶어요. 먼저 미국에서 성공 모델을 만든 다음, 유럽이나 아시아에도 전개를 검토하려고 해요.

호소야: ESG 전략을 제품 브랜드로 실현하는 과정에서 가장 어려운 점은 무엇일까요?

오타니: 기업으로 말하자면 사원의 마인드라고 할 수 있을까요. 기업의 비전에 긍지를 갖고 일하려고 하지 않으면 ESG는 앞으로 나아가질 못할 테니까요. 자신들이 지금까지 해 온 것 위에 새로운 생각을 심는 건 간단하지 않지만, 그것도 MyKirei by KAO 브랜드가 성공함에 따라 점점 바뀌었어요. 그런 의미에서도 소중히 키워나가고 싶은 브랜드예요.

하타세: 일본이나 미국에서도 생활자의 지속 가능성에 대한 의식이 점점 바뀌고 있는 것 같아요. 특히 코로나19 감염증이 확대되면서 사회에 대한 공헌 등 사회의식은 굉장한 속도로 바뀔 거예요. 항상 반걸음 앞서 생

활자의 생각을 읽어내지 않으면 바로 진부해져 버릴 거예요. 계속 진화하는 속도감과 대담한 도전이 중요한 것 같아요.

호소야: 오늘 귀중한 말씀 감사합니다.

카오 '마이키레이 바이 카오'

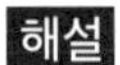

생활 속에 있는 작은 활동으로 인간의 행동이나 의식을 바꾸다

카오의 손세정제 꽃 모양 거품이 매일 즐겁게 손을 씻게 해 준다. © 카오

2019년 3월 15일에 125개국에서 100만 명 이상의 젊은이들이 참가한 '미래를 위한 세계 기후 파업'을 알고 있는가. 스톡홀름에 사는 16세 그레타 툰베리 씨가 기후 변동에 대한 정부의 대응에 항의하기 위해 시작한 학교 파업이다.

'어른은 아이의 미래를 전혀 배려하지 않는다. 그렇다면 나도 보고만 있진 않겠다.'라는 그녀의 마음은 SNS에서 '#Fridays For Future(미래를 위한 금요일)'이라는 움직임으로 이어졌고, 툰베리 씨의 인스타그램 팔로워 수는 약 1057만 명(2020년 10월 기준)이다. 그녀의 훌륭한 행동이나 발언은 전 세계에 꾸준히 영향을 주고 있다.

그녀가 외치는 '우리 같은 아이들이 이 문제를 해결하기란 불가능하다.' 라는 메시지는 매우 인상적이다. SDGs는 단순히 효율성을 추구하는 기존의 사업 관점과는 달리, 한 사람의 인간으로서 이타적인 관점과 미래를 내다본 장기적인 관점을 가질 수 있느냐가 우리 어른들에게 시험당하고 있는 것 같다.

생활자의 의식이 바뀌어 가는 추세 속에서 일본을 대표하는 기업인 카오가 ESG(환경·사회·거버넌스) 비전을 책정했다. 나아가 그 비전을 구체적으로 수행하기 위한 새로운 브랜드를 설립한 것이다. 지구 환경에 관한 과제가 산더미처럼 쌓여 있어 뒤로 무를 수 없는 사회 상황 속에서 세계를 향해 일본 기업은 무엇을 해야 할까. 미래를 내다본 '생활', 그리고 이익을 추구하는 '산업'이라는 상반된 요소를 어떻게 마주하면 좋을까. 그리고 브랜드 전략은 어떻게 해야 할까. 이러한 문제에 대한 답을 듣기 위해 카오의 오타니 씨, 하타세 씨와 인터뷰를 했다.

ESG 전략에 기반한 새로운 브랜드

카오는 코로나 상황 속에서 2020년 4월에 미국에서 ESG 전략을 기본으로 한 '키레이 라이프스타일'을 표현하는 새 라이프스타일 브랜드 '마이키레이 바이 카오MyKirei by KAO'를 설립했다.

이 회사는 1887년에 나가세 도모로 씨가 창업해서 2020년에 133주년을 맞이한 일본의 생활에 밀착한 장수 그룹 중 하나다. 그 기업이 생긴 과정을 물어보면, 그야말로 지속 가능성을 추구해 왔다는 것을 알 수 있다. 격동의 메이지 시대에 근대화를 서두르는 일본에서 세수를 해도 괜찮을 정도의 질 좋은 비누를 세상에 선보였다. 개개인을 청결하게 만듦으로

써 일본인의 마음이 편안해질 수 있도록 하고 싶었단다. 지역 커뮤니티나 사회 전체가 안정을 찾아 나라의 번영으로 이어지게 하고 싶다는 사명감이 카오의 DNA로서 있었다고 한다.

오타니 씨는 이렇게 말했다. "카오 웨이는 소비자의 입장에서 마음을 담아 '좋은 물건'을 만들고, 사람들에게 기쁨과 만족을 주는 풍요로운 생활 문화를 실현시켜요. 동시에 사회의 지속 가능성에 공헌할 것을 사명으로 삼고 있어요. 특히 마음을 담았다는 말이 기업 이념 속에 있는 기업은 그렇게 많지 않잖아요."

실제로 나도 카오의 제품을 통해 생활자의 수요나 편리함을 추구하고 있다는 생각이 든다. '좋은 물건을 만드는 정신'을 계승하면서 세상 사람들의 기쁨과 풍요로운 생활, 사회의 지속 가능성에 대한 공헌을 오늘날까지 해 왔다는 사실을 생활자 입장에서 수긍할 수 있다. 한편, 환경이나 사회 문제가 중시되는 가운데, 생활자의 의식 변화는 지금까지와는 비교가 되지 않을 정도의 속도와 규모로 이루어지고 있다. 세상이 크게 변화하는 상황에서 카오는 어떤 경영 방침을 내세워야 할까? 한 가지 답이 ESG를 경영의 근본으로 하는 것이었다.

2016년에 카오는 2030년을 목표로 장기 경영 비전 '2030년까지 달성하고 싶은 모습'을 책정했다. 거기에 필요한 기반 구축이 ESG였다. 첫 단계부터 ESG라는 관점에서 투자함으로써 환경이나 사회에 공헌하면서 동시에 카오의 사업도 탄탄하게 성장시켜 간다는 공격적인 ESG 전략이다. "시작 당시부터 카오이기 때문에 할 수 있는 일을 하자고 계속해서 말했어요. 과학기술을 이용해서 고객에게 정확히 가치를 전달할 수 있도록 하는 것은 물론 우리 브랜드를 사용하면 지구나 사회를 배려하는 것으로 이어진다는 것이 중점이에요."(오타니 씨)

그 후 ESG 부문이 2018년에 출발해서 전략을 세워 '키레이 라이프스타일 전략'을 완성했다. 이 중에는 생활자를 중심으로 한 ESG의 구체적인 활동 방향성과 미래에 대한 의지가 그려져 있다. '키레이 라이프스타일 전략'은 '카오의 ESG 비전'과 그것을 실현시키기 위한 전략 '카오의 약속과 행동'으로 구성되어 있다. 단순히 '이산화탄소 삭감에 주력하고 있습니다'가 아니라, 사원, 고객, 유통 업체 등 모든 이해관계자들과 함께 어떤 세상을 만들어 나가고 싶은지 생각합니다. 그 생각을 공유하고자 비전 성명서라는 걸 만들고 있어요."(오타니 씨)

'키레이 라이프스타일 전략' 3가지 기둥으로 나누어져 있는데, '쾌적한 삶을 나답게 살기 위해'의 '나ME', '사회를 위해 배려 있는 선택을'의 '우리WE', '더 건강한 지구를 위해'의 '세상PLANET'까지 해서 '나, 우리, 세상ME, WE, PLANET'으로 구성했다. '키레이 라이프스타일'이란 '풍요로운 마음으로 사는 것이며, 모든 것에 배려가 흘러넘치는 것, 자신의 삶이 청결할 뿐 아니라 주변 세상도 그러기를 간절히 바란다'라는 마음을 담았다. 그리고 그 삶이 오늘뿐만 아니라 앞으로도 계속 이어지고, 어떤 작은 일이든 올바른 선택을 하고 나답게 살아가겠다는 메시지이다.

웹사이트에서 공개한 카오의 지속 가능성 통계 정보 〈Kirei Lifestyle Plan Progress Report〉

카오의 ESG 비전

Kirei Lifestyleとは、こころ豊かに暮らすこと。
Kirei Lifestyleとは、すべてにおもいやりが満ちていること。
自分自身の暮らしが清潔で満ち足りているだけでなく、
周りの世界もまたそうであることを大切にすること。

Kirei Lifestyleとは、こころ豊かな暮らしが、
今日だけではなく、これからも続くと安心できること。
日々の暮らしの中で、たとえ小さなことでも、
正しい選択をして、自分らしく生きるために。
花王はこうしたKirei Lifestyle が

何よりも大切だと考えています。
だからこそ、決して妥協をせず、
正しい道を歩んでいきます。
世界中の人々のこころ豊かな暮らしのために、
私たちは革新と創造に挑み続けます。

2030年までに
世界中の人々の、まずは10億人をめざして、
よりこころ豊かな暮らしに貢献します。
より清潔で、健康に、安心して年齢を重ね、
自分らしく生きられるように。

2030年までに
より活力と思いやりのある社会の実現のために、
すべての花王ブランドが、
小さくても意味のある選択を
生活者ができるように提案をします。

2030年までに
すべての花王製品が、
全ライフサイクルにおいて、
科学的に地球が許容できる範囲内の
環境フットプリントとなるようにします。

카오가 내건 ESG 비전의 성명서와 2030년까지 목표로 하는 내용. '쾌적한 생활을 나답게 보내기 위해', '사회를 위해 배려 있는 선택을', '더 건강한 지구를 위해'라는 3가지 기둥이 있다. '카오 지속 가능성 통계 정보' 〈Kirei Lifestyle Plan Progress Report 2020〉에서

포장 용기의 리필 문화는 일본이 만들어낸 독자성

환경이나 사회를 고려한 제품과 서비스를 골라 소비하는 '윤리적 소비'가 확대되고 있다. 앞으로 디지털화된 사회에서는 정보를 활용한 새로운 세대가 새로운 가치관으로 제품 브랜드를 선택하는 경향이 높아질 것이다.

예를 들어 환경을 고려한다면 최근에 주목받고 있는 해양 쓰레기 문제 해결을 위해 용기 자체의 소재 개량과 더불어 리필 용기를 보급하는 방법으로 공헌할 수 있다. 역사적으로 봐도 카오는 윤리적 소비를 생각해서 제품을 발전시켜 왔다고 할 수 있다. "포장 용기로 말하자면, 리필 문화가 정착된 일본은 세계에서도 보기 드문 시장이에요. 이렇게 많은 리필 상품이 있는 곳은 일본뿐이라고 생각해요. 저희는 메이커로서 그걸 끈질기게 긴

시간을 들여서 투자해 왔기 때문에 시장이 크게 바뀌기 시작했다고 생각해요."(오타니 씨)

카오에서는 상품의 판매 수가 늘어나고 있는데도 리필 상품을 촉진해 왔기 때문에 아무것도 하지 않았을 경우와 비교해서 플라스틱 사용량을 크게 줄였다. 우리가 봤을 때는 당연한 생활 양식인 리필 문화는 세계에서 보면 카오가 견인해 온 일본 제품 제조의 독자성이다.

"저희가 일본 국내에서 하는 이런 노력이나 좋은 문화를 어떻게 전 세계로 널리 퍼뜨릴까 고민했어요. 우리의 목표 중 하나는 일본의 기술을 전 세계에 퍼뜨리는 것이었고, 또 다른 하나는 MyKirei by KAO 브랜드가 미국에 진출하는 거였죠."(오타니 씨)

마이키레이 바이 카오는 키레이 라이플스타일을 보여주는 브랜드로, 먼저 2020년 4월에 미국에서 사업을 시작하고, 판매 채널로는 아마존을 활용하고 있다. 이번에 발매한 같은 브랜드의 샴푸나 컨디셔너, 핸드 워시에는 카오가 개발한 플라스틱 플라스틱 필름 용기를 처음으로 채택했다. 필름은 리필용 용기에 쓰이는 부드러운 소재인데, 필름 사이에 공기를 주입시켜 부풀리면 용기로 사용할 수 있고, 펌프형 보틀에 비해 플라스틱 사용량을 약 50퍼센트 줄일 수 있다.

마이키레이 바이 카오의 브랜드 콘셉트는 '구석구석까지 세심함이 넘치는 하루하루의 깔끔한 생활Live Kirei Lifestyle Every facet of daily life is filled with caring'이다. 이름에도 들어가는 일본어 'Kirei'라는 말은 '아름다움'이나 '청결'이라는 의미뿐만 아니라 마음의 상태나 살아가는 자세도 나타낸다. 자기 자신과 더불어 사회의 '키레이'로도 이어지는 말로 일본어 발음을 그대로 썼다. 마이키레이 바이 카오는 앞으로 일본이나 유럽, 아시아 등에 순차적으로 진출할 예정인데, 먼저 미국에서 아마존 판매 채널을 활용해서 발매한 이유로는 3가지가 있다.

첫 번째 이유는 미국에서 인지도를 얻기 위해서다. 지금까지 미국 시장에서는 뷰티케어라 해도 헤어케어와 스킨케어만 들어가 있었기 때문에 카오 브랜드에 대한 생활자의 인지도 향상이 필요했다. 두 번째는 환경에 대한 의식 수준이 높은 사람들이 일본에 비해 많다는 점이다. 정량 조사에서도 남성 비율이 높아서 미국 전체 가운데 약 8퍼센트가 이런 지향성이 있는 생활자이다.

세 번째는 미국에 리필 문화가 뿌리내리지 않았다는 점이다. 그렇기 때문에 리필 습관을 정착시키기보다는 플라스틱 자체를 줄인 상품을 만드는 편이 좋다고 판단했다. 하타세 씨는 이렇게 말한다. "환경 보호를 중시하는 사람이 많은 젊은 여성을 타깃으로 하고 싶어요. 미국에서 정리 컨설턴트 곤도 마리에 씨의 서적이 인기를 끈 것처럼, 소박함을 지향하는 여성들이 늘어나고 있어요." 미국 생활자의 사용 습관에 대응하면서 환경 부하를 줄이는 데도 크게 공헌할 수 있겠다고 생각한 결과였다.

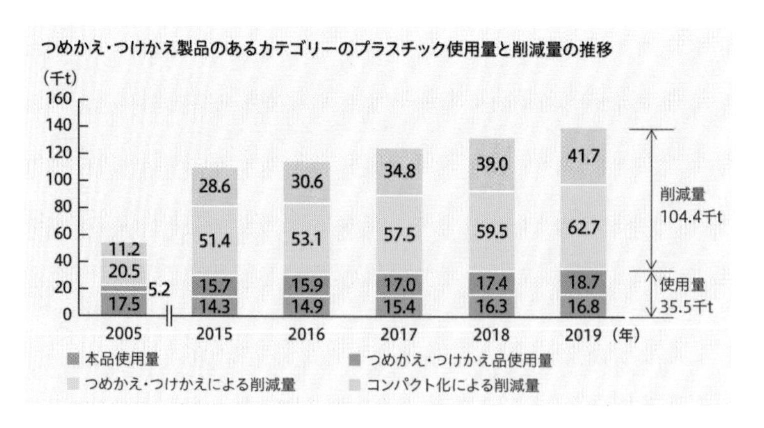

카오는 판매량을 늘리면서도 리필 제품을 만들어서 플라스틱 사용량을 줄이고 있다. '카오 지속 가능성 통계 정보' 〈Kirei Lifestyle Plan Progress Report 2020〉에서

'마이키레이 바이 카오'의 콘셉트 영상. 구석구석까지 세심함이 넘치는 일상의 '깨끗함'을 표현한다.
ⓒ 마이키레이 바이 카오

하루하루 작은 활동에서 Kirei Lifestyle을 몸소 실천

앞으로 사내의 의식 개혁을 한층 더 추진해 나가기 위해 각 사업의 브랜드 지시서 형식을 개정할 예정이라고 한다. 기능적 가치, 정서적 가치뿐만 아니라 브랜드 지시서의 중심에 어떤 사회적 가치를 제공하는가에 대한 항목을 추가해서 30여 년 만에 쇄신을 검토하고 있다.

상품을 진열할 때 세일즈 프로모션의 수단으로써 사용하는 '아이캐치' 스티커도 중지하는 방침을 내세웠다. 사내에서는 아이캐치 스티커를 폐지하면 매출이 떨어지지 않을까 하는 부정적인 의견도 있다. 하지만 이제 제품 담당자는 스티커가 없어도 어떻게 해야 가게에서 메시지를 전할 수 있을지 생각하고, 매일 궁리하면서 도전하고 있다. 그러한 작은 활동이 회사 전체의 움직임이 되어 Kirei Lifestyle의 생각을 착실히 실현하고 있다.

"정말로 저희에게도 정답이 보이지 않아요. 왜 카오가 좋은 제품 만들기 위해 ESG 관점으로 크게 변화를 주는지, 이것을 사원이 아닌 한 인간으로서 이해하는 것도 중요하다고 생각해요. 먼저 3만 3천 명이 넘는 사원이 정말 자부심을 갖고 사업 이전에 우리 한 사람 한 사람의 생활을 생각하고 그 마음을 아이나 손주에게 전해 주어야 할 필요가 있어요. 시간은 걸리겠지만 똑바로 해 놔야죠. 그런 자세가 제품을 통해 보이면 고객이 자연스레 상품을 사용해 주지 않을까 해요."라고 오타니 씨는 말한다.

하타세 씨는 "전 세계적으로 소비자의 지속 가능성에 대한 의식이 점점 바뀌고 있는 듯해요. 특히 코로나19가 유행하면서 앞으로 또 크게 변화할 거예요. MyKirei by KAO는 일관되게 ESG에 입각한 브랜드이기 때문에 지속적으로 지켜가야 할 사상이라는 건 당연해요. 하지만 멈춰 서 있으면 바로 진부해질 거예요. 어떻게 보면 살짝 앞을 내다보고 소비자의 변화에 맞는 형태로 브랜드가 먼저 제안을 만들어낼 수 있는지가 관건이거든요. 항상 반걸음 앞서고 싶어요."라고 말한다.

Air in Film Bottle의 어느 생활 풍경. 필름 사이에 공기를 넣어 부풀어 오르게 해서 스스로 설 수 있는 용기로 사용할 수 있다. 펌프형 병에 비해 플라스틱 사용량을 약 50퍼센트 줄일 수 있다.
ⓒ 마이키레이 바이 카오

하면서 공격적으로 나가야 할 필요가 있다. 근원적 욕구Needs가 아니라 구체적 욕구Wants가 중요하다. 그런 상태에서 지속 가능한 활동으로 한 걸음씩 앞서 진화를 계속하는 속도가 요구된다.

사람들의 눈을 미래로 향하게 하는 브랜드로

제품 브랜드의 콘셉트를 만들 때, 카오의 경우는 향후 기업 이념이나 중기 경영 계획과 함께 브랜드 기반이 되는 것이 '카오의 ESG 비전'이다.

"ESG 비전으로 추가한다기보다는 부풀려 간다는 표현이 맞는 것 같아요. 소비자의 '청결'에 공헌해 온 역사를 조금 감정적으로 부풀려 간다는 이미지죠."(하타세 씨)

신규 브랜드인 MyKirei by KAO는 카오의 ESG 비전으로 부풀릴 수 있다. 한편, 카오가 현재 보유하는 '매직클린'이나 '어택' 등의 기존 제품 브랜드를 이 카오의 ESG 비전으로 다시 정리하는 것은 또 다른 어려움이 있는 모양이다.

"기존 브랜드의 경우, 오랜 세월 동안 계승되어 온 고객과의 약속이 있어요. 그런데 '카오의 ESG 비전'은 각 브랜드가 내건 약속보다 더 큰 관점으로 봐야 해요. 이 브랜드는 어떤 사회적 의의가 있는가, 무엇을 위해 존재하는가를 생각하는 등 ESG 비전과 고객의 니즈를 어떻게 융합해 가는지가 과제예요."(오타니 씨)

기업 측이 아닌 고객의 의식이나 니즈를 육성해 나가는 것도 필요하다. 이해하기 쉬운 것, 생각하지 않아도 되는 것을 지향하는 생활자가 주류인 사회에서는 ESG 비전과 고객의 니즈가 일치할 일은 없다. ESG 경영은 기업이 바뀐다기보다는 제품이나 서비스를 통해 고객이나 사회의 의식을 변화시켜 나가는 것이 더 중요하다. 일본에서 서서히 리필 문화를 계발해 온 카오라면 전 세계 사람도 충분히 계발할 수 있을 것이다.

최근에 많은 기업이 '더 나은 사회를 만들기 위한 브랜드를 만든다'라는 방침을 내걸고 있다. 오히려 '더 나은 사회를 만들기 위해 사람들의 행동이나 의식을 바꿀 수 있는 브랜드를 만든다'라고 말하는 편이 더 정확한 표현 아닐까? 이 사례처럼 생활 속에 있는 작은 일을 작은 활동으로 바꾸는 것과 같은 여러 번 반복되는 개괄적 기억이 필요하다. ESG 경영에서 요구되는 브랜드의 의의란, 생활자의 행동 변화를 목표로 하는 것에 있음을 이번 인터뷰를 통해 새삼 이해할 수 있었다.

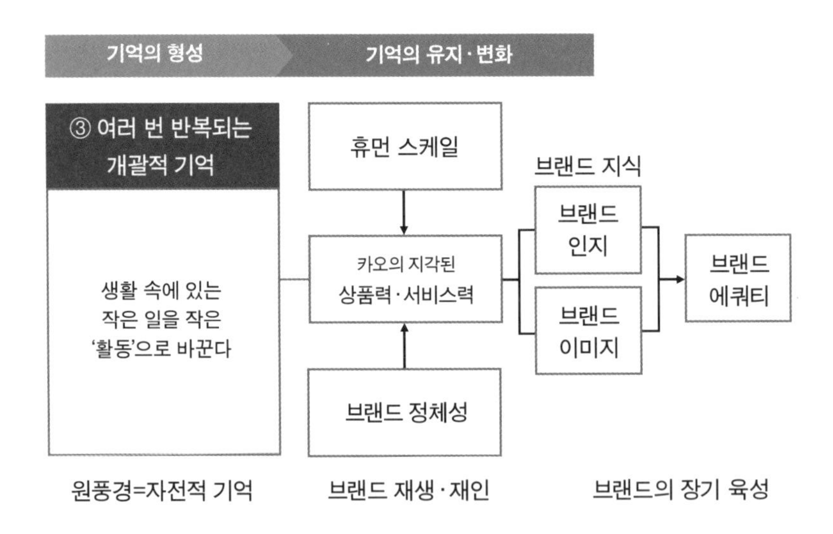

아지트 '크루' **인터뷰**

타는 사람과 태우는 사람의 감정을 잇는 모빌리티 서비스

ⓒ 마루게 도루

요시카네 히로마사吉兼周優
아지트 대표이사

게이오기주쿠대학 이공학부 관리공학과 재학 중에 Azit를 설립. 2015년 3월에 'CREW'를 기획·구상하고 프로덕트 매니저 겸 UI 디자이너로서 개발을 추진했다. 'Be natural anytime(자연체 상태로 있을 수 있는 나날을)'이라는 미션 아래 사업을 추진하고 있다.

호소야: 아지트Azit가 2015년 10월에 서비스를 개시한 '크루CREW'는 '타고 싶다'와 '태우고 싶다'를 잇는 모빌리티 플랫폼을 내세웠습니다. 같은 분야에서는 '우버Uber'가 유명한데, 요금에 대한 아이디어가 우버와 다르

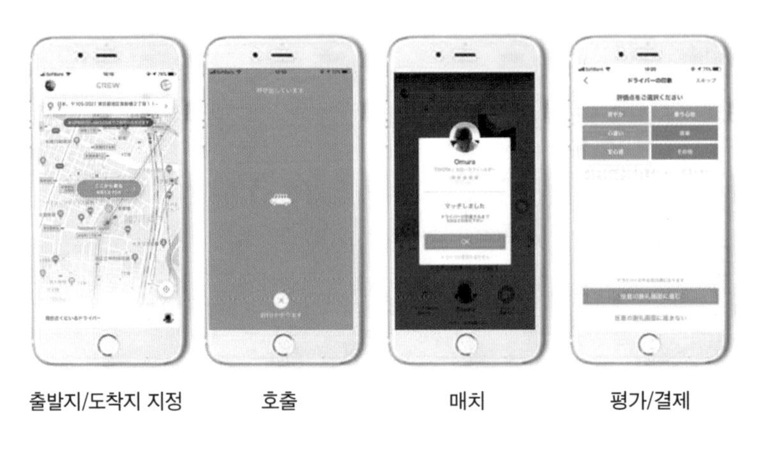

크루의 앱 화면. 간결한 조작으로 '타고 싶다'와 '태우고 싶다'를 연결할 수 있다 © Azit

다는 점이 독특하네요.
승객은 주유비, 도로 통행료, 시스템 이용료 외에 일반적으로는 승차료를 지불하죠. 그런데 크루는 승차료 대신 '사례'를 임의로 지불하는 시스템이에요. 사례는 의무가 아니라서 승차료에 상당하지 않기 때문에 법률관계도 깨끗하고, 택시처럼 허가나 등록도 필요 없죠. 'C2C 시대의 브랜딩 디자인'이라는 연재 기획을 생각한 계기도 사실 크루 때문이었어요. 저 역시 크루를 애용하는 사람 중 한 명인데, 지금까지 보지 못한 모빌리티 경험을 얻었어요.

요시카네: 감사합니다.

호소야: 택시처럼 단순하게 자동차와 고객을 연결하는 것이 아니라, 차 안에서 즐겁게 대화하기도 하고, 운전하는 사람이 따뜻하게 맞이해 주시기도 하고, 거기에서 사람 사이의 정을 깊이 느꼈어요. 제 주변에서 크루를 이용한 사람도 비슷한 경험을 했다고 하네요. 먼저 크루를 설립한 요시카네 씨의 생각부터 들려주세요.

요시카네: 운전하는 사람과 타는 사람의 관계는 '손님은 왕' 같은 관계가 아니라 그야말로 C2C 관계로, 서로 동등한 존재가 아닐까 생각해요. 운전하

는 사람도, 타는 사람도 어느 한쪽이 우월한 것이 아니라, 자동차라는 하나의 커뮤니티에 안에 속해 있을 뿐 그 이상도 이하도 아니지 않을까요?
그래서 태워 주셔서 감사하다고 느끼거나 기쁘게 응대하거나, 각각 공평한 관계에 있다는 것이 제 기준에 딱 맞아떨어졌어요. 이걸 하나의 서비스로 만들 수 없을까 생각했죠. 그래서 '한 배에 탄 동료'라는 뜻을 담아 서비스 명칭을 '크루CREW'라고 지었어요. 사용자끼리 정말 대등한 관계에 있는 커뮤니티를 만들고 싶은 생각이 처음부터 확고했어요.

호소야: 그렇군요. 고객들 사이의 C2C 관계를 '한배에 탄 동료'에 비유했군요. 요시카네 씨는 C2C라는 관계를 어떻게 규정하나요?

요시카네: C2C는 순수한 네트워크라고 생각해요. B2C는 개인의 생각보다 기업의 합리성으로 판단할 수도 있지만, C2C는 호불호 같은 개인의 의사에 따라 행동하잖아요. 공적인 자리와 사적인 자리에서 완전히 달라지는 사람이 가끔 있는데, C2C 관계에서는 인간의 꾸밈없는 모습이 그대로 나와요. 그 점이 흥미로워요.

호소야: 크루는 그야말로 C2C 플랫폼 같은 존재라고 생각합니다. 개인과 개인 관계이기 때문에 특별하게 신경 쓰는 점이 있나요?

요시카네: 기업의 태도나 생각이 고스란히 겉으로 드러나는 게 C2C 플랫폼인 것 같아요. 예를 들어 사용자와 접하는 콜센터 직원, 사내 매니저나 저도 그렇지만 사내에 일관된 태도나 생각이 없으면 사용자에게 '전염'되어서 신뢰성이 떨어질 수도 있다고 생각해요. 그러니까 각 사원들이 같은 것을 추구하는 태도를 매우 중요하게 생각하죠.

호소야: C2C인데 일관성이 중요하다니 재미있네요. 그건 요시카네 씨 스스로가 강한 리더십을 발휘해서 추진하고 있나요? 아니면 사원 개개인이 자발적으로 사내에서도 C2C 관계, 즉 대등한 관계를 만들어서 실행하고 있나요?

요시카네: 사원은 보통 목표나 인센티브가 있을 때 동기 부여가 되잖아요. 그 자체는 기업이 앞으로 나아가는 데 필요하다고 생각해요. 하지만 그보다 더 중요한 것은 사내에서 만들어야 해요. 그렇지 않으면 외적 요인 때문에 일관성을 잃을 수 있거든요. 그래서 기업 단위의 비전, 미션, 브랜드를 확고하게 의식해서 일관성을 지키고 있어요.

기업이 내거는 미션은 번지르르한 말로 만들 수는 있겠지만, 그걸 어떻게 전달하느냐가 매우 중요해요. 기업의 역사를 비롯해 지금까지 일관된 모습을 보여왔는지가 중요하죠. 최근에 앱을 리브랜딩해서 로고를 바꾸는 동시에 기업 태도를 나타내는 가이드라인도 만들었어요. 수치상의 목표도 중요하지만, 태도 역시 굉장히 중요하다고 생각해요.

'크루'의 로고 화면도 중요한 브랜딩 요소다.

사원의 자세에서도 '환대'와 '감사'를 표현

호소야: 그 일관성을 공유하는 가이드라인은 책으로 공개했나요?

요시카네: 2018년 봄에 만들어서 사내에 온라인으로 공개했어요. 사업의 목적, 창업 역사, 비전, 미션 등을 설명했죠. 가이드라인과는 별도로 컬처 북도 제작해서 마케팅, 광고, 브랜딩 지침으로 삼고 있어요. 창업 당시부터 지침을 내걸고 방향을 정해 놓으면, 장래에 기업 규모가 커져도 저희의 DNA로서 흔들리지 않고 전해지지 않을까 하는 의도가 있었어요. 성장한 후에 결정하면 흔들리니까요. 일본의 벤처 기업을 보면, 처음부터 브랜딩을 제대로 정해 놓은 경우는 거의 없는 것 같아요. 저는 게을러서 나중에 여러 번 바꾸거나 설명하기보다는 처음에 확실히 생각해 두면 수고를 덜 수 있을 거라고 생각했어요.

이건 크루의 성질에 따라 다르다고 생각하는데, 처음 사용할 때까지 장점을 잘 몰라서 말로 설명하려고 해도 어려워요. 단순한 공유 서비스가 아니라 실제로 사용한 사람이 소개해 주는 것이 서비스의 성과 포인트죠. 무엇보다 경험이 중요하기 때문에 멋진 로고를 달아 놓는다고 다 되는 게 아니에요. 아직 경영의 프로라고는 할 수 없는 제가 아마추어 입장에서 생각한 것은, 어떻게 하면 처음부터 끝까지 일관성 있는 것을 만들 수 있을까 하는 그 점뿐이었어요.

호소야: 좋은 경험이 타인에게도 연쇄 작용처럼 퍼지는 거죠. 제가 실제로 경험한 후, 운전자 분이 응대해 주시는 태도가 정말 편안하다고 느꼈어요. 성품이 굉장히 좋아서 편안한 기분이 들게 해 주는 사람이었죠. 지인한테도 크루 서비스를 홍보하고 있어요. 그래서 운전자 교육을 원격으로 실시한다든가, 어떤 기준이나 교육이 있는지 궁금했어요.

요시카네: 저는 운전자를 '크루 파트너'라고 부르고, 크루라는 서비스를 같이 만들어 가는 파트너라고 생각해요. 환대를 보장할 수 있는 건 그런 사원의 태도를 느낄 수 있기 때문이 아닐까요? 저희가 사내에서 자주 쓰는 키워드가 '환대'와 '감사'예요. 연수할 때도 그렇고 매일 오는 문의에

이야기를 듣고 있는 호소야 마사토 씨 ⓒ 마루게 도루

대한 답변을 보더라도, 우리의 언행 하나하나에서 크루 파트너분들도 당사가 소중히 여기고 있는 것을 느끼고 계시는구나 생각해요. 아직 100점이라고는 할 수 없어서 앞으로 대접 면을 더 향상시키고 싶어요.

원래부터 '합승' 문화가 일본에 있었다

호소야: C2C 플랫폼을 활용해서 현재 진행하고 있는 프로젝트나 앞으로의 방향성 등을 알려 주세요.

요시카네: 앞으로의 과제 중 하나는 지방으로 진출하는 거예요. 크루 서비스의 시초는 예를 들어 잠깐 외출할 때, 이웃 사람이 데려다주고 부모님들끼리 감사 인사를 하는 모습이었어요. 그런 순간들이 더 늘어나면 좋겠어요. 지금은 도심에서 서비스를 하고 있지만, 지방 진출도 생각하고 있어요. 2018년 8월에는 가고시마 현의 요론섬에서 대중교통 수단으

가고시마 현 요론섬의 관광협회와 협업해서 대중교통 수단으로 '크루' 서비스를 실증 실험했다. 주민이나 관광객의 새로운 '발'로 기대를 받고 있다

로 실증 실험을 시작했어요.

이른바 두메산골처럼 대중교통 수단이 부족한 지방이나 관광지 같이 고령자들이 많은 지역으로 진출하고 싶어요. 이런 지역에는 전부터 '합승' 문화가 있었어요. 저희는 '상조 모빌리티'라는 말로 표현하는데, 그런 활동을 하고 싶어요. 가끔 편지가 와요. '저희 섬에는 택시가 2대밖에 없는데 어떻게 좀 해 주세요.'라는 내용이죠. 그런 편지를 받으면 정말 해야겠다는 생각이 들어요.

요론섬의 실증 실험도 그쪽에서 왔던 문의가 첫 계기였어요. 요론섬의 관광협회와 국토교통부 직원들이 힘을 써 주셔서 프로젝트를 진행했어요. 크루는 규제를 클리어한 덕분에 바로 실현할 수 있었죠. 요론섬뿐 아니라 앞으로는 다양한 지역에서 서비스를 제공하고 싶어요.

오오야: 구체적인 운영 방식은 어떻게 되나요?

요시카네: '공동으로 창조한다'라고 해서 '공창共創'이라는 말을 저희는 굉장히 중

요하게 생각합니다. 커뮤니티라는 개념을 소중히 여기고 단순히 크루를 제공하는 것에서 그치지 않고, 가끔은 자치단체나 그 지역의 택시 회사와 협력해서 만들어 가자는 입장이에요. 우리끼리 과제를 해결하려고 하는 게 아니라, 관계자가 다 같이 한방향을 보고 나아가는 것이 중요해요. 우리의 체제를 써달라고 하는 게 아니라, 어떻게 하면 좋을지를 같이 고민하는 거죠.
크루를 시작했을 때도 저희끼리 고민한 게 아니라 관공청과 협의를 거듭하며 함께 고민했어요. 보험, 구조, 안전 체제까지 모든 구조를 함께 의논해서 검토받은 결과, 승인이 된 거죠. 처음 하는 일이라 정답을 모르는 상황에서 관공청과 함께 모색하면서 진행했죠.

C2C 시대에는 처음부터 끝까지 순수하고 단순한 생각이 필요

호소야: C2C서비스 중에서 브랜딩이나 디자인에 대해서는 어떤 생각을 하고 계시나요?

요시카네: 그래픽이나 UI(유저 인터페이스) 디자인도 중요하죠. 사상이나 생각을 어떤 식으로 전달하고 무엇에 적용시켜야 하는지 고민하는 것이 디자인이라면, 기업의 자세를 만드는 것 역시 디자인이라고 생각해요. 저희의 생각을 구체적인 형태로 적용시키지 않으면 아무것도 전해지지 않아요. 디자인이란 형태를 만드는 것을 뜻하는 게 아닐까 해요. 그래서 일관성이 중요한 거예요. 창업부터 최근 출시한 것까지 모두 포함해서 일관성 있는 것을 만들어야 해요. 그 부분은 원래 제가 디자이너였다는 점도 많은 영향을 주는는 것 같아요.

호소야: 사장 본인이 '디자이너'군요. 요시카네 씨의 동기 부여는 어디서 비롯된 건가요?

요시카네: 학생 시절에 취미로 만들었던 앱이 입소문으로 퍼져 방송에 소개된 적이 있어요. 정말 기분이 좋았죠. 순수하게 무언가를 만들고, 전하고, 누

군가가 기뻐해 주는 것이 저에게 힘을 줘요. 크루도 그 연장선에 있다고 생각하고, 앞으로도 누군가 기뻐해 줄 서비스를 개발하고 싶어요.

호소야: 그렇군요. 요시카네 씨의 이야기는 정말 간단명료하네요. C2C 시대에는 순수하고 단순한 발상이나 생각이 필요할지도 모르겠네요. 오늘 정말 감사합니다.

아지트는 기업 로고를 비롯해 일관된 기업 자세를 보여준다. © 마루게 도루

아지트 '크루' **해설**

'감사합니다'와 '괜찮습니다'의 순환이 커뮤니티의 원풍경을 만든다

'타고 싶다'와 '태우고 싶다'를 연결한 모빌리티 플랫폼을 지향하는 '합승' 서비스 '크루'는 '우버' 등의 합승 서비스와 다르다. © Azit

아지트가 2015년 10월에 서비스를 시작한 '크루'는 '타고 싶다'와 '태우고 싶다'를 연결한 모빌리티 플랫폼을 지향하는 '합승' 서비스다. 주변에서 운행 중인 차를 스마트폰으로 부를 수 있는 픽업 앱을 운영하고 있다. 세계적으로 보면 같은 분야에서는 '우버Uber'나 '리프트Lyft' 등의 배차 서비스가 유명한데, 크루는 브랜드 이념이나 요금 설정에 관한 아이디어가 독특하다는 점에서 이와 구별된다. 요금은 단순히 편의성을 추구하기만 하는 것이 아니라 타고 싶은 사람과 태우고 싶은 사람을 자연스럽게 연결하여 크루라는 구조에 애착이 생기도록 했다.

크루의 경우, 승객은 주유비, 도로 통행료 등의 실비와 플랫폼 수수료로 Azit에 지불하는 시스템 이용료를 부담하는 것 이외에도 승차료 대신 '사례'를 임의적으로 지불하는 방식으로 운영하고 있다. '사례'는 감사의 마음을 표시하는 것이라 결코 의무는 아니다. 승차료에 상당하지 않기 때문에 법률관계도 깔끔하고, 택시처럼 허가나 등록도 필요 없다. '태워다 주셔서 감사합니다.'라는 사람에서 사람으로 전해지는 순수한 감사의 마음을 요금이 아닌 '사례'로 지불하는 구조다.

사실 2018년에 〈닛케이 크로스 트렌드〉에서 'C2C 시대의 브랜딩 디자인'이라는 연재 기획이 생긴 계기는 크루와의 만남에서 영향을 받았다. C2C란 컨슈머Consumer인 일반 소비자와 일반 소비자 사이의 거래를 뜻한다. 대표적인 예로는 '야후옥션'이나 '메루카리' 등이 있다. 온라인 외에는 벼룩시장과 같은 상거래를 말한다. 예부터 존재했던 시장이나 행상 같은 구조에서는 이미 개인 간에 가격을 흥정하는 일이 무작위로 일어났으며, 독자적인 커뮤니케이션 방법이 존재했다. 거슬러 올라가면 에도시대의 상거래도 신용이나 신뢰에 따라 가격이 좌우되었다.

예전에는 온라인에서 개인 거래를 할 때 대금 결제 때문에 벽에 부딪히는 일이 많았다. 하지만 서비스를 운영하는 사업자 등이 대금 결제 중개를 하면서 거래가 원활해졌다. 특히 요즘에는 '페이팔PayPal', '라인 페이LINE Pay', '페이페이PayPay' 등 온라인 결제 시스템이 등장하면서 대금 결제가 쉬워졌다. 그래서 본격적인 C2C 시대의 도래를 맞아 어떤 식으로 브랜드 전략을 생각해야 하는지 논하는 것이 연재의 취지였다.

크루가 생각하는 '사례'나 '감사'라는 가치관을 다시 제시하는 것은 무척 독특하다. 나 역시도 크루를 애용하는 사람으로서 지금까지 없었던 모빌리티 경험을 얻고 있다. 크루를 실제로 이용했을 때, 운전자와 나눈 이야기는 차종 이야기, 차 안에서 듣는 음악 이야기, 크루를 선택한 손님 이

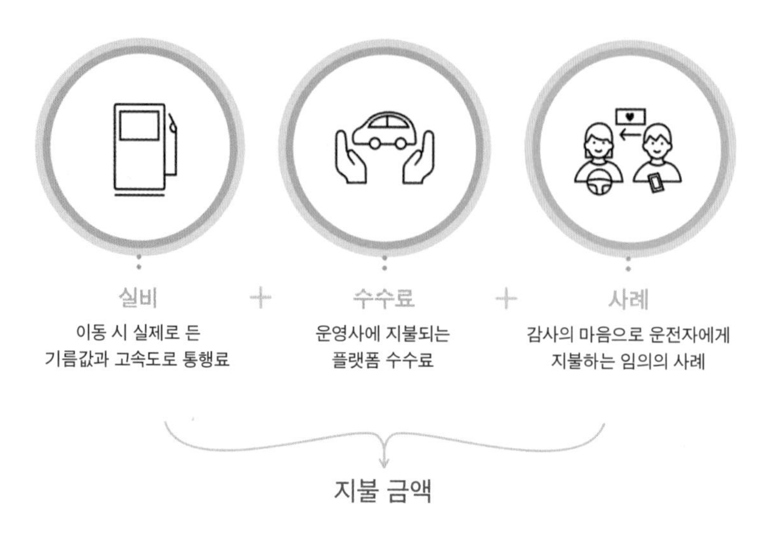

크루의 요금은 실비, 수수료, 임의의 사례, 이렇게 3가지로 구성된다 © Azit

야기, 가족이나 아내 이야기, 일 이야기 등 무척 광범위했다. 운전자도 취미의 결정체인 자가용에 태워 주기 때문에 그 대화에서는 운전자의 꾸밈없는 모습을 볼 수 있다. 마치 편안하게 친구의 차를 타고 시시콜콜한 이야기를 하면서 목적지까지 가는 기분이다.

'환대'와 '감사'의 순환, 일본인의 도덕심에 주목

크루는 운전자를 '크루 파트너'라고 부른다. 이들을 크루라는 서비스를 함께 만들어 가는 파트너로 인식하며 브랜드의 전파자로 생각한다. 2015년 창업할 때부터 목표로 했던 것은 지금까지 없었던 새로운 이동 수단이 아니라, 예로부터 일본인의 지혜인 '환대'와 '감사'의 순환을 기술적으로 확장시킨 플랫폼이었다.

특히 앞으로 일본은 자동차를 소유하려는 사람이 적어지는 등 '이동'이

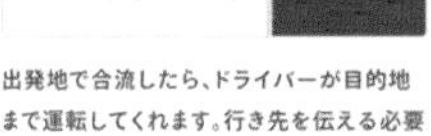

크루의 고객 여정. 내릴 때 '감사합니다.'라는 말을 촉진하고 있다 © Azit

사회 문제가 될 전망이다. 미래에 자율주행 등 기술 혁신이 진행된다 해도 이 과제가 완전히 해소되리라는 보장은 없다. 지방 교통 인프라의 약화, 수도권 집중 현상에 따른 교통 체증이나 만원 전철, 도쿄 올림픽·패럴림픽, 오사카 간사이 만국박람회 등 국제 행사를 위한 동선 등 '이동'에 관한 과제가 급격히 변화하고 이미 '교통 격차'가 생겨나고 있는 것이 실정이다.

크루는 '환대'와 '감사'의 순환이라는 일본인 특유의 도덕심을 중심으로, 이 '교통 격차'를 메울 수 없을까 하는 문제의식을 느끼고 모빌리티의 미래를 만들고자 하는 합승 서비스이다. 모든 사람을 서로 대등한 동료로 보고, 신뢰하고, 상부상조하고, 서로 협력하며 만들어 가는 플랫폼을 목표로 하는 것이 특징이다.

지향하는 원풍경은 '부모님들이 서로 감사 인사를 주고받는 모습'

실제로 지방에서 '교통 격차'를 개선한 구체적인 사례로 2018년 8월부터 시작한 가고시마 현 요론섬의 실증 실험이 있다. 대중교통 수단으로서 주민과 관광객의 새로운 '발'이 될 것으로 기대된다. 요론섬처럼 고령자가 많은 지방의 두메산골, 교통 수단이 부족한 관광지 등에서 크루의 플랫폼에 대한 수요가 높아지고 있다. 요시카네 씨는 이렇게 말한다. “이런 지역에는 전부터 ‘합승’ 문화가 있었어요. 예를 들어 잠깐 외출할 때 동네 주민분이 데려다주고 부모님끼리 감사 인사를 주고받는 광경을 흔히 볼 수 있었죠. 우리는 이를 ‘상조 모빌리티’라는 말로 표현해요.”

지방에서는 아직 ‘환대’와 ‘감사’의 순환이라는 상부상조의 마음으로 지역 사회의 질서가 성립된다. 그렇기에 크루의 지방 진출은 필연적이라고 할 수 있다. 실제로 ‘우리 섬에는 택시가 2대밖에 없는데 어떻게 좀 해 주

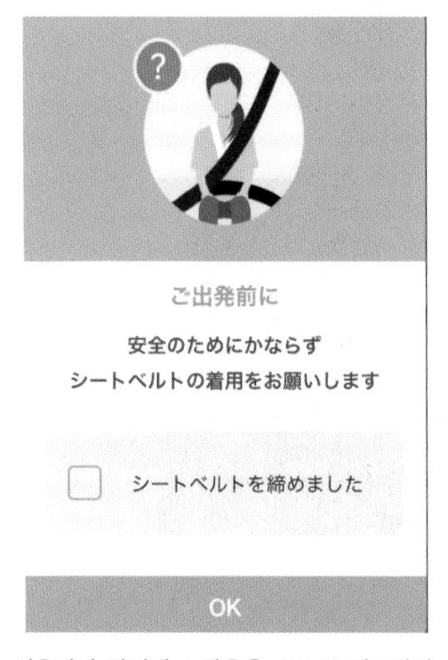

이용자가 안전벨트 착용을 스스로 체크한다. 체크하지 않으면 운전자는 출발하지 않는다

안전 확인 등을 스마트폰 화면으로 조작한다.

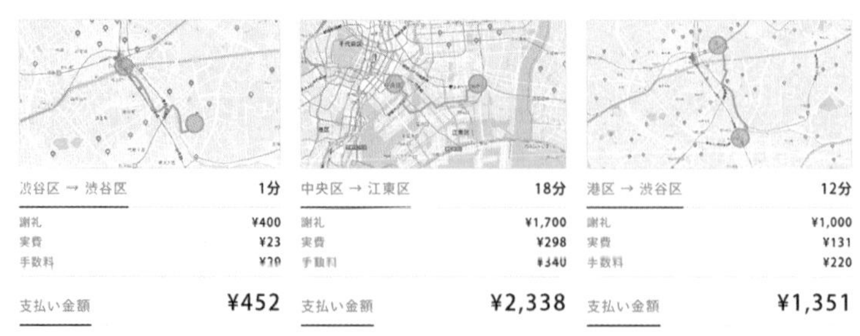

‘사례’ 이미지. 운전자가 사례를 강요하거나 요구하는 것은 금지되어 있다. 사례의 유무나 구체적인 금액 설정은 임의이며 0엔부터 설정 가능하다 © Azit

세요.'라는 편지를 받은 적도 있다고 한다. 이 실증 실험은 요론섬에서 먼저 문의가 와서 해당 지역의 관광협회와 국토교통부 등이 지원해준 덕분에 이루어졌다.

플랫폼은 단순한 '상자'라는 생각에 빠지기 쉽다. 크루는 자치단체는 물론이고, 경우에 따라서는 지역의 택시 회사와 함께 협력하고 보험이나 안전 체제 등의 구조는 관공서의 도움을 받아 모두 함께 만들어 나간다. 각 상자를 입맛에 맞게 사용할 수 있다. 왜냐하면 그 뿌리에는 과거부터 존재하는 '고맙습니다'와 '별 말씀을요'의 순환, 다시 말해 따뜻한 지역 커뮤니티가 있기 때문이다. 그 독자적인 커뮤니티를 소중히 여기려는 마음이 크다.

순수한 환대가 생겨나는 '마음과 시간대'

요시카네 씨는 "이건 크루의 성격에 따른다고 생각하는데, 처음 사용할 때까지 장점을 잘 모르고 말로 설명하려고 해도 어려워요. 단순한 공유 서비스가 아니라서 실제로 써 본 사람이 소개해 주는 것이 서비스의 성장 포인트죠."라고 한다. 크루에서 좋은 경험을 한 사람이 그 경험을 다른 사람에게 전해주는 것에 중점을 두고 있다. 실제로 나도 체험을 해 보고 그 좋았던 경험을 친구에게 전해줬다.

크루의 브랜드 영상. 요론섬을 무대로 '접대'와 '감사'의 순환이 그려져 있다.

손님 응대, 안정감, 친절함에 대해 운전자와 이야기를 하면, 원래 자신이 고객 입장에서 이용했다거나 옛날부터 운전 기사를 한번 해 보고 싶었다는 이야기를 듣는다. 이처럼 운전자 자신이 먼저 크루의 서비스에 공감했고, 나아가 생계를 위해 운전하는 것이 아니라 스스로 크루에 참가해서 즐거운 드라이브라는 취미 시간을 만드는 것뿐이다. 운전자가 즐겁게 운전하고 싶다는 마음이 결과적으로 순수한 환대를 낳는 것이다.

양질의 환대로 이어지는 또 하나의 이유는 크루의 서비스 이용 시간이다. 2019년 기준으로 오후 8시부터 오전 3시까지 총 7시간이 대상 시간이다. 내가 처음 이용했을 때는 오후 10시~오전 2시로 4시간만 이용할 수 있었다. 현재는 운전자의 수가 늘어나면서 이용 시간도 늘어나고 있지만, 순수한 환대를 유지하려면 운전자가 즐겁게 여길 수 있는 시간의 한계나 타고 싶은 사람의 기분이 오프 모드가 되는 시간대 등을 생각하면 적절한 이용 시간이다.

반대로 24시간 서비스를 전제로 하면 서비스 품질에 무리가 생기고, 감사의 순환이 생기지 않는다. 내가 크루에서 쌓았던 경험은 마음이 오프 모드인 시간대이기 때문에 말할 수 있는, 마음에서 우러나는 '감사'라는 느낌이 크다.

운전자 자신도 '크루 브랜드'의 고객

크루의 운전자는 단순히 고객에게 서비스를 제공하기만 하는 존재로 여기는 것이 일반적이다. 하지만 C2C 시대에는 그것과 다른 발상을 만들어 낼 필요가 있다. 크루의 운전자는 원하는 시간대에 자신의 자동차만으로 새로운 라이프스타일을 얻을 수 있다. 비어 있는 시간은 유용하게 사용할 수 있고 픽업을 하거나 목적지로 안내하는 내비게이션, 요금 관리 등 모든 것이 스마트폰만 있으면 해결된다. 만일의 경우가 생기더라도 크루가 보험을 지원하고, 차량 수리 비용을 보상해 주고, 법령에 따른 서비스를 운영하고 있다. 운전자에게도 주유비를 리터 당 2엔으로 할인해 주는 혜택을 평생 부여한다. 크루 운전을 하지 않을 때도 주유비를 항상 리터 당 2엔으로 이용할 수 있으며 서비스나 자동차 정비 공장 특별 할인 등도 갖추고 있다. 게다가 운전자는 시스템 이용료를 제외한 실비와 임의의 사례를 받을 수 있다.

즉, 순수하게 운전을 즐기고 싶은 운전자들이 크루에 참여하는 장점은 매우 크고, 자신만의 환대를 하기만 해도 차량 유지 경비를 줄일 수 있는 서비스이다. 크루를 이용하다 보면 운전자가 차를 좋아한다는 느낌을 자주 받는다. 외관은 물론 내관도 세세한 부분까지 신경 쓴 게 보인다. 실제로 어느 메이커는 타기 편하고, 과거에 이런 차종을 탔다는 등 차 주인의 관점으로 쾌적함이나 차의 매력에 대해 이야기를 들을 수도 있다. 타고 싶은 사람도 태우고 싶은 사람도 대등한 관계 속에서 생기는 서비스는 다른 이동 서비스와 다른 크루만의 독자성이다.

모빌리티 문제를 해소하는 '공기청정기'와 같은 역할

Azit는 크루의 제공 가치를 '언제, 어디서나, 누구든지 손쉽게 얻을 수 있는 스마트한 자동차 라이프'라고 했다. 그리고 그 가치를 제공하기 위해 아래 3가지 요소를 내세운다. 첫째, 기술 '이동 시 수요와 공급의 최적화', 둘째, 커뮤니티 디자인 '상호의 예의와 신뢰 관계', 셋째, 공공 정책 '공평한 이용 가능성'이다.

여기서 가장 특징적인 것은 두 번째 요소인 '커뮤니티 디자인'을 '상호의 예의와 신뢰 관계'로 규정하는 것이다. 타고 싶은 사람의 편의도 아니고 태우고 싶은 사람의 편의도 아니다. 게다가 요시카네 씨의 인터뷰 중에서는 '타깃'이라는 말이 나오지 않았다. 왜냐하면 크루는 일본에 있는 모든 사람들이 서로 '감사합니다'라고 말할 수 있는 이상적인 커뮤니티를 디자인하고 싶기 때문이다.

물론 기업 측이 사회 문제를 해결하고 싶다는 뜻을 사용자에게 전달한다고 해서 사용자 쪽이 굳이 선택해서 탄다는 보장은 없다. 고객이 원하는 기본적인 가치는 목적지로 안전하고 신속하게 데려다주는 것뿐일지도 모른다. 하지만 어떤 사람이든 차를 타고 그 답례로 감사의 마음을 전하는 것은 분명 기분 좋은 일이다. 게다가 타인에게 감사 인사를 받으면 '도움이 돼서 기쁘네요.', '저도 당신에게 얻는 것이 있었으니까 너무 신경 쓰지 마세요.'라며 상대가 느끼는 마음의 부담을 덜어주고 싶어지기 마련이다.

이런 식으로 타인에 대한 배려가 당연한 '마음가짐'으로 자리잡으면 사회 과제는 어느새 해소된다. 그 당연함이 반복되는 '마음가짐'을 브랜드의 원풍경으로 삼고자 하는 것이 크루 브랜드이다. 그야말로 명확한 타깃 설정도 아니고, 고객의 인식이나 이해를 어떻게 만들자는 차원도 아닌, 현재의 모빌리티 문제를 해소하는 '공기청정기' 같은 역할을 크루가 맡고 있다.

고상한 기업 이념이나 브랜드 성명서를 만드는 것이 목적이 아니다. 본질은 어떻게 하면 개개인의 언행을 변화시킬 수 있는가, 고객이나 직원의 행동을 어떻게 하면 조금씩이라도 변화시킬 수 있는가에 있다. 그것이야말로 브랜드 에쿼티로 이어지는 기억 만들기가 된다.

많은 사람의 마음을 조금씩 움직일 수 있는 '브랜드'라면, 사회 전체도 조금씩 변화시켜 갈 수 있다. 크루의 성공 사례에서 배울 수 있는 것은 결코 큰 브랜드 전략을 세우는 것이 아니다. 일상적이고 작은 사건을 반복적으로 쌓아 타인에게 개괄적 기억으로 남을 만한 시간과 서비스를 제공하는 것이다. 크루와 같은 사고방식은 미래 사회에 요구되는 브랜드 구축에 있어 중요한 접근법이다.

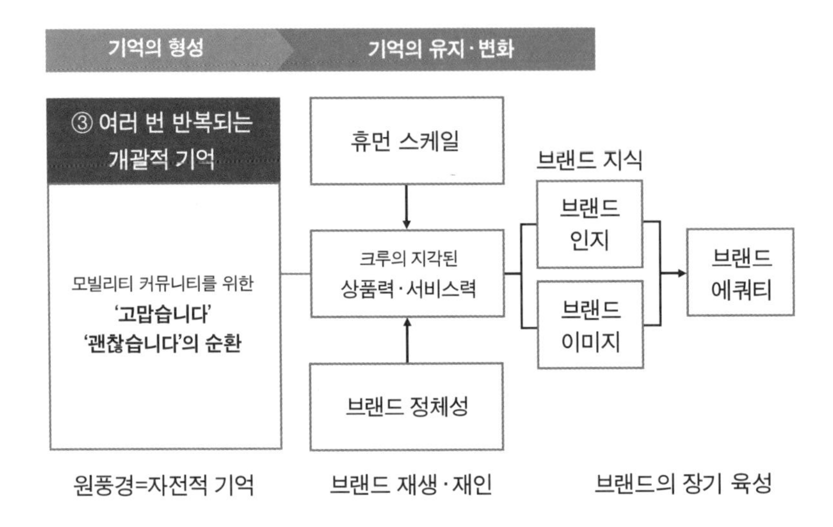

나인 아워스 '9h nine hours' **인터뷰**

캡슐의 원풍경을 바꾼다. 캡슐과 인간을 추구하는 진정한 여유로움

ⓒ 마루게 도루

유이 게이스케油井啓祐
나인 아워스 창립자

1970년 요코하마 출생. 간사이가쿠인대학 상학부를 졸업한 후 자프코에 입사하여 IT 전문 투자팀에서 일했다. 1999년에 돌아가신 아버지가 경영하던 회사를 상속받고 캡슐 호텔업에 종사하기 시작했다. 점포를 개혁하고 실적을 회복시키는 한편, 2005년부터 새로운 카테고리의 사업 개발에 힘쓰고 있다. 2009년에 1호점인 '나인 아워스 교토'를 열었다. 2013년에 나인 아워스를 법인 설립하고 점포 경영을 본격적으로 시작했다. 현재는 나인 아워스 출점과 병행해서 동업자의 재생 지원도 하고 있다.

'나인 아워스 아카사카'는 바닥부터 천장까지 유리벽을 사용해서 도시와 일체화된 공간으로 만들었다 © 나카사 앤 파트너스

호소야: 유이 씨는 지금까지 사람들이 갖고 있던 캡슐 호텔의 이미지를 크게 바꿨어요. 단순한 '잠자리'가 아니라 캡슐이 인간에게 소위 말하는 최소한의 공간이고, 그것이 도시 안에 조화롭게 섞여 있어요. 디자이너인 시바타 후미에 씨, 히로무라 마사아키 씨, 나카무라 다카아키 씨, 건축가인 히라타 아키히사 씨, 아시자와 게이지 씨, 나루세 유리 씨와 이노쿠마 준 씨, 나가사카 조 씨가 참가하면서 디자인 면에서도 다른 캡슐 호텔과 차별화를 뒀어요. 사업을 시작할 때 유이 씨에게는 원래 어떤 이미지가 있었나요?

유이: 도시 생활을 하면서 진정한 여유로움이란 무엇인지 계속 생각했어요. 일반 호텔이나 비즈니스호텔에 비해서 캡슐 호텔은 한 단계 아래로 보잖아요. 그런데 비즈니스호텔 중에도 좁은 방에 여러 가지를 다 집어넣는 바람에 결코 여유로운 공간이라고는 할 수 없는 호텔도 있어요. 그래서 도시 안에서 짧은 시간 사용으로 압축해서 여유롭게 보낼 수

있는 새로운 카테고리를 만들려고 생각했어요.

그 배경은 도쿄 아키하바라에서 저희 아버지가 캡슐 호텔 하나를 경영하고 계셨던 것이었어요. 아버지가 갑자기 돌아가시면서 제가 그 호텔을 상속받게 됐어요. 그런데 찾아오는 손님들을 보면 체류 시간이 고작 10시간 정도예요. 집에 가지 않고 다음 날 아침에 바로 나가는 사람들이죠. 그런 상황에 안성맞춤인 서비스를 제공한다면, 도시 생활 속에서 진정한 여유를 찾을 수 있지 않을까 생각했어요. 그건 지금도 변하지 않는 자세예요.

캡슐호텔에 머무는 시간, 즉 1시간의 샤워, 7시간의 수면, 1시간의 몸단장으로 총 9시간의 '나인 아워스'에 특화된 기능을 담아 숙박서비스를 제공해서 여유로움을 경험하도록 조성했어요. 나인 아워스는 내부에 음식 주문 등의 기능은 제공하지 않아요. 그런 기능은 주변 도시에도 있으니까요.

호화로운 장식을 사용한 럭셔리 호텔에 숙박해서 여유로움을 느끼는 사람도 있을 거예요. 하지만 제가 생각하는 여유로움은 그 반대예요.

나인 아워스 아카사카의 내부 ⓒ 나카사 앤 파트너스

내부의 장식은 철저하게 배제하고, 도시만이 갖고 있는 여유로움을 추구하고 있어요. 그러니까 도시와 일체화된 새로운 숙박 경험이야말로 중요하다고 생각한 거죠.

예를 들어 '나인 아워스 아카사카'의 경우, 주변이 화분의 바닥처럼 되어 있기 때문에 바닥부터 천장까지 유리벽으로 만들었어요. 그래서 숙박 공간인 캡슐이 마치 거리에 던져진 듯한 모습이 되었죠. '나인 아워스 하마마쓰초'는 1층을 높게 설계해 주위보다 전체적으로 높아지게 해서 새로 설치한 옥상 테라스에서 거리를 넓게 내려다볼 수 있어요. 전부 다 지금까지 해 본 적 없는 경험이 될 거예요.

신종 코로나에 맞서 '9h 하이진 프로젝트'를 실시

호소야: 나인 아워스의 독특한 경험은 다른 곳과는 완전히 다른 숙박 공간의 여유로움을 느끼게 할 거예요. 진정한 여유로움이란 무엇인지를 생각하게 만드는 시대로 마침내 진입한 거죠.

'나인 아워스 하마마쓰초'의 외관. 주위보다 전체적으로 높게 설계해서 새로운 옥상 경험을 만들어냈다.
ⓒ 나카사 앤 파트너스

나인 아워스 하마마쓰초에서 내려다보이는 바깥 풍경은 환상적이다 ⓒ 나카사 앤 파트너스

유이: '9h 하이진(포괄적인 위생 관리) 프로젝트'라 부르는 새로운 시도도 해 봤어요. 코로나19가 확대되면서 휴업을 하고 있었는데, 2020년 7월부터 다시 열게 되면서 위생 관리를 철저하게 하고 있어요. 청소 절차를 재검토하고, 소독을 강화하고, 직사광선의 1600배나 되는 살균 효과가 있는 자외선으로 캡슐 내부를 매일 소독하고 있어요.

코로나 대책은 4월쯤부터 추진할 계획으로, 호텔용 위생 관리를 담당하는 컨설팅 회사와 요코하마에 정박한 크루즈선의 감염 방지를 맡았던 육상 자위대에까지 문의했어요. 거기서 여러 가지 의견을 들으면서 저희 나름대로 이 프로젝트를 시작하게 된 거예요. 반대로 말하면 아무도 정답을 아는 사람이 없기 때문에 우리가 시도하면 캡슐 호텔이라는 시설 구조를 살린 독자적인 위생 관리를 할 수 있지 않을까 생각해서 '9h 하이진'이라고 이름을 붙이고 프로젝트를 시작했어요.

저희는 항상 '캡슐 기구를 앞으로 어떻게 해야 할까'를 생각하는데 이번 코로나19로 전부터 실행하려고 했던 위생 관리에 박차를 가하게 됐

'나인 아워스 한조몬'에서 '9h 하이진 프로젝트'를 시작했다 © 나카사 앤 파트너스

어요. 만약 코로나19 이전으로 돌아가지 않더라도 9h 하이진 프로젝트는 캡슐 기구를 개선한다는 의미에서 효력이 있는 거죠.

호소야: 코로나19로 사회적 거리두기 같은 개개인의 거리감을 생각하게 되었어요. 저는 그걸 휴먼 스케일성이라고 불러요. 그중에서도 생활공간 속에서 개개인이 느끼는 쾌적함은 앞으로 더 중요시될 것 같아요. 그야말로 '공간의 여유로움'을 찾아 캡슐의 가능성을 추구하는 자세는 재미있네요.

유이: 2020년 1월에는 새로운 캡슐 기구를 개발하려고 실험실을 설립했어요. 지금까지의 지식을 살려서 더 풍부한 여유로움을 고민하기 위해서예요. 그 시도의 일환이 9h 하이진 프로젝트였어요.

자외선으로 캡슐 기구 내부를 소독할 때도 현재는 직원이 자재를 갖고 와서 스위치를 누르는데, 캡슐 기구 안에 센서나 소독 시스템을 배치하는 등 자동으로 살균하는 구조도 연구하고 있어요. 그 밖에도 내부의 공기 자체를 오존으로 살균한다든지 여러 가지 연구를 거듭할 거예요. 건물에 들어가기만 해도 누구나 직감적으로 안심하고 안전하다고 느낄 수 있게 만드는 것이 9h 하이진 프로젝트의 최종 목표예요.

저희의 원점이라고 할까, 기점은 역시 캡슐 기구이고 잠을 잔다는 행위예요. 이 두 가지를 목표로 온갖 기능을 넣고 싶어요. 쾌적한 수면이란 무엇인가. 맥박, 혈압, 체온 등 생체 정보와 어떻게 관련되어 있는가. 그걸 실현하려면 캡슐 안의 온도, 습도, 공기의 흐름을 어떻게 하면 좋을까. 선선한 동굴 속에서 잠을 자도 기분이 좋지만, 따뜻한 햇볕에서 잠드는 것도 좋잖아요. 그러려면 캡슐 기구에 어떤 기능을 내장해야 할까. 그게 바로 나인 아워스만이 할 수 있는 부분이고, 부가 가치라고 생각해요.

직원에게 철저한 내부 위생 관리를 시키고 있다. © 나카사 앤 파트너스

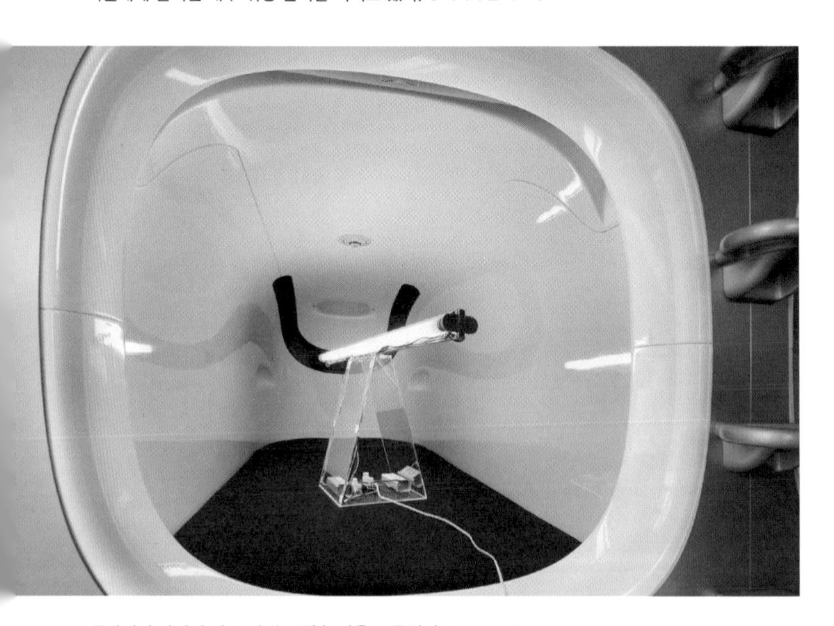

독자적인 자외선 살균 장치로 캡슐 안을 소독한다. © 나카사 앤 파트너스

디자인의 힘으로 열정을 정서적인 감정으로 끌어올리다

호소야: 이번에 나인 아워스를 취재하려고 한 이유는 캡슐 기구에서 정서적인 감정을 느꼈기 때문이에요. 기능을 추구할 뿐만 아니라 최소한의 공간 속에 여유로움을 제공하려고 하죠. 그래서 유이 씨도 쉬지 않고 새로운 방법을 찾을 수 있어요. 그걸 느낀 숙박객이나 헤비 유저 분들이 캡슐 기구라는 존재에 애착을 갖는 게 아닐까요?

유이: 처음에는 딱히 기능을 원했던 게 아니었어요. 누군가에게 부탁받은 것도 아니고, 성공 가능성도 불투명한 상황에서 '하고 싶다'라는 열정만으로 캡슐 호텔 사업을 시작했어요. 9h 하이진 프로젝트도 마지막이라는 각오로 하고 있어요. 한다면 누구보다 뛰어난 것을 해야겠다는 마음만으로 여기까지 왔죠. 우리의 열정을 단순히 열정으로 끝내지 않고, 말씀하신 정서적인 감정으로 끌어올릴 수 있었던 건 디자이너 시바타 씨, 히로무라 씨, 건축가를 포함한 디자이너 팀 덕분인 것 같아요.

호소야: 브랜드를 만들기 위해서는 편의성이나 조작성 등 기능적인 면만 추구하는 게 아니라 감성을 자극하는 정서적 감정이 중요하다고 생각해요. 나인 아워스의 경우, 유이 씨는 디자이너들과 협업하면서 기능과 정서를 잘 융합시킨 것처럼 느껴져요.

유이: 감사합니다. 하지만 정서적인 부분은 전달하기가 어려울지도 모르겠어요. 편의 용품이나 베개, 매트 등의 소재는 상당한 시간을 들여서 고르고 있고, 거래처와도 협력해서 연구 개발을 하고 있기 때문에 내심 품질에 자신을 갖고 있어요. 하지만 소비자들은 가격만 두고 비교하니까 품질에 대해서 이해받기가 어렵죠. 서비스를 만드는 과정은 우리가 맡는다지만, 판매는 타인의 손에 맡기기 때문일지도 몰라요. 저희가 하는 일에 공감해 주는 사람이 늘어나길 바라기 때문에 아직 잘 전해지지 않았다면 그건 반성해야 할 부분일 수도 있겠네요.

호소야: 브랜드를 구축한다는 것은 애착을 만드는 작업이에요. 거기에는 많은 사람들이 얽히게 되니까 반드시 브랜드의 생각이 고객에게 직접 전달

되지 않는 경우도 있죠. 그렇다고 해서 광고나 선전으로 노출하는 것이 브랜드 구축의 목적은 아니에요. 기업이 가진 '좋은 것'을 어떻게 고객들이 정확하게 인식하게 만드느냐가 중요하죠. 그런 의미에서 앞으로 나인 아워스가 고객에게 가장 제공하고 싶은 '좋은 것'은 무엇인가요?

유이: 그건 역시 최적의 수면 환경이죠. 캡슐 기구의 연구 개발을 추진하고 있는 이유도 거기에 있어요. 우선 과학적으로 최적이라고 확실히 말할 수 있을 만큼 수집한 데이터를 바탕으로 새로운 캡슐의 자세를 생각할 거예요. 점포를 다시 열더라도 현재의 연장선이 아니라 코로나19 시대에 맞춰 자발적으로 새로운 무대로 전환한다는 전제로 진행할 거예요. 저희의 캡슐 호텔 사업은 범용화하려고 하면 간단해요. 그러니까 기술이나 디자인을 활용해서 진정한 여유로움을 더욱더 추구할 생각이에요.

호소야: 마지막 질문입니다. 일반적으로 기업이 새로운 사업을 성장시키는 과정에서 매출이나 이익을 확대하기 위해 '양'을 추구하면, '질'로서의 '여유로움'을 잃어 매력이 사라지고 균일화되는 경향을 볼 수 있어요. 그런 점을 어떻게 생각하시나요?

유이: 나인 아워스는 반대로 점포 수가 늘어나면 늘어날수록 오히려 여러 가지 일에 도전할 수 있을 거라고 생각해요. 예를 들어 양이 늘어나면 시바타 씨가 디자인해서 나인 아워스만의 독창적인 수도꼭지를 만들 수도 있어요. 점포가 늘어나 세탁 공장을 직접 운영하고 적정한 세제를 사용할 수 있게 되면 지금보다 질 좋은 수건을 적정한 운용 경비로 제공할 수 있을지도 모르죠. 점포 수가 늘어나면 품질을 더 갈고닦을 수 있어요. 저는 그렇게 생각해요. 여러 가지 방법이 있을 거예요. 처음부터 포기하면 안 돼요.

호소야: 좋은 말씀 감사합니다.

나인 아워스 '9h nine hours' 해설

인간이 여유롭게 살기 위한 9시간

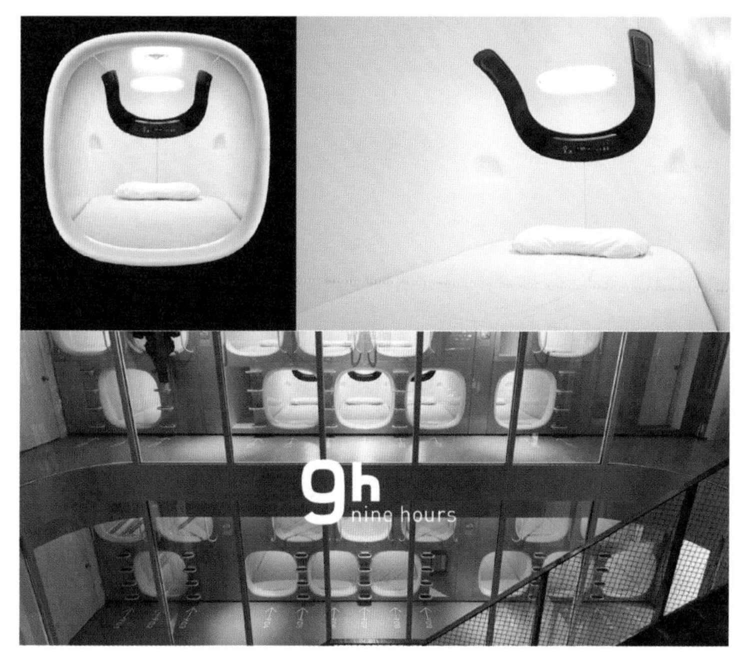

나인 아워스의 크리에이티브 디렉션과 상품 디자인은 창업 당시부터 디자인스튜디오에스DESIGN STUDIO S 대표인 시바타 후미에 씨가 담당하고 있다. 나인 아워스는 현재 수면 환경의 최적화를 목표로 연구하는 등 캡슐 기구의 개선을 추진 중이다. © 나카사 앤 파트너스

1h (땀을 씻어내는 시간) + 7h(잠자는 시간) + 1h(몸단장하는 시간) = 9h

나인 아워스는 매일 누구나 하는 씻기, 잠자기, 몸단장이라는 기본적인 3가지 행동을 콘셉트로 정했다. 나인 아워스가 생각하는 캡슐은 전체적으로 차분한 분위기로 캡슐 안에는 콘센트, USB 포트, 소품을 두는 작은 홀 등 최소한의 것들만 갖추되, 좋은 센스를 발휘했다. 게다가 누워서 뒤

척일 때 보이는 캡슐 천장은 부드러운 곡선이고 밝기 조절이 가능한 조명은 은은해서 마치 엄마 배 속에 있는 듯한 느낌이 든다. 그리고 그 3가지 기본 행동을 시간으로 바꿔서 1h(씻기) + 7h(잠자기) + 1h(몸단장)로 정의했다. 즉, 모든 시간을 합쳐서 9h=나인 아워스인 것이다.

24시간을 기초로 8h은 업무 시간, 2h은 출퇴근 시간, 2h은 식사 시간, 3h은 취미나 텔레비전, 인터넷에 소비하는 시간이라고 생각하면, 건강하고 기분 좋게 생활하기 위해서 필요한 나머지 '9h'에 주목한 것이 바로 나인 아워스인 것이다. 숙박시설로서 공간적인 기억뿐만 아니라 당연시되던 일상생활의 루틴을 다시 보기 위한 개괄적 기억을 만들고자 한다. 단순한 숙박시설이 아닌 생활기능으로 자리매김하고, 9h의 도시생활에 적합한 기능을 마련함으로써 새로운 체류가치를 제공한다.

유이 씨가 나인 아워스에서 가장 중요하게 생각하는 것은 '진정한 여유로움이란 무엇인가'라는 관점이다. 이 9h는 우리 삶에서 가장 중요한 시간이다. 만약 이 9h를 여유롭게 할 수 있다면 도시 생활 속에서의 삶과 생활 방식도 더 여유로워지지 않을까 하는 발상이다.

"아키하바라에서 저희 아버지가 캡슐 호텔 하나를 경영하고 계셨는데, 갑자기 돌아가시고 상속을 받으면서 시작하게 됐어요. 그런데 찾아오는 손님들을 보면 체류 시간이라고 해 봐야 고작 10시간 정도밖에 안 되더라고요. 집에 가지 않고 다음 날 아침 일찍 나가는 분들이 사용했으니까, 그런 최소한의 숙박이랄까, 잠깐 이웃집에서 머무는 것 같은, 휴식에 최적화된 좋은 서비스를 만들면 도시 생활자들 속에서 진정한 여유를 찾을 수 있지 않을까 하는 생각에서 출발했어요."(유이 씨)

필요한 것 이외에는 거리에 맡기다

나인 아워스를 설명하는 또 다른 키워드는 '적당하다'이다. 예를 들어 숙박을 할 때, 실제로는 호텔에 짧은 시간 동안 체류하는 경우가 많다. 그런 식으로 사용하는 것을 유이 씨는 '적당하지 않다'라고 말한다. 반대로 9h를 객관적으로 봤을 때, 효율적이면서 기능적으로 머물고 싶다는 마음이나 가치관에 대해 나인 아워스는 '적당함'을 제공하고자 한다. 그리고 그 '적당함'이 고객에게 진정한 여유로 이어진다고 생각한다. 나인 아워스에서는 일반적인 호텔에서 품질이나 상태를 계급으로 매겨 제공하는 사치스러운 여유는 철저하게 배제한다. 장식이라고 할 만한 것은 하나도 없다. 즉, '적당함'이라는 것은 그 사람에게 사용하기 편리한 것들을 가리킨다. 고객의 요구에 맞는 최적의 기능성이나 편의성이 있다면, 그것이 진정한 '여유'로 이어진다는 것이다.

건축과 설계를 담당하는 히라타 아키히사 씨의 나인 아워스 콘셉트 비주얼

ⓒ 히라타아키히사 건축설계사무소

나인 아워스 한조몬. 개방적인 공간 속에 캡슐 기구가 있다. 캡슐 창문 밖으로 보이는 경치와 공존한다
ⓒ 나카사 앤 파트너스

나인 아워스의 콘셉트 사진은 실로 재미있다. 사람들이 오가는 시부야의 스크램블 교차로 한가운데에 캡슐 기구가 놓여 콜라주되어 있다. 이렇게 캡슐은 인간에게 궁극적으로 개인적인 것이며, 극한적으로 최소한의 공간이라고 생각한다. 옛날에 들판이나 공원에서 놀았던 아이들이라면 누구나 들어가고 싶어지는 토관처럼, 캡슐도 이에 가까울지도 모른다. 나인 아워스는 9h를 여유롭게 만들기 위해 '캡슐'이라는 철저하게 군더더기를 배제한 기능을 가진다. 번잡한 도시 속에 놓인 이미지처럼, 진정한 여유란 무엇인가를 우리에게 묻는다. 나인 아워스 브랜드가 지향하는 원풍경은 이 시각적인 이미지에 있다고 본다.

"다른 기능은 거리에 맡기는 거죠. 보통 호텔은 폐쇄된 공간 속에 모든 기능을 완비하려고 하는데, 저희는 그렇지 않아요. 거리의 기능 중에서 부족한 부분을 채우고 식사 같은 건 밖에서 해결하도록 해요. 요즘에는 음료수를 팔기 시작했는데, 처음에는 그것도 없었어요. 음료자판기가 밖에 있으니까 괜찮지 않나, 뭐 그런 생각이었죠. 기본적으로 그런 건 전부 밖에 나가면 다 있으니까 우리가 이중으로 갖는 건 의미가 없다고 생각했어요."(유이 씨)

창업 당시부터 나인 아워스의 운영은 두 명의 우수한 크리에이터가 맡고 있다. 크리에이티브 디렉션과 제품 디자인을 디자인스튜디오에스 대표 시바타 후미에 씨, 사인과 그래픽 디자인을 히로무라 디자인 사무소 대표 히로무라 마사아키 씨가 담당해서 유이 씨와 함께 팀을 이루고 있다. 유이 씨의 열정을 신뢰하는 우수한 인재들이 함께 의논을 거듭해 나인 아워스의 사상을 만들어 온 과정에서 독특한 에너지를 느꼈다.

고객에게 철저히 답하는 개괄적인 체험

나인 아워스는 '가치'란 사람마다 다양하다는 관점을 갖고 있다. 소비자에게 선택의 자유를 줄 필요가 있다는 것을 알려준다. 예컨대 많이 입어서 닳은 티셔츠를 버리지 않고 아껴 입기도 하고, 그 당시의 기분이나 직감에 따라 물건을 고를 때도 있다. 현재는 BMW를 타고 100엔 숍(한국의 다이소처럼 물건을 저렴하게 파는 가게-역자)에 가는 여유도 있을 정도로 SNS와 EC의 보급과 함께 여유를 얻기 위한 선택의 폭은 한층 더 넓어졌다.

모든 현대인이 나름대로 자신만의 기준을 갖고 다양한 물건이나 일들을 편집하고 표현한다. 그리고 자신이 만족할 수 있는 여유로운 삶을 만들어 간다. 예를 들어 3만 엔짜리 맨투맨이든 1980엔짜리 스웨터든 자기 나름의 기준이나 생각이 있다면 여유로운 '가치'다. 나인 아워스는 앞으로 생활자가 도시 공간 속에서 여유롭다고 느끼는 '가치'란 무엇인가를 계속 찾고 있다. 그것은 단순히 색깔, 형태 등 디자인적인 좋은 의미가 아니라, 미래로도 이어지는 삶과 인간으로서 본연의 자세를 장기적인 시야에서 생각

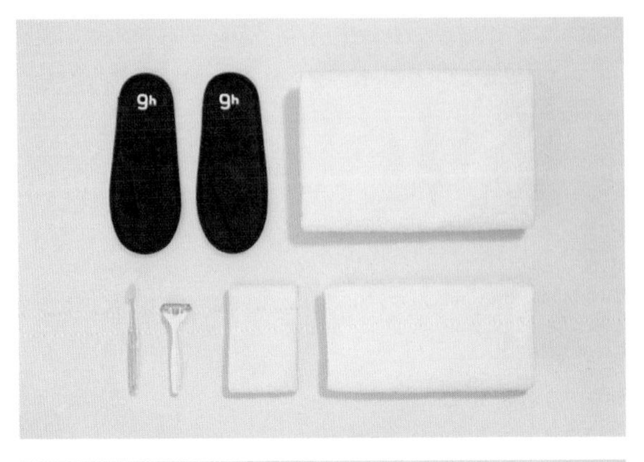

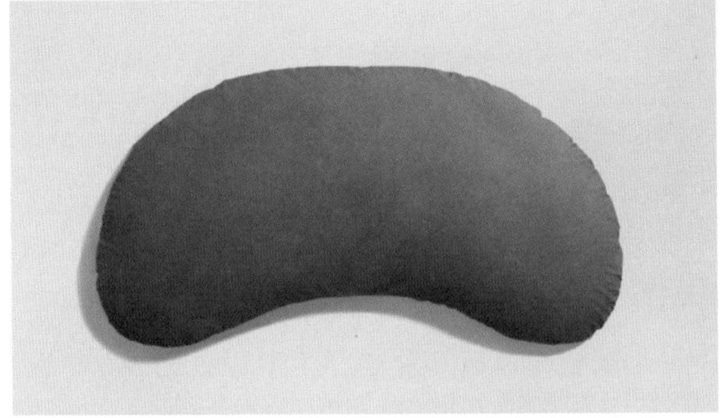

삼푸, 컨디셔너, 바디워시는 TAMANOHADA(다마노하다 비누, 도쿄 스미다)가 나인 아워스 한정으로 생산한 것이다. 이러한 편의용품 하나하나에도 좋은 기분을 느낄 수 있도록 장식을 없애거나 기능을 축소해서 품질에 더욱 신경쓴다. © 나카사 앤 파트너스

하고 있음을 알 수 있다.

또한 가장 주목하고 싶은 부분은 캡슐뿐만 아니라 공간이나 편의용품, 안내사인, 커피 등 어느 부분을 오려내도 모든 접점에서 여유가 느껴지는 적당함이나 기능성이 있고, 높은 품질을 고집하는 점이다. 고객의 9h를 여유롭게 만들고 싶다는 생각으로부터 이렇게 뛰어난 고객접점을 만들어냈다. 그것은 내가 갖고 있던 부정적인 이미지를 없애주었다. 그러니까 나인 아워스에서 보낸 9시간의 모든 경험이 캡슐에서의 개괄적인 기억으로 변환되는 구조인 것이다.

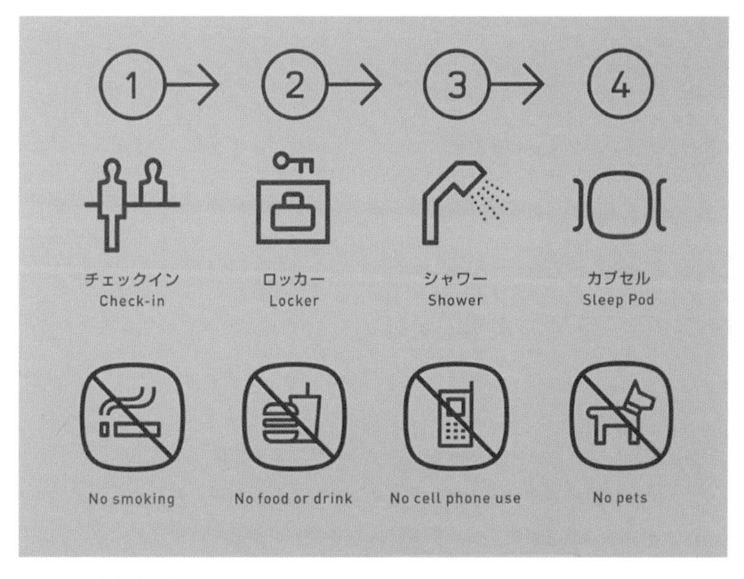

사인과 그래픽 디자인은 히로무라 디자인 사무소 대표 히로무라 마사아키 씨가 담당한다. 9시간의 경험을 편안하게 해주는 디자인이다 ⓒ 나카사 앤 파트너스

도쿄의 스페셜티 커피를 견인하는 진보초 'GLITCH COFFE & ROASTERS'가 운영하는 카페 코너. 산지·농원이나 품종을 음미하고, 로스팅, 추출 등 커피가 입에 들어가기까지의 모든 공정을 제어하여 과일 향이 가득한 섬세한 한 잔을 제공한다. 투숙객이 아니어도 즐길 수 있다. © 나카사 앤 파트너스

7h의 여유로운 '수면'을 제공하다

> "지금 이 시점에서 제공 가치라고 생각하는 건 역시 최적의 수면 환경이 아닐까요? 결국 고객에게 제공하고 싶은 것은 과학적으로 가장 알맞다고 단언할 수 있는 수면 환경이라고 생각해요. 최적의 수면 환경을 생각하기 위한 바이탈 데이터 연구이기도 하고, 캡슐 기구 개발이기도 해요."(유이 씨)

나인 아워스는 3가지 기본 행동 중에서도 특히 7h를 차지하는 '수면'에 중점을 둔다. 불확실한 일이 많이 일어나는 일상 속에서 생활자에게 있어서 수면의 중요도는 창업 때보다 더 주목받고 있다. 그것은 현대인이 안심하고 편안하게 잘 수 있는 장소를 찾고 있는 것이라고도 할 수 있다.

수면 환경 제공에 중점을 둔다는 점은 무척 독특하다. 수면의 메커니즘은 아직 밝혀지지 않은 부분이 많다. 그 이유는 수면에 관한 빅데이터가 별로 존재하지 않기 때문이다. 유이 씨는 이 과제를 해결하기 위해 캡슐 기구를 활용하는 것도 생각하고 있다. 그렇게 하면 지금의 나인 아워스는 최적의 수면을 위한 쇼룸이 되고, 현대인들이 쾌적한 수면을 경험하는 장소로 전환될지도 모른다.

수면이라는 행위는 우리가 365일, 태어나서 죽을 때까지 매일 하는 기본적인 행동이다. 그러나 잠을 잔다는 것을 새삼 기본적인 행위로 중요하게 생각하는 생활자는 적을 것이나. 사실 우리는 인생 대부분의 시간을 수면에 소비하고 있다. 그 수면이라는 생활 행동에 대해 고객에게 '편히 잘 잤다'라는 개괄적인 기억을 새로 부여하고, 도시 속에서 최적의 수면을 고민하는 브랜드로서 나인 아워스의 입지가 보인다.

그 7h의 숙면을 제공하기 위해 수면 전후에 있는 땀을 씻어내는 1시간과 몸단장을 하는 1시간을 나인 아워스는 중요하게 여긴다. 그래서 땀을 씻어내기 위해 품질에 신경 쓴 편의용품이나 베개, 몸단장을 위한 편안한 공간과 맛있는 커피를 준비하는 것이다. 일상생활 속에 있는 장식을 없애고 기능을 덜어낸 대신 품질에 공을 들인다. 그렇게 수면을 더 좋게 만드는 환경을 결코 비일상적으로 준비하는 것이 아니라 매우 일상적인 형태로 '적당하게' 내포하고 있다.

옛날에는 열심히 일하고, 적어도 수도권에 30년짜리 대출을 받아 집을 장만하는 것이 꿈이었다. 그러나 진정한 여유로움을 찾으려는 사람은 그 꿈 자체를 다시 생각한다. 비싼 것이 '가치'는 아니며, 남들과 같은 목표를 세우지 않아도 좋다. 도시에서 만원 전철을 타고 출퇴근하고, 늦게까지 일하고, 소득을 계속 늘려 일생을 마치기보다, 소득은 조금 줄어들지라도 여유로운 환경의 지방에 살면서 그 고장의 문화, 산업, 경치를 즐기며 살아가는 것도 하나의 '가치'이다. 그러한 개개인의 '가치'나 삶의 방식을 선택할 수 있는 '자유'를 숙박이나 수면에서도 제안하는 것이 나인 아워스이다.

나인 아워스는 숙박뿐만 아니라 재택근무의 피로를 풀기 위한 몇 시간의 낮잠이나 러닝 스테이션으로 활용하는 것도 장려하고 있다. 좀 더 우리에게 여유로운 9시간으로 바꾸려고 하는 습관이 생긴다면, 나인 아워스의 존재가 여유로운 수면이나 건강을 실현해주는 9시간의 원풍경이 될 것이다. 그것은 그리 멀지 않은 미래다.

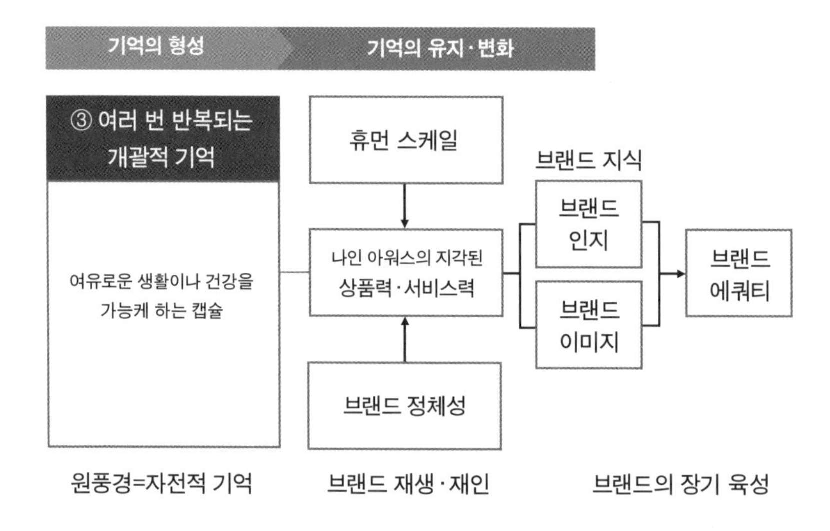

7장 대담 - 기억으로 미래를 만들다

대담 1 다네 쓰요시 × 호소야 마사토

'기억이 미래를 향한 원동력이 된다'

ⓒ마루게 도루

다네 쓰요시田根剛

1979년 출생. Atelier Tsuyoshi Tane Architects 대표. 고고학 연구와 고찰을 거듭해 '장소의 기억'에서 미래를 만드는 건축 'Archaeology of the Future'를 추진하고 실현하도록 탐구하고 있다. 촬영 장소인 도쿄 오모테산도에 있는 'GYRE. FOOD'의 공간 디자인도 다네 씨가 맡았다.

호소야: 다네 씨가 2018년에 도쿄에서 개최한 첫 개인전 《다네 쓰요시: 미래의 기억Archaeology of the Future》에 찾아간 적이 있어요. 다네 씨의 저서도 읽었고요. 고고학연구와 고찰로 '장소의 기억'에서 미래를 만드는 건축

법을 다네 씨는 '미래의 고고학'이라고 부르죠.

저는 일을 하면서 '자전적 기억'이 브랜드 구축에 영향을 준다고 생각하고 연구해 왔어요. 예를 들면 마들렌 과자의 향에서 어머니가 음식을 만들어 주던 부엌이나 그 풍경이 보이는 현상 같은 거요. 기억 연구 중에 마들렌의 향과 관련된 '프루스트 현상'이라는 말도 있어요. 이 책에서도 자전적 기억이 브랜드의 미래를 만든다는 생각을 하고 있고요. 다네 씨의 전시회를 봤을 때, 그야말로 사람의 기억을 가시화한다고 생각해서 전부터 말씀을 들어 보고 싶었어요. 다네 씨는 왜 기억이 미래의 원동력이 된다고 생각하셨나요? 먼저 그 부분부터 들려주세요.

다네: 간단하게 말하면 2006년에 '에스토니아 국립박물관'의 국제 대회에서 우승했던 일이 계기였을지도 모르겠네요. 부지에 원래 있었던 구소련 시절의 군용 비행장 활주로를 확장해서 박물관 지붕으로 설계했어요. 그때 제안했던 게 'Memory Field'라는 제목이었는데, 사실 당시의 저는 아직 젊어서 아무것도 모르고 건축이란 무엇인가 모색하고 있었어요.

그때까지 건축은 신선한 것을 제안해야 하는, 신선한 것이야말로 가치이며 미래라고 생각하는 한편 오래된 것을 계속 부정해도 될까 생각했어요. 하지만 새것을 만들어도 이내 낡아서 망가지게 돼요. 이런 일을 계속해 봤자 우리는 정말 풍요로워질 수 있는 걸까?

에스토니아 국립박물관 대회에서도 원래는 부정적인 유산이었을 구소련의 존재를 무시하지 않고, 그 부정적인 유산을 자신들의 힘으로 바꿔 나가는 것이야말로 에스토니아가 위신을 걸어야 할 국립박물관이 모습이 아닐까? 그래서 저희는 주어진 부지를 멋대로 뛰쳐나가 제안했어요. 이건 개인적인 생각이었지만, 다행히도 에스토니아는 저희의 제안을 자신들의 미래로 만들어 나가자고 판단해 주셨어요. 과거를 받아들이고 미래로 연결하려는 생각은 국가의 용기 있는 결단이라고 생각해요.

그때 건축에 대해 답답함을 느끼고 있던 제 마음이 뻥 뚫린 것 같았어요. 장소가 있는 곳에는 기억이 있는 게 아닐까? 건축을 지켜나가거나

에스토니아 국립박물관은 구소련의 군용 비행장 활주로를 활용한 설계다
(photo: Propapanda / image courtesy of DGT.)

미래를 향해 기억을 계승해 나가는 것에 의의가 있는 것 아닐까? 장소의 기억이라는 가치라면 신선함에 맞설 수 있어요. 지금까지 그랬던 것처럼 신선함만을 추구하는 게 아니라, 기억을 풀어나간다면 건축은 아직 가능성이 있지 않을까 하고 어렴풋이 생각하기 시작한 거죠. 그 후 기억을 의식하게 되었고, 전시회 이야기가 있었을 때 기억을 주제로 삼아야겠다고 생각했어요.

호소야: 왜 '기억'에 대한 생각을 정리하려고 하셨나요?

다네: 갑자기 기억이 미래를 만들어 내는 것이 아닐까 하는 상당히 터무니없는 생각이 들었어요. 생각을 정리한다기보다는 기억에 뭔가가 있다는 것을 알면서도 그게 무엇인지 몰랐어요. 그래서 과감한 발상으로, 이것을 열심히 쫓아 보려고 하고, 전시회를 개최했을 때도 '미래의 기억'을 제목으로 한 거예요.

호소야: 그 생각이 확신으로 바뀐 건 어떤 계기가 있었나요?

다네: 국립박물관이 완성된 후예요. 에스토니아의 프로젝트는 10년의 시간을 들였어요. 그때까지는 저 혼자만의 생각일 뿐이었는데, 실제로 건축이 완공되고 나니 미래가 변하기 시작한 거예요. 국립박물관을 나라의 위신으로 국민들이 계속 기다렸고, 완공됐을 때 정말 기뻐해 주셨어요. 개막식 때는 국영 텔레비전에서 6시간 동안 스페셜 방송으로 진행했어요.

이어서 2년 후인 2018년에는 구 제정 러시아에서 1918년에 독립한 에스토니아의 100주년 축제로 원래는 수도 탈린에서 치러야 할 행사를 국립박물관에서 했어요. 이건 정말 놀라운 일인데, 역시 건축이 미래를 만드는구나, 그러려면 신선함이 아니라 기억이 미래를 만드는 것이라고 큰 확신을 가졌어요. 이것이야말로 제가 평생 풀어나가야 할 주제가 되지 않을까 실감했어요.

2018년에 첫 개인전 《다네 쓰요시: 미래의 기억Archaeology of the Future》을 도쿄 오페라 시티 아트 갤러리와 TOTO 갤러리에서 동시에 개최했다.
ⓒ나카사 앤 파트너스

기억을 파헤치는 행위는 유적 발굴 작업과 비슷하다

호소야: 다네 씨는 2014년에 시티즌 시계 인스톨레이션 'LIGHT is TIME'을 밀라노 살로네에서 발표했어요. 1918년에 창업해서 2018년에 100주년을 맞이한 시티즌 시계를 빛과 시간을 콘셉트로 표현하셨죠. 2015년에는 '도라야 파리점'의 35주년 기념 리뉴얼도 맡았어요. 화과자 만들기에도 통하는 '장인정신'을 콘셉트로 하고, 프랑스의 소재를 이용하면서 일본 느낌이 나는 공간을 만들었어요. 인테리어는 둥근 모양으로 해서 각지지 않고 모가 나지 않는, 일본의 '타협'을 표현했다고 들었어요. 이런 다양한 프로젝트에서도 그 근본은 다네 씨가 생각하는 기억이 테마라는 느낌이 들어요.

다네: 그렇죠. 기억을 거슬러 올라가서 어떤 일을 파헤치다 보면 상상하지 못했던 일을 마주하거나 생각이 확 바뀌기도 해요. 마치 유적 발굴 작업 같은 느낌이라 고고학적인 접근법과 비슷한 것 같아요. 프로젝트의 규모와는 관계없이, 기억 발굴에는 무한한 가능성이 숨어 있어요.
딱 하나 중요한 점은 제가 말하는 기억이라는 건 개인의 기억이 아니라 '집합 기억'이라고 할까, 많은 일들이 집합적으로 모였을 때 보이는 것을 말해요.
시티즌 시계 인스톨레이션도 시계라기보다는 시간이란 무엇인가 하는 근원적인 것을 생각하려고 했어요. 시간은 빛이 없으면 잴 수 없고, 빛이 없으면 시간은 없지 않을까 해서요. 영원한 테마라고 할까, 질문을 계속 던지는 것이 중요하고 거기에서 본질이 생겨나요. 그래서 설치할 때는 시계 그 자체보다 시계를 구성하는 자체 부품(무브먼트의 지판)에 빛을 비추는 것으로 시간을 표현하도록 했어요. 한 개의 부품만 어긋나도 시간은 잴 수 없어요. 지금까지 오랜 세월에 걸쳐 축적해 왔지만, 표면적으로는 잘 드러나지 않았던 시계의 기판 기술이야말로 시티즌 시계의 정체성이고, 이를 조명하고 싶었어요.
도라야도 약 480년의 역사가 있는 노포예요. '도라야 파리점'은 도라야에서 유일하게 해외에 있는 가게인데, 1980년에 문을 연 이래로 같은 장소에서 40년째 장사를 하고 있어요. 일본을 대표하는 화과자라서 리뉴얼할 때는 '화和'라는 일본이 만들어낸 문화야말로 도라야의 매력이 아닐까 생각했어요. 그래서 일본의 문화를 여러 가지 조사해서 어떤 식으로 전달할지 궁리했죠.

화과자는 양과자와 달리 손으로 반죽해서 만들기 때문에 둥근 모양을 하고 있어요. 모가 나지 않고 서로 부딪혀도 타협하는 일본의 문화를 상징한다고 느꼈죠. 이걸 프랑스인에게도 전해야 하지 않을까 생각했어요. 밀가루색 회반죽과 밝은 나뭇결을 기조로 한 내부 인테리어에서 테이블은 프렌치 오크를 팥색으로 물들였고 한천을 형상화한 수지로 코팅한 'YOKAN TABLE'을 쓰는 등 인테리어는 둥근 모양을 띠도록 했어요. 모가 나지 않게 타협한다는 것을 표현했죠.

2014년에 밀라노 살로네에서 발표한 시티즌 시계의 인스톨레이션. 시계 부품을 사용해서 시간을 표현했다
(photo: Takuji Shimmura/image courtesy of DGT.)

2015년에 맡았던 '도라야 파리점' 리뉴얼에서는 화과자를 모티브로 둥글고 각지지 않게 디자인하여 모나지 않은 일본의 '타협'을 표현했다.
(photo: Takuji Shimmura / image courtesy of DGT.)

'도라야 파리점' 내부
(photo: Takuji Shimmura / image courtesy of DGT.)

호소야: 기억에서 방법론을 생각하고 클라이언트에게 전달할 때, 어떤 말들이 오가나요?

다네: 저희는 고고학 연구처럼 방대한 자료와 씨름하며 콘셉트를 만들어 가요. 구체적인 클라이언트가 있는 경우에는 설문조사도 해요. 설문조사라고는 해도 정말 간단한데, 예를 들어 자사의 매력은 무엇인지 하는 그런 질문이죠. 하지만 간단한 질문이기 때문에 나오는 한마디에서 각자의 생각이 전해지니까 재미있어요. 많은 분들에게 작성해 달라고 하면 키워드를 떠올려요. 그걸 연구의 단서로 사용할 때도 있죠. 클라이언트에 프레젠테이션할 때는 기억에 대해서는 설명하지 않지만 저희의 생각을 잘 이해해주시는 것 같아요.
시티즌 시계의 인스톨레이션도 저는 자신만만했지만, 상상도 되지 않는 공간의 제안을 듣고 어떻게 판단해야 할지 몰랐다고 나중에 전해 들었어요. 그래도 시도해 보자는 결단을 내려 주셨죠. 게다가 시티즌 시계의 담당 디렉터 분이 훌륭한 제안이라며 바로 공장에 문의하는 등 아이디어가 점점 정리됐어요.

도쿄 올림픽을 앞두고 신국립경기장 대회에서 다네 씨는 옛 무덤을 모티브로 한 '고경(古墳, 옛 무덤이나 고인의 무덤-역자) 스타디움'을 제안하고, 파이널리스트로 선출되었다

© courtesy of DGT.

건축은 문화와 역사를 계승하는 유일한 존재

호소야: 기억을 테마로 했을 때 다네 씨가 지금까지 해 온 것, 봐 온 것, 느껴 온 것들을 근거로 해서 어떤 존재 가치를 느꼈나요?

다네: 글쎄요. 자기 분석 같은 건 별로 하지 않지만, 개인의 기억은 절대로 공유할 수 없어요. 그리고 잊어버릴 수도 있죠. 하지만 장소나 건축은 그 기억을 두고 가잖아요. 뛰어난 건축물이 수없이 많은 파리에 살아 보고 확실히 느꼈어요. 오래된 건물에 가 보면 정말 많은 기억이 있어요. 예를 들어 중세 교회나 일본의 신사 불각에서는 조각이나 스테인드글라스 등 다양한 건축으로 남아 있어요. 건축은 문화와 역사를 잇는 유일한 존재라고 생각해요. 그래서 건축은 기억으로 이어진다고 할 수 있죠.

호소야: 건축은 인간보다 수명이 기니까요. 그건 기업이나 제품도 마찬가지예요. 100년, 200년씩 지속되는 브랜드가 나오면, 역시 인간보다 수명이 길기 때문에 기억으로 연결되는 존재가 되는 거겠죠. 그런데 최근에 스마트 시티라는 등 기업들이 새로운 도시 만들기에 나서고 있는데, 이에 대해 어떻게 생각하세요? 새로운 이노베이션만 가지고 건축이나 도시 영역으로 들어가는 모습을 보고 있노라면, 인류가 가꿔 온 도시와 사람의 기억이나 본질을 파악하지 못한다고 해야 할까, 표층적인 느낌이 들어요.

다네: 도시의 매력은 시간과 문화에서 복합적으로 생긴다는 점에 있다고 생각해요. 단순히 경제와 사업을 위해 만드는 도시에서 진정한 매력이 나타날까요? 생생하게 살아 숨 쉬는 도시가 될 것 같진 않아요.

호소야: 그렇죠. 신기술을 사용하면 당연히 새로운 걸 만들 수 있겠지, 이렇게 단순하게 생각하는 분들이 많은 것 같아요.

다네: 전에 뇌과학자와 얘기를 나눴을 때, 실제 기억이라는 건 뇌의 중심 부분과 관계가 있을지도 모른다는 연구가 있다고 들었어요. 새로운지 아

다네 씨가 맡은 국내 최초의 미술관인 아오모리 현 히로마에 시의 '히로마에 벽돌 창고 미술관'은 2020년에 오픈했다. 이곳의 디자인은 메이지 시대부터 남아 있는 벽돌 창고를 개조해서 만들었다
© Daicl Ano

닌지(신규성) 생각하는 대뇌 신피질 부분은 '차가운 뇌'이고, 기억 등을 담당하는 부분은 '따뜻한 뇌'라고 한대요. 재미있는 표현이죠. 프루스트 현상처럼 자신의 근원이나 원점으로 떠오르는 것은 따뜻한 뇌 쪽인가 봐요.

호소야: 재미있네요. 간단히 말하면 기억에는 단기 기억과 장기 기억이 있는데, 단기 기억은 본 것을 그대로 받아들이는 표면적인 기억이고, 장기 기억은 여러 차례 반복되는 것이나 충격적인 일이 에피소드 기억으로 남는다고 해요. 그걸 '차갑다', '따뜻하다'로 표현하니까 이해가 잘 되네요.

다네: 반면 기억은 사람에 따라 점점 달라져요. 뇌란 꽤 자유롭다고 할까, 마음대로 기억을 바꿀 때가 있잖아요. 기억이 조금씩 왜곡된다고 해야 할까, 처음에 했던 이야기가 점점 달라지잖아요. 물론 잊어버리지 않는 사람도 있겠지만, 아무튼 기억은 그 사람의 근원이 되고 원동력이 되어 그 사람의 미래를 만들어 가요. 기억이란 역시 재미있어요.

호소야: 수많은 뇌의 부위 중에서도 특히 기억과 관계하는 것이 해마라는 사실은 잘 알려져 있죠. 뇌에 대해서는 더 공부해야 하겠네요. 기억은 정말 재미있어요. 오늘 감사했습니다. 정말 즐거웠습니다.

ⓒ 마루게 도루

대담 2 하세가와 도타 × 호소야 마사토

'디지털 시대이기 때문에 인간의 근원적인 부분을 더욱 따지게 된다'

ⓒ 마루게 도루

하세가와 도타長谷川踏太

1972년 출생. 영국 왕립 예술학교RCA에서 석사 과정을 수료했다. 소니 크리에이티브 센터, 소니 CSL 인터랙션 실험실에서 근무한 후, 2000년부터 런던의 크리에이티브 집단 TOMATO에 유일한 일본인 멤버로 소속되어 온라인 광고 등의 분야에서 인터랙티브 작품을 발표했다. 아티스트로서 작품 제작이나 문필 활동도 했다. 2011년부터 와이든 앤 케네디 도쿄 Wieden+Kennedy Tokyo의 경영 크리에이티브 디렉터로 일했고, 2020년부터 디기프티 CCO로서, same gallery를 주재하고 있다

호소야: 저는 원풍경이라 불리는 것이 브랜드 스토리 만들기에서 중요해질 거라고 생각해요. 어렸을 때의 기억이 무언가를 선택할 때 판단 기준이 된다고 생각해 왔거든요. 이건 아날로그적인 감각인데, 한편으로는 급격하게 디지털화가 진행되고 있는 것도 사실이죠. 그런 환경 속에서 원풍경과 기억의 중요성을 어떻게 파악해 나갈지가 저의 과제예요.

그래서 인터랙티브 작품을 연달아 발표하고 있는 하세가와 도타 씨에게 의견을 여쭤보려고 합니다. 하세가와 씨는 인터넷이나 웹 사이트가 나오기 시작했을 때부터 디지털 업계에 종사하셨죠. 하세가와 씨와의 만남은 1990년대 후반에 디지털 아트 작품으로, 당시에 큐레이터였던 저와 같이 일했을 때로 거슬러 올라가요. 지금은 SNS 등의 활용이 당연해지고, 소위 말하는 디지털 커뮤니케이션이 늘어나고 있어요. 그런 움직임을 보고 있는 하세가와 씨는 디지털 사회에서 커뮤니케이션의 본질적인 부분을 어떻게 보고 계신가요? 먼저 그 부분부터 들려주세요.

하세가와: 아날로그나 디지털이나 커뮤니케이션의 본질은 기본적으로 변하지 않는다고 생각해요. 저는 일본에 컴퓨터가 들어왔을 당시부터 일한, 아마 디자이너로서는 초창기 세대일 거예요. 새로운 도구로 프로그래밍도 해 봤고, 디자인적으로 재미있는 걸 할 수 있겠다고 생각했어요. 결국 그게 글이 될 수도 있고 그림이 될 수도 있고 영상이 될 수도 있고, 매체만 다를뿐, 표현하는 것이나 사람이 재미를 느끼는 건 크게 다르지 않다는 걸 깨달았어요. 디지털이라고 해서 인간의 감각은 아날로그와 크게 다를 바가 없는 것 같아요.

물론 사람의 행동은 변했을지도 몰라요. 새로운 도구가 나오면 바로 달려들어 새로운 행동을 하는 사람들이 많이 있죠. 예를 들어 모바일용 쇼트 동영상 플랫폼 '틱톡TikTok'은 전 세계에 침투해서 많은 영상이 올라오는 등 크게 유행을 했죠. 하지만 거기에 있는 영상의 재미는 불변하잖아요. 그러니까 인간의 감각 같은 것이 크게 변할 거라고 생각하지 않아요.

한편 디지털화에 따라 기업은 고객 데이터를 쉽게 얻을 수 있는 시대가 된 것도 사실이에요. 기업은 SNS 등으로 고객과 인터넷을 통해 연

하세가와 도타 씨가 기획한 《훔칠 수 있는 아트전》은 2020년 7월 9일 새벽에 도쿄 에바라의 same gallery에서 열린 전시회다. 갤러리 작품을 방문객이 자유롭게 '훔칠 수 있는' 이벤트로 큰 화제를 일으켰다
ⓒ 하세가와 도타

결되어 직접적으로 어필할 수가 있어요. 그 부분은 크게 발전하고 있지만, 고객도 기업을 자세히 파악할 수 있게 되었죠. 그래서 브랜딩이 그 어느 때보다 더 중요해졌는지도 모르겠네요.

호소야: 디지털 관련의 브랜딩은 아무래도 기술이나 기능 면에 치우치기 쉽다고 생각해요. 편의성을 향상시키는 것도 중요하지만, 그것만으로 브랜딩이 될지, 고객이 애착을 갖고 받아들일 수 있는지, 개인적으로는 의문이에요.

하세가와: 기업과 고객의 거리가 가까워지면서 미움을 받는 이유도 많아겠죠. 일장일단이 존재한다고 할까, 모든 경우에서 반드시 좋아지리라는 보장은 없어요. 그래서 일관된 사상이나 브랜드 표현이 점점 중요해졌고, 디자인이나 기업 입장에서도 할 일이 늘어난 게 아닐까요?

호소야: 제대로 할 수 있으면 좋겠지만, 그렇지 않은 기업도 많을 거예요. GAFA(구글, 애플, 페이스북, 아마존)처럼 글로벌 기업일수록 국가를 넘나들고

조직이나 사업도 점점 세분화되니까 고객의 경험을 전부 통제하는 건 불가능에 가깝지 않을까요?

하세가와: 하지만 기업 입장에서 보면 지금까지 점포가 쥐고 있던 고객 정보가 전부 자신들에게 들어오는 건 매력이 있죠. 그 데이터 사용법을 정말로 아는 사람이 있는지, 제대로 준비가 되어 있는지 묻는다면 어떨까요? 고객 입장에서 보면 만든 사람의 얼굴을 직접 볼 수 있으니까 신뢰가 생겨서 구입하는 사람도 생길 것 같아요. 그런 의미에서 일종의 브랜딩처럼 되고 있네요.

호소야: 농가에서 직접 인터넷으로 직송하는 경우에는 인간미가 느껴져요. 하지만 상대가 GAFA라면 이야기가 다르죠. 확실히 누구나 알고 있는 유명한 브랜드이긴 하지만, 소니의 '워크맨'이나 '아이보' 같은 브랜드와는 조금 다른 이미지가 있어요.

하세가와: 그렇죠. 구글이나 페이스북은 구매하는 느낌이 아니라서 나라의 수도 같은 인프라이지 브랜드가 아닐지도 모르겠네요. 사람을 모아서 놀게 하는 동안 광고를 보여주고, 그 수입으로 회사가 돌아가니까요. 그래도 일본에서 야후와 구글을 비교하면, 처음에는 인터페이스도 다르고 이미지도 달랐어요. 구글 화면은 검색창만 있는 단순한 구성이었지만, 야후의 화면은 복잡했으니까요. 거기서 일본과 미국의 취향이랄까, 문화의 차이를 느꼈어요.

인간미를 억지로 끌어내려고 하면 실패한다

호소야: 하세가와 씨는 런던에도 거점이 있으니까 여쭤보고 싶은데요, 인간미 같은 부분은 일본에서만 원하는 건가요? 세계적으로 통용되는 이미지인가요?

하세가와: 농가에서 만들었다거나 수제품이라든가, 원래 영국에는 미술공예운동Arts and Crafts Movement이 있었으니까 그런 것에 대한 애착은 있다고 생

각해요. 하지만 인터넷 검색 엔진에까지 인간미를 드러낼 필요는 없지 않을까요? 오히려 일본 기업의 경우는 캐릭터나 마스코트를 만들어서 인간미를 억지로 끌어내려다가 실패한 사례가 있는 모양이에요. 그런 태도에 가식을 느끼는 거겠죠.

호소야: 디지털 시대에 돌입하니 오히려 사람 냄새날 때가 더 좋았다는 분들이 있더라고요. 온라인의 무뚝뚝한 커뮤니케이션보다 직접 만나는 게 좋고 온도감 같은 게 그립다는 반응도 나오는데, 어떻게 생각하세요?

하세가와: 억지로 인간미를 끌어내려고 하면 인위적인 느낌이 들잖아요.

호소야: 왜 그렇게 생각하세요?

하세가와: 고객이 기업을 SNS 등으로 '감시'하는 시대니까 정말 철학을 가지고 행동하는지, 정말 신뢰할 수 있는지 항상 추궁당하게 될 거예요. 행동과 결과가 일치하지 않으면 신뢰할 수 없거든요. 말만 번지르르하게 하는 것이 아니라, 행동까지 일관되는지 평가를 받는 거죠. 밝은 미래만 내거는 기업은 다시 한번 되돌아 보고, 사실은 아무것도 할 수 없으면 못 한다고 말하는 편이 나아요. 그런 기업은 신뢰할 수 있고, 브랜딩하기도 쉽지 않을까요?

호소야: 브랜딩은 결코 기교나 잔재주를 쓴 디자인으로는 만들 수 없어요. 그야말로 고객에게 바로 간파당하죠. 보다 지효적인 관점에 서야 한다고 생각해요. 소비 속도가 빠르고, 브랜딩이라는 말이 혼자서 둥둥 떠다니는 느낌이에요. 단기적으로 결과를 내고 새로운 것을 항상 만들어내야 한다는 생각으로는 소비 속도가 빠르고 브랜딩을 할 수 없어요. 오히려 기업이 지향하는 문화와 직결될 필요가 있죠.

하세가와: 기업은 문화라는 말을 쓰고 싶어 하지만, 문화는 그렇게 간단히 만들어지는 게 아니니까요. 그런 의미에서 말하자면 브랜딩은 어려워요.

호소야: 시대의 분위기를 읽고 사람들이 원하는 방향으로 만들어 나가는 것이 브랜드 전략이라고 생각하는 사람이 있는데, 그렇게 해서 좋은 브랜드

가 될까요? 역시 저 속 깊은 곳에서 끓어오르는 의지가 없으면 가식으로 보여요. 빅 데이터 같은 다양한 마케팅 데이터를 분석하는 건 좋지만, 그것들에 너무 사로잡히면 아무것도 보이지 않고, 아무에게도 와닿지 않는 브랜드가 될 뿐이에요. 잠재고객의 마음까지 생각해야 하는데, 그 깊은 곳에 있는 것이 기억의 영역 아닐까요? 쉽게 데이터화할 수 있는 영역이 아니에요. 디지털화가 될수록 고객의 마음을 얼마나 아는지가 관건이라고 생각해요.

하세가와: 코로나19 확산으로 이제부터 가치관이 180도 바뀌는 시대가 됐어요. 기업도 자신을 되돌아보는 좋은 기회가 될지도 모르겠네요.

호소야: 기업에게 있어서 지금까지 경험해 온 지식은 더 이상 통하지 않을 테니까 브랜드를 만들 때도 지금까지 써 왔던 방법은 쓸모가 없을 거예요. 제가 대학에서 건축을 배웠을 때 에도의 도시 역사를 연구했는데, 그 중에서 1970년대 서적인 《문학의 원풍경: 들과 동굴의 환상》을 접한 것을 계기로 이번에 '원풍경'이라는 말을 제목에 넣었어요. 일본의 문학 작품 중에는 작가 개개인의 원풍경과 원체험이 반드시 있고, 그 공간을 독자와 필자가 공유하면서 이야기가 전개된다고 쓰여 있었어요. 마찬가지로 제품을 개발하거나 구입할 때도 원풍경이나 원체험이 있지 않을까 생각했죠. 그런 기억의 중요성을 기업은 더 중시해야 한다고 생각해요.

하세가와: 결국 브랜드도 인간이 만드는 것이기 때문에 자발성이 생기는 토양을 필요로 할 겁니다.

호소야: 그런데 하세가와 씨는 '자전적 기억'이라고 하면 무엇이 떠오르죠?

하세가와: 저는 친가가 잡화점을 했거든요. 그래서 그런지 아버지가 물건에 아주 까다로운 분이셨죠. 예를 들어 브랜드 제품은 절대 입지 말라고 막무가내로 말씀하셨어요. 그런 건 멋있지 않다는 교육을 받아서 그런지, 지금도 브랜드 제품은 사지 않아요. 유명 디자이너가 디자인했다고 하면 의심의 눈으로 보게 돼요. 그래서 많은 사람들이 지지하는 연예인

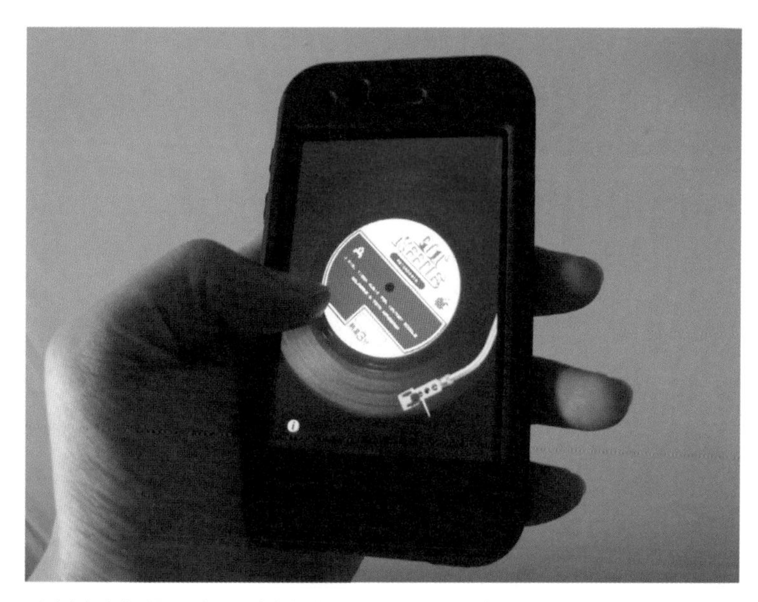

하세가와 씨의 작품. 스마트폰 화면에 '레코드'를 표시해서 음악을 즐길 수 있게 한 앱 '3 min timer music for instant noodle(iPhone a) - delawate + 하세가와 도타' ⓒ 하세가와 도타

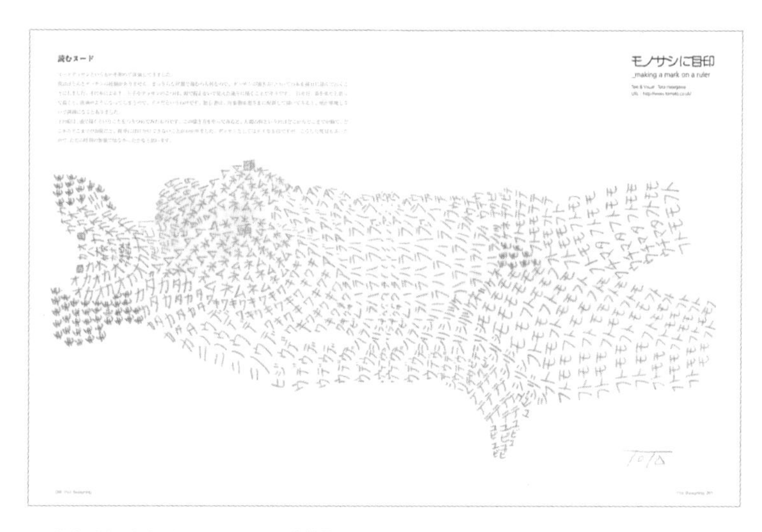

글자나 말을 써서 새로운 표현에 도전한 작품. '말/놀이/디자인/자에 표시: 하세가와 도타', 매일 커뮤니케이션 ⓒ 하세가와 도타

을 일부러 피한다는가, 유행을 별로 신경쓰지 않아요.

호소야: 아버님은 어떤 말이나 행동으로 그런 생각을 하세가와 씨에게 전해 주셨나요?

하세가와: 저희 아버지가 다루던 상품은 디자인되지 않은 것들이었어요. 오리지널이라고 할까, 초기의 디자인되어 있지 않은 것을 찾아 좋게 만들어서 팔았어요. 중국 컵을 잔뜩 사 와서 멋있게 만들어 팔기도 했고요. 당시에는 아직 편집숍이라는 말이 없었지만, 지금으로 말하자면 그런 가게였어요.

아버지는 원래 그래픽 디자이너였어요. 제가 태어나서 유모차를 살 때도 일본에는 좋은 디자인이 없다면서 중국에서 등나무로 짠 유모차를 사 오기도 했어요. 그런 경험이 쌓이면서 잡화점을 시작하게 된 것 같아요. 그래서 정말 특이한 것들을 온몸에 둘렀어요. 친구가 만화 캐릭터 신발 같은 걸 신어서 부러워했는데, 저는 완전히 다른 신발을 신었거든요. 지금 생각해 보면 너무 멋진데, 그때는 왜 다른 애들과 똑같지 않을까 계속 생각했어요. 네 살 정도였을까요? 그게 저의 원풍경이었을지도 모르겠네요.

호소야: 그렇군요. 무척 흥미로워요. 하세가와 씨가 물건을 고르는 방법, 가치관이 조금 보이는 것 같아요.

하세가와: 사회적 거리두기로 집에 있는 시간이 많아지면서 생각할 시간이 많아졌기 때문에 앞으로 더 다양한 일들이 생길지도 모르겠네요. 코로나19가 확산되면 힘들기는 하겠지만, 새로운 생활양식과 새로운 가치관이 생겨날 것 같아 설레는 젊은이들이 많지 않을까요? 불안정할 때 여러 가지 기회가 생기죠. 태평양 전쟁 이후의 일본 같은 느낌이랄까. 재미있다고 하기에는 조심스럽지만, 지금까지 생각지 못했던 비즈니스의 빈틈이 앞으로 많이 생길 것 같아요.

호소야: 확실히 빈틈이 생기기 시작한 것 같아요. 새로운 시대를 향해 많은 희망이 보이기 시작했죠. 많은 참고가 되었습니다. 감사합니다.

ⓒ 마루게 도루

마치며 원풍경이 브랜드의 미래를 그린다

'원풍경'이라는 말 이전의, 표현되기 이전의 이미지가 있다.

- 오쿠노 다케오, 《문학의 원풍경: 들판과 동굴의 환상》

이 책에서는 먼저 자전적 기억이 브랜드의 장기 육성에 주는 영향을 인터뷰 조사로 검증했다. 그 결과, 자전적 기억에는 공간적·정서적·개괄적 기억이라는 3가지 요소가 존재한다는 사실을 확인했다. 브랜드의 기억 유지·변화에는 지각된 상품력과 서비스력뿐만 아니라 정보 탐색 행동에서 브랜드 식별자를 탐색하고, 브랜드와 소비자의 심리적 거리가 좁혀지는 휴먼 스케일에 영향을 받는 것도 밝혔다.

또한 9개의 새로운 '원풍경'을 만드는 브랜딩 사례도 소개했다. 모든 사례가 반드시 즉효성을 요구하는 것은 아니고, 소비자의 관점에서 제대로 된 활동을 지효적인 관점에서 실시하는 사례였다. 그리고 이러한 사례는 새로운 자전적 기억을 형성할 뿐만 아니라, 동시에 브랜드 식별자, 휴먼 스케일, 지각된 상품력과 서비스력으로 브랜드 인지와 재생을 시도하기 위해 공간, 디지털, 상품, 서비스 등으로 새롭게 전개하고 있다. 최종적으로는 인터뷰 조사에서 등장한 '자가리코', '츠바키', '메이지 아몬드 초콜릿' 등의 롱셀러 브랜드처럼 소비자의 자전적 기억이 형성될 것이다.

나아가 브랜드를 장기 육성하려면 3가지 관점이 보인다. 첫째, 브랜드를 장기 육성하려면 자전적 기억에 담겨 있는 공간적 기억이나 정서적 기억을 적극적으로 활용한 브랜드 전략을 실행할 필요가 있다. '긴자 소니파크', '진스'처럼 소비자의 공간적·정서적 기억을 활용하는 브랜드 전략은 브랜드 인지와 재생을 쉽게 만들고, 브랜드와 소비자의 관계를 밀접하게 만들 수 있다. 그 결과, 브랜드의 장기 육성이 이루어지고 브랜드 에쿼티 구축에 기여한다. 공간·정서적 기억을 파악하고 자전적 기억의 경향성을 보여주는 데이터를 해석할 수 있다면, 이를 장기적인 브랜드 커뮤니케이션에 반영시킬 수 있다.

둘째, 브랜드를 장기 육성하려면 개괄적인 개인적 기억을 촉진하는 시책이 필요하다. 예컨대 '슈프림'이나 '아네스베' 사례에서도 볼 수 있듯이, 브랜드의 장기 육성은 선명한 1회의 개인적인 기억에 의한 경험만으로는 어렵다. 브랜드가 자신만의 방식에 따라 습관화되었을 때 유일무이한 존재로 변화한다. 그리고 개괄적인 개인의 기억으로 변화시켰을 때 결과적으로 브랜드와의 거리감이 줄어들고, 그 브랜드는 소비자에게 없어서는 안 될 존재가 된다. '크루'나 '나인 아워스'처럼 새로운 모빌리티나 수면 경험과 같은 자전적 기억을 만들기 위해서는 정기적인 구매나 활용을 촉진하는 시책이나 구독 방식 등이 필요하다. 이는 브랜드의 자전적 기억을 양성한다는 관점에서 유효한 접근법이다.

셋째, 브랜드의 기억을 유지하고 변화시키려면 지각화된 제품력, 서비스력, 브랜드 식별자뿐만 아니라 생활자가 인간적인 행동으로 브랜드 접점을 통해 그 브랜드의 진의가 전달되고 심리적 거리가 좁혀지는 요소인 휴먼 스케일도 필요하다. '다네야'의 산야초, '가챠'의 소셜 굿 활동 등의 사례가 이에 해당된다. 휴먼 스케일은 소비자의 자전적 기억과 어우러져 브랜드 정체성의 강인함과는 다른 무형의 상징성이 생긴다.

게다가 자전적 기억의 탐색은 다가올 디지털 커뮤니케이션 시대에도 유효하다. AI화되면서 인간의 체계적인 지식이나 개념을 이해하려는 움직임이 이어지고 있다. 한편으로 자전적 기억은 언어화나 수치화에 따른 가시화가 어렵지만, 디지털 시대에 있어서 소비자 정보의 보고이다. 기억 연구에서 기억은 시간적인 과제가 존재하기 때문에 소비자의 유소년기로 거슬러 올라가 정보를 수치화하는 것은 어렵고 정확성도 떨어진다. 하지만 브랜드의 자전적 기억은 공간적 기억이나 정서적 기억으로서 소비자의 현재에 존재한다. 그 요소를 밝힘으로써 브랜드 인지나 재생을 촉진하는 것은 가능하다. 3장에서 언급했듯이 자전적 기억이 재생되면 제품 정보 분석이나 정보 기억이 감소한다. 즉, 인간은 자전적 기억이 재생되면 브랜드에 대한 정보 탐색을 생략할 가능성이 높아진다.

이 책의 인터뷰 조사에서도 10년 넘게 구입한 제품 브랜드임에도, 대상자가 정확한 상품명이나 패키지 디자인을 기억하지 못하는 사례가 많았다. 개괄적 기억으로 인식하고 있고, 지각은 실로 모호하다는 사실을 알 수 있다. 브랜드 지식을 높여 브랜드 에쿼티를 만들어내기 위해서도 공간적·정서적·개괄적 기억이라는 3가지 요소를 활용해서 새로운 원풍경을 만드는 것은 효과적이다.

하지만 자전적 기억에 따른 브랜딩에는 과제도 있다. 먼저 기억의 신빙성 문제다. 자전적 기억의 연구에서도 큰 과제로 다루어지고 있다. 이 책을 조사하면서도, 특히 40대는 망각 때문에 기억이 점점 희미해지는 모습을 보였다. 기억은 변화하고 재구성되었을 가능성도 높다. 자전적 기억은 수십 년이라는 장기 기억이기 때문에 기억 유지 프로세스는 복잡하면서도 미지수이다. 뇌과학 연구 페이지에서도 언급했듯이 해마의 기억 유지 메커니즘은 밝혀내는 중이다.

두 번째로 자전적 기억에 관한 프라이버시 문제가 있다. 특히 4장에서 소개한 인터뷰 조사에서는 이미 필자와 면식이 있는 대상자를 선정해서

이 문제를 의도적으로 피했다. 즉, 이미 라포르(신뢰 관계)가 형성된 상태에서 인터뷰를 진행했다. 대상자와 질문자의 라포르 정도가 자전적 기억을 상기시키는 데 영향을 줄 가능성은 부정할 수 없다. 앞으로 비슷한 인터뷰 조사를 실시할 경우 라포르 형성의 정도에도 유의해서 실시할 필요가 있다.

세 번째로 자전적 기억의 브랜드 카테고리 설정에도 주의가 필요하다. 이 책에서는 제품 카테고리를 추리지 않고, 자전적 기억이 브랜드의 장기 육성에 미치는 영향을 고찰했지만, 제품 카테고리에 따라 자전적 기억의 자리가 변화할 가능성이 있다. 예를 들어 하이테크 제품이나 기호품 등의 자동차, 가전제품, 옷, 럭셔리 브랜드 등은 다른 가능성이 있다. 테슬라나 유니클로처럼 기술적 진화가 더 강하고, 자전적 기억이 브랜드의 장기 육성에 필요하지 않은 경우도 있다. 소비자 관점에 서면 상품력의 혁신이 브랜드 지식이나 브랜드 에쿼티에 직접적으로 이어지기 때문이다. 앞으로는 제품 카테고리에 따른 자전적 기억과 브랜드의 관계성을 세밀하게 분류할 필요가 있다. 그 위에 새로운 원풍경을 만드는 것이 필요하다.

네 번째로 자전적 기억의 실천적 활용은 아직 허들이 높다. 프루스트 현상처럼 후각이나 미각 등에 따른 오감 커뮤니케이션은 자전적 기억과의 친화성이 있지만, 소비자 개개인에 따라 다르다. 현재로서는 인뎁스 조사 등으로 소비자의 자전적 기억을 탐색하는 것이 현실적이다. 그러나 자전적 기억을 정량화할 수 없다면 마케팅 전략으로는 활용하기 어렵다. 정량적 근거가 필요한 경우는 소비자의 장기 기억 데이터를 활용해서 대상자의 지향성과 자전적 기억을 클러스터별로 분류함으로써 그 경향성을 찾을 수 있을지도 모른다. 즉, 자사가 직면하는 상황이나 개발 프로세스의 문맥에 입각하여 시장조사 방법 자체를 혁신하고 고객 자신도 인식하지 못한 잠재 수요 정보를 획득하기 위한 창조성과 통찰력이 필요하다.

마지막으로 개념 모델을 추가적으로 검증하는 것도 앞으로의 과제다. 이 책에서는 일본 국내 조사 및 사례를 소개했는데, 글로벌 브랜드를 대상으로 하는 경우에는 각국의 대상자에 대한 인터뷰 조사와 함께 국제 비교 연구도 실시할 필요가 있다. 나라마다 문화나 생활 습관이 다르고, 당연히 브랜드 구축이나 자전적 기억을 발생시키는 맥락도 변화할 것이다.

이상과 같이 과제도 많다. 하지만 자전적 기어을 찾는 것은 결코 마이너스 요소가 되지 않는다. 왜냐하면 자전적 기억은 자신의 인생에 있었던 사건에 관한 기억의 총체이며 사실과 주관적인 진리성을 포함한, 공간적·정서적으로 특정 가능한 기억이기 때문이다. 그 기억 속에 있는 브랜드는 소비자의 삶에서 대체할 수 없는, 그 무엇과도 바꿀 수 없는 것이다.

원풍경은 과거의 것이 아니다. 원풍경은 미래를 그리기 위한 원동력이다. 당신에게는 브랜드의 원풍경이 보였는가.

맺음말

좋은 브랜드란 무엇인가, 나는 그 진의를 계속 생각하고 있다. 시대가 변화하고 소비자가 추구하는 것이 점점 변하면서 기업 측의 '의지'도 변혁을 이어 나가고 있다. 나 역시 좋은 브랜드란 무엇인가 깊게 생각하고, 매일 다양한 분야에 걸쳐 브랜드 전략을 고민하는 한 사람이다. 그리고 어떤 과제를 마주하더라도 그 기점이 사람의 감정이나 기억에서 출발하도록 하고 있다.

한편, 좋은 브랜드를 만들기 위해서는 사상, 기질, 미의식, 심층 의식 등 브랜드 만들기와 밀접하게 관계를 맺어 나가게 된다. 반대로 말하면 기업 측에서 자기 형성이 되어 있는 것이 제품이나 서비스에 구체적으로 드러나 브랜드로 표현된다. 그 전제가 되는 자기 형성의 기초는 틀림없이 기업 측의 '의지'이다. '의지'는 사회적 존재 의의를 바라보고 사회 속에서 살아나가는 현대인의 감정과 똑바로 마주했을 때, 비로소 자신의 내면에서 샘솟는 것이라고 생각한다. 지금이야말로 우리의 '의지'를 브랜드 중심에 두고 새로운 패러다임을 그려야 한다. 나는 그 '의지'를 만들기 위한 일조로 인간의 자기 형성 요소인 원풍경에 흥미를 갖게 되었다. 그것이 이 책의 출발점이다.

현대는 소비 속도가너무 빠르다. 또한 즉시 눈에 보이는 성과를 바라는 세상이다. 그리고 2020년, 코로나19로 전 세계 모든 사람들에게 상세적으로 멈춰 서야 하는 시간이 생겼다. 우리는 인간과 지구의 균형이 무너지기 시작한 사건을 맞닥뜨렸다. 그러므로 현대사회 안에서 살아가는 인간의 심층 심리에 접근해서 다시금 좋은 브랜드란 무엇인가를 물어볼 필요가 있다. 결코 눈앞의 성과에 일희일비하는 것이 아니라, 차세대를 향해 자신감을 갖고 계승해 줄 수 있는 브랜드를 쌓아 올리는 것이 중요하다. 사람의 자전적 기억을 바라보는 이 책으로 여유롭고 행복한 사회로 데려가는 '의시'가 생기고, 미래로 이어지는 '원풍경'이 만들어지기를 진심으로 바란다.

마지막으로 이 책을 집필할 때 도움을 주신 많은 분들에게 깊이 감사의 말씀을 드리고 싶다. 이 책의 주제인 나의 연구 주제인 〈자전적 기억이 브랜드의 장기 육성에 미치는 영향〉이라는 석사 논문을 작성했을 때, 정말 열심히 지도해 주신 와세다대학 대학원 경영관리연구과의 가와카미 도모코 교수님에게는 진심으로 깊이 감사의 말씀을 전하고 싶다. 그리고 이 책에서 인터뷰에 협력해 주신 19명의 인터뷰이에게도 감사드린다.

또한 2018년부터 이어 온 〈닛케이 크로스 트렌드〉 'C2C 시대의 브랜딩 디자인' 취재에 응해 주신 기업 관계자들, 이 책 말미의 대담을 흔쾌히 승낙해 주신 다네 쓰요시 씨, 하세가와 도타 씨에게도 감사드린다. 그리고 2018년부터 연재를 구상하시고 이 책의 기획·편집을 맡아 주신 닛케이 BP의 오야마 시게키 씨, 하나자와 유지 씨에게도 감사의 인사를 올린다. 마지막으로 이 책을 작성할 때 전면적으로 지지해 준 바니스타 직원분들에게도 진심으로 감사의 말씀 전한다.

호소야 마사토

참고문헌

Aaker, David A. (1991), *"Managing Brand Equity,"* The Free Press.

Aaker, David A. (1996), *"Building Strong Brands,"* The Free Press,

Aaker, David A. and Kevin Lane Keller (1990), "Consumer Evaluations of Brand Extensions," *Journal of Marketing,* 54 (January), 27-41.

Aaker, David A. and Joachimsthaler, E.(2000), "Brand Leadership," The Free Press,

Aaker, David A.(2018), "Creating Signature Stories," Morgan James Publishing,

Allen, C. T., S. Fournier, and F. Miller (2008), "Brands and Their Meaning Makers," in C. P. Haugtvet, P. M. Herr, and F. R. Kardes (eds.), Handbook of Consumer Psychology, Lawrence Erlbaum Associates, 781-822.

Anderson, John R. (1983), "The Architecture of Cognition, Cambridge, MA," Harvard University Press.

Baumgartner, H., Sujan, M., and Bettman, J. R. (1992), "Autobiographical memories, afect, and consumer information processing," Journal of Consumer Psychology, 1(1) , 53-82.

Bowlby, J.(1968), *"Attachment and Loss," vol.1: Attachment,* Basic Books.

Bowlby, J.(1973), *"Attachment and Loss," vol.2: Separation: Anxiety and Anger,* Basic Books.

Brewer, W.F. and Pani,J.R(1982), "Personal memory? generic memory,: and skill":An empirical study. Paper presented at the 23rd annual meeting of the Psychonomic Society, Minneapolis,Mn. Advances in research and theory(Vol.17, .1-38). New York:Academic Press

Brewer,W.F.(1986), "What is autobiographical memory?" Rubin,D.C(ed.), *Autobiographical memory, Cambridge University Press,* 25-49.

Cohen, G.(1989), "Memory in the real world," 1st edn. Hillsdale, NJ:Erlbaum,

Edward Twitchell Hall, Jr. (1966), *"The Hidden Dimension,"* New York,

Fournier, S.(1994), "A Consumer-Brand Relationship Framework for Strategic Brand Management," University of Florida, PhD. thesis.

Fournier, S.(1998), "Consumer and Their Brands: Developing Relationship Theory in Consumer Research," Journal of Consumer Research, vol.24(March), 343-373.

Franklin, H. C. and Holding, D. H. (1977), "Personal memories at diferent ages," *Quartely Journal of Experimental Psychology,* 29, 527-532.

Goldberg, S.(2000),"Attachment and Development," Edward Arnold.

Jansari, A. and Parkin, A. J. (1996), "Things that go bump in your life: Explaining the reminiscence bump in autobiographical memory," *Psychology & Aging,* 11, 85-91.

Keller, K. L. (1993), "Conceptualizing, Measuring, and Managing Customer-Based Brand Equity, "*Marketing Science Institute,* 91-123.

Keller, Kevin Lane, (2002). "Branding and Brand Equity," in B. Weitz and R. Wensley (eds.), *Handbook of Marketing,* Sage Publications, 151-178.

Keller, Kevin Lane. (2003), "Strategic Brand Management and Best Practice in Branding Cases," 2nd ed, Prentice-Hall,

Keller, Kevin Lane, Lehmann, Donald R. (2009), "Assessing long-term brand potential," *Journal of Brand Management.* 17(1) , 6-17。

Keller, Kevin, Lane.(1993), "Conceptualizing, Measuring, and Managing Customer-Based Brand Equity," *Journal of Marketing,* 57 (January), 1-22.

Linton, M. (1986), "Ways of searching and the contents of memory," in Rubin, D.C. (ed.) *Autobiographical Memory,* Cambridge, Cambridge University Press.

Marcel Proust(1987), *"A la Recherche du temps perdu,* Plíade," Gallimard,

Neisser, U. (1982), "Memory Observed *:Remembering in natural contexts,"* San Francisco: WH Freeman and Campany,

Nigro, G. and Neisser,U.(1983), "Point of view inpersonal memories," *Cognitive Psychology,* 15, 467-482.

Park, C. W., MacInnis, D.J., and Priester, J. R.,(2006), "Brand Attachment: Constructs,- Consequences, and Causes," in Foundations and Trends in Marketing, vol.1(3), 191- 230.

Park, C. W., MacInnis, D. J., and Priester, J. R.(2009), "Research Directions on Strong Brand Relationships," in *Handbook of Brand Relationships,* ed. Deborah J. MacInnis, C. Whan Park and Joseph R. Priester, Society for Consumer Psychololy, 379-393.

Rubin, D. C. Weyzler, S. E., and Nebes, R. D. (1986), "Auto biographical memories across the lifespan," In D.C. Rubin (ed.), *Autobiographical memory,* New York: Cambridge University Press, 202-221.

Rubin, D. C. and Schulkind, M. D. (1997),"Distribution of important and word-cued autobiographical memories in 20-, 35-, and 70-year-old adults," Psychology & Aging, 12, 524-535.

Rubin, D. C. and Berntsen, D. (2003), "Life Scripts help to maintain autobiographical memories of highly positive, but not highly negative, events," *Memory & Cognition*, 31, 1- 14.

Schrauf, R.W. and Rubin, D. C. (1998), "Bilingual autobiographical memory in older adult immigrants: A test of cognitive explanations of the reminiscence bump and the linguistic encoding of memories," *Journal of Memory and Language,* 39(3), 437–457.

Schmitt, B. H. (1999), "Experiential Marketing : How to Get Customers to Sense, Feel, Think, Act, Relate," The Free Press,

Schmitt, B. H. and A. Simonson (1997), "Marketing Aesthetics", Prentice Hall,

Sujan, Mita., James R. Bettman, and Hans Baumgartner(1993), "Inluencing Consumer Judgments Using Autobiographical Memories: A Self-Referencing Perspective," *Journal of Marketing Research,* 30(4), 422-436.

Tulving, E. (1983), "Elements of episodic memory." New York: Oxford University Press,

Wagenaar, W. A. (1986), "My Memory A Study of Autobiographical Memory over Six Years," *Cognitive Psychology*, 18, 225-252.

계속 팔리는 브랜드 경험의 법칙

기억이 머무는 브랜드의 비밀

발행일 2023년 4월 13일
펴낸곳 유엑스리뷰
발행인 현호영
지은이 호소야 마사토
옮긴이 김소영
편　집 이아람
디자인 오미인
주　소 서울특별시 마포구 백범로 35, 서강대학교 곤자가홀 1층
팩　스 070.8224.4322

ISBN 979-11-92143-89-7

BRAND STORY WA GENFUKEI KARA TSUKURU
written by Masato Hosoya

Originally published in Japan by Nikkei Business Publications, Inc.
Korean translation rights arranged with Nikkei Business Publications, Inc.
Through Korea Copyright Center Inc

좋은 아이디어와 제안이 있으시면 출판을 통해 더 많은 사람에게 영향을 미치시길 바랍니다.
투고 및 제안: uxreviewkorea@gmail.com